Alternativen

A MULTI-OPTION GERMAN READER

(handwritten note in margin)

Agnes D. Langdon
Colgate University

with Dirk Hoffmann and Doris S. Guilloton
Colgate University   *New York University*

HOLT, RINEHART AND WINSTON, INC.

Forth Worth / Chicago / San Francisco / Philadelphia
Montreal / Toronto / London / Sydney / Tokyo

Publisher   Vince Duggan
Associate Publisher   Marilyn Pérez-Abreu
Project Editor   Isolde C. Sauer McCarthy
Production Manager   Priscilla Taguer
Design Supervisor   Kathie Vaccaro
Cover Painting   Matthias Duwe
Cover and Text Design   Off Broadway Graphics
Illustrations   Susan Swan
Maps   General Cartography
Photo Research   Rona Tuccillo

Photographic and other credits appear at the end of the book.

Library of Congress Cataloging-in-Publication Data

Alternativen, a multi-option German reader / Agnes D. Langdon,
   Dirk Hoffmann, Doris S. Guilloton.
   1. German language—Readers.   2. German language—Textbooks for foreign speakers—
English.   I. Langdon, Agnes D.   II. Hoffmann, Dirk, 1942–   III. Guilloton, Doris S.,
1929–.
PF3117.A65 1988   88–19101
438.6'421—dc19   CIP

ISBN 0-03-003732-8

Printed in the United States of America.

9 0 1 2 016 9 8 7 6 5 4 3 2 1

Holt, Rinehart and Winston, Inc.
The Dryden Press
Saunders College Publishing

Preface

Alternativen is a set of three integrated books for the study of intermediate German: a *Review and Reference Grammar*, a *Reader* of culture and literature texts, a *Workbook–Lab Manual*. When used together, these four components make up a year's course (two semesters or four quarters with four class hours a week).

The *Alternativen* principle gives instructors many choices in how to use the books. Each component of the package may be used by itself. The *Grammar* volume alone serves as a one-semester review course of German grammar, or as a reference work for students at any level. When it is used with the *Workbook–Lab Manual*, it offers extensive study of grammatical phenomena in the classroom and the language laboratory, plus vocabulary building, chapter by chapter. The *Grammar* can also be used with the *Reader*, the connection being provided by the Additional Exercises sections in the *Grammar*, which are coordinated with the *Reader* vocabulary.

The *Reader* volume alone serves as a third- or fourth-semester introduction to German literature and culture. Depending on their students' level of skills, instructors may choose to work with the edited culture texts, with the unabridged literature texts, which are longer and more difficult, or with a combination of the two. The *Reader* could be used with the *Workbook–Lab Manual* if the students know their grammar but need exercises in certain areas (provided by the *Workbook*) or speaking and comprehension practice in connection with their readings (provided by the *Lab Manual*). When all three volumes are used, it is still possible to select only parts of the *Reader* in conjunction with the other two, since individual sections in each volume are coordinated.

The integration of the three component volumes is achieved by way of vocabulary. The exercises in each *Grammar* chapter feature the active vocabulary from the respective *Reader* chapter. The *Workbook* exercises not only work up the active vocabulary from the coordinated *Reader* chapter but, in fact, individual groups of exercises reflect much of the chapter texts' subject matter. The *Lab Manual* lessons, finally, not only work up the active vocabulary from the respective *Reader* chapter but feature dictations, dialogues and comprehension exercises based directly on *Reader* texts.

This *Reader* has twelve chapters. Each consists of culture and literature texts under one theme. The culture texts are edited excerpts from newspaper and magazine articles; the literature texts are unabridged short stories by modern, and mostly contemporary, authors. Each chapter is subdivided into groups of texts, each preceded by active vocabulary and vocabulary exercises, and followed by questions, themes and activities. The instructor is free to choose which texts to read, which to omit; on which to spend a great deal of time, on which only a little. The coordination of each *Reader* chapter, or part thereof, with the *Grammar* and the *Workbook-Lab Manual* is achieved not by analysis of grammatical phenomena in the texts, but by the vocabulary. Instructors assign the grammar points in need of review and practice them with the vocabulary of the texts to be read.

When the whole package is used, therefore, instructors can focus on one group of texts to do grammar and exercises and then, with the second group, concentrate on conversation and activities.

The various illustrations, which are all functional, can aid in a more communicative approach and may even be used as substitutions for reading selections.

The *Alternativen* principle allows different methods of language teaching. For example, instructors who wish to stress grammar review may start with the active vocabulary and assign a grammar chapter, or part of it, for review, then practice the grammar points and the new vocabulary simultaneously by doing the Additional Exercises in class and by assigning *Workbook* drills as homework; as they move to the *Reader,* students should find the texts fairly easy to read because they have learned the active vocabulary and have worked with it. The laboratory work could be assigned in preparation of, or simultaneous with, classroom discussion of themes and doing the activities.

Instructors who wish to further their students' communicative and reading skills may wish to start with the *Reader* texts, the questions, themes and activities, including the laboratory lessons; they could then move to the grammar review. The students would be able to concentrate on grammatical phenomena, and do the Additional Exercises in the *Grammar* and the drills in the *Workbook* with some ease, because they are familiar with the vocabulary and the link with *Reader* topics the drills offer. Or an instructor may vary the approach chapter by chapter, emphasizing or deemphasizing individual sections in the *Grammar*, the *Reader* or the *Workbook–Lab Manual.*

Acknowledgments

We would like to express special thanks to Project Editor Isolde C. Sauer McCarthy for efficiently supervising the many stages of production of this text.

We would also like to thank the following colleagues who reviewed the manuscript during its various stages of development: James Ronald Bartlett, University of Mississippi; Brigitte Bradley, Barnard College; Maria-Louise Caputo-Mayr, Temple University; Jerry L. Cox, Furman University; Wolfgang Dill, Oregon State University; Bruce Duncan, Dartmouth College; Henry Gerlach, University of Illinois, Champaign; William Keel, University of Kansas; Harvey Kendall, California State University; Valda Melngailio, Boston College; Harry Paulin, San Diego State University; William Petig, Stanford University; Karen Ready, Indiana University of PA; Conrad Schaum, University of Notre Dame; Tim Sellner, Wake Forest University; Elfriede W. Smith, Drew University; Marion Sonnenfeld, Fredonia State University; Patricia Stanley, Florida State University; Norman Watt, St. Olaf College; Kathleen Webb, University of Pennsylvania; Peter Winkel, Trenton State.

Agnes Domandi Langdon

Contents

 # Reisen

EUGEN ROTH

Volle Züge

pleasure
enjoys in full draughts,
i.e. to the fullest
vice versa

legt Wert auf *appreciates*

E in Mensch, der sonst zwar das Vergnügen°
Recht gern genießt in vollen Zügen°,
Legt just beim Reisen, umgekehrt°,
Auf volle Züge wenig Wert°.

ALPENLÄNDER—REISELÄNDER

Neue Wörter

Verben

beschreiben, ie, ie	to describe
besichtigen	to visit, inspect
empfehlen (ie), a, o	to recommend
enden	to end
erleben	to experience
kennen·lernen	to meet
lehren	to teach
übernachten	to spend the night
überqueren	to cross over
unterbrechen (i), a, o	to interrupt
verbringen, a, a	to spend time
weiter·fahren (ä), u, a (+ sein)	to drive on
vor·schlagen (ä), u, a	to suggest

Substantive

der **Aufenthalt**, -e	stay
der **Bauernhof**, ⁼e	farm, farmhouse
die **Burg**, -en	castle, fortress
die **Fahrkarte**, -n	ticket
der **Führer**, -	guide, leader
die **Grenze**, -n	border, bound
die **Gemütlichkeit**	geniality, coziness
die **Landkarte**, -n	map
die **Landschaft**, -en	landscape
das **Schloß**, ⁼sser	castle
die **Seele**, -n	soul
die **Strecke**, -n	stretch, section
die **Vergangenheit**	past

Andere Wörter

beliebt	popular
früher	former
verschieden	different
vollständig	complete
auf diese Weise	in this way
zum Beispiel = z.B.	for instance = e.g.
das heißt = d.h.	that is = i.e.

NEUE WÖRTER IM KONTEXT

1. Sagen Sie das mit anderen Wörtern:

enden	empfehlen
die Burg	ansehen
kennenlernen	im Hotel schlafen

2. Sagen Sie das Gegenteil:

enden	früher
gemütlich	vollständig

3. Bilden Sie Sätze mit diesen Wörtern:

Gemütlichkeit/Dorfgasthäuser; Schloß/besichtigen; Landschaft/erleben; auf diese Weise/kennenlernen; Aufenthalt/vorschlagen; weiterfahren/die Schweiz; reisen/Österreich

REDEWENDUNGEN (*IDIOMS*) AUS DEM TEXT

1. kein Wunder	*no wonder*
2. ich lasse mir Zeit	*I'm allowing myself (enough) time*
	I'm taking my time
3. auf diese Weise	*in this way*
4. vor allem	*above all*

Gebrauchen Sie die *Redewendungen*, wo sie passen:

1. (Am wichtigsten ist, daß) sollten Sie nach Wien fahren.
2. Die Jungfrau-Region können wir nicht in einem Tag besichtigen, dafür (nehmen wir uns viel Zeit.)
3. (Wenn wir es so machen,) können wir viel erleben.
4. (Es ist ja ganz natürlich,) daß so viele Touristen kommen.

Beenden Sie diese Sätze:

1. Kein Wunder, daß die Alpenländer _____.
2. Wenn Sie in Österreich reisen wollen, _____.
3. Wenn Sie die Alpen nach Süden überqueren, _____.
4. Auf den vielen Seen in Österreich _____.
5. Auf einem österreichischen Bauernhof _____.
6. Im Berner Oberland fährt man nicht nur Ski, sondern _____.

Alpenländer—Reiseländer

invent

G äbe es Österreich nicht, müßte man es für den Tourismus erfinden°: der Körper dankt für die ozonreiche Luft, für sauberes Wasser, für gesundes Essen, für die vielen Sport und Spielmöglichkeiten, manchmal auch für eine

treatment, spa

Behandlung° im Heilbad°. Herz und Seele erleben Kunst und Naturschönheiten, Musik, Theater und freundliche Atmosphäre. Kein Wunder, daß alljährlich viele 5 Millionen Ausländer Österreich besuchen—im Winter zum Skilaufen, im Sommer zum Baden oder zum Besuch von Festspielen oder einfach zum Wandern, Schauen und Staunen.

Wenn Sie in Österreich reisen wollen und auf die Landkarte sehen, ist es schwer, das Interessanteste zu finden; aber die österreichische Fremdenverkehrs- 10

National Tourist Office werbung° kann ein guter Führer sein; ihre Broschüren, Journale und verschiedene Informationsblätter schlagen Ihnen ganz verschiedene Reisen vor. Zum Beispiel:

Machen Sie eine musikalische Sommerreise in Österreich! Es gibt kein anderes Land in der Welt, in dem Musik so sehr ein Teil von früher und von heute ist. 15 Beginnen Sie Ihre Reise in Juni von Vorarlberg: mit den Schubertfestspielen. Von dort fahren Sie nach Bregenz; Sie können Oper und Konzerte im Festspielhaus, Operette und Ballett von der schwimmenden Bühne auf dem See hören.—Und weiter nach Tirol, wo Sie Volksmusik hören können, oder ältere Musik im

hall Spanischen Saal° auf Schloß Ambras in Innsbruck. Von den berühmten Salzburger 20 Festspielen (sehr viel Mozart) haben Sie sicher schon gehört.—Nun überqueren

south Sie die Alpen nach Süden° und gehen Sie nach Kärnten zu den Sommerfest-spielen.—Fahren Sie weiter nach Osten und übernachten Sie in Graz (Steier-

experimental stage mark); das neu modernisierte Opernhaus ist Experimentierbühne° für junge Ta-

Hungary lente.—Wenn Sie nun in Richtung Grenze mit Ungarn° weiterreisen, sollten Sie 25 Ihre Fahrt im Burgenland unterbrechen: auf Burg Lockenhaus wird Kammermusik gemacht.—Dann weiter nach Norden—Wien! Lassen Sie sich viel Zeit, be-

places where music is performed sichtigen Sie zuerst die Stadt, auf diese Weise lernen Sie die vielen Musikstätten° kennen: Die Staatsoper, die Volksoper, das Theater an der Wien, der Musikverein, das Konzerthaus, die Burgkapelle; ein reiches Programm, von Oper und Konzert 30 bis zu den beliebten Walzern, Märschen und auch Jazz, erwartet Sie.—Ihre Reise endet aber in Wien noch nicht: Sie sollten auch ein paar Tage in Nieder- und Oberösterreich verbringen! In Baden im Wiener Wald hören Sie Operetten, in Grein bei Linz gibt's sogar zwei Programme: Theater im Juli und bei den Donau-Festspielen im August, Opern und Konzerte.   35

Wenn Sie Wassersport lieben, können Sie in Österreich segeln. Eine große
is spread across Zahl von großen und kleinen Seen verteilt sich über° das ganze Land: vom
Bodensee an der Westgrenze zum Neusiedler See im Burgenland, von den Seen
(Atter-, Traun-, Mond- und Wolfgangsee) im Norden zur Seenplatte im Süden
(Wörther, Millstätter und Ossiacher See). An vielen Seen gibt es Segel- und   40
Windsurfschulen, mit vollständigem Unterrichtsprogramm. Die internationalen
landlocked country Regattaerfolge österreichischer Segler lehren, daß in diesem Binnenland° der
is done Sport mehr getrieben° wird, als man denkt.

Wenn Sie touristische Attraktionen oder den Streß von weiten Reisen nicht
mögen, dann interessieren Sie sich vielleicht für einen Aufenthalt auf dem Bauern-   45
hof. Das ist vor allem etwas für Kinder. Dort finden sie alles, wovon sie in der
dream Stadt nur träumen°: Wald, Gras und Wasser, Pflanzen und Tiere, Material zum
Spielen, viel Platz und viel Zeit, die Landschaft kennenzulernen. In Kärnten allein
gibt es 260 Bauernhöfe, im Salzburger Land weit über 2 000, die zu einem
economical preiswerten° Aufenthalt mit allem Komfort einladen. Wenn Sie wollen, können   50
Sie von Bundesland zu Bundesland reisen und auf vielen verschiedenen Bauern-
höfen Zimmer bestellen.

Oder laufen Sie gern Ski? Dann machen Sie eine Winterreise! Österreich ist
high mountains Alpenland: die Skigebiete gehen von den Hochgebirgen° im Westen bis zum

foothills Alpenvorland° nicht weit von Wien. Die österreichischen Skidörfer existieren 55
seit Hunderten von Jahren; Sie können alte Dorfkirchen, historische Gasthäuser,
hier und da ein Schloß besichtigen. Das Wetter ist gut: Wintertemperaturen am
powdery Tag liegen um 40 Grad Fahrenheit, also über Null; der Schnee ist pudrig° mit
wenig Eis; überall gibt es Skilifts und Skischulen; nach dem Skilaufen erleben Sie
die Gemütlichkeit der vielen Dorfgasthäuser. Fliegen Sie nach Innsbruck oder 60
Salzburg, von dort können Sie die besten Skigegenden erreichen.

Die Schweiz als Reiseland ist genau so berühmt wie Österreich. Besucher
beschreiben die Schönheit der Natur zu allen Jahreszeiten. Zum Beispiel das
Berner Oberland in der deutschen Schweiz: Besuchen Sie im Sommer den Thuner
und den Brienzer See. Diese schweizerischen Segelseen liegen in einem inter- 65
essanten Wandergebiet. Zu Fuß oder auf dem Schiff können Sie Exkursionen
machen, auch Berg- und Gletscherwanderungen, oder Reisen zurück in die Vergangenheit beim Besuch der Schlösser und der Burgen von Thun, Spiez, Ober-
hofen, Schadau und Hünegg.

Der Jungfrau-Region kann man aber auch einen Besuch machen, wenn König 70
Winter regiert; dann ist sie nämlich ein fast grenzenloses Skizentrum mit unzäh-
countless ligen° Transportmöglichkeiten. Zur Region gehören auch weltbekannte Kurorte
wie Interlaken, Wilderswil, Lauterbrunnen, Mürren, Wengen und Grindelwald.

Doch man fährt nicht nur Ski, sondern treibt viele andere Wintersportarten, und die Region bietet Winterwanderwege. Was gibt es Schöneres als das Spa- 75 zieren durch die kalte, saubere Luft einer traumhaften Berglandschaft?

Reisebüros empfehlen das Regionale Ferienabonnement (RFA). Diese ideale Fahrkarte für Eisenbahn, Schiff, Autobus oder Bergbahn kauft man auf dem *valid* Bahnhof, der Schiffstation oder dem Reisebüro; sie ist an 15 Tagen gültig°, *within* innerhalb° dieser Zeit bestimmt der Gast selber fünf Reisetage oder Reisestrecken, 80 wo er freie Fahrt haben will. In diesen 15 Tagen können Touristen auch auf speziellen Strecken zum ½ oder ¾ Preis fahren.

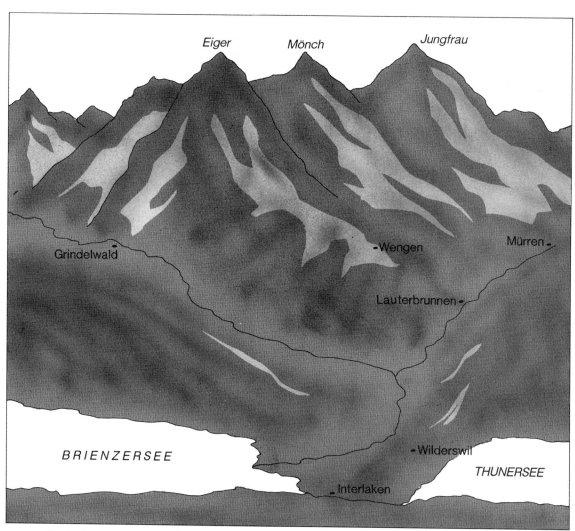

Berner Oberland

Fragen zum Text

1. Was macht Österreich allgemein so attraktiv für Touristen?
2. Nennen Sie ein paar Aktivitäten für den Sommer und für den Winter in Österreich.
3. Möchten Sie selbst Ihre Reise planen? Wenn nicht, wer kann Ihnen dabei helfen? Wie?
4. Welche vier Beispiele von Reisen in Österreich schlägt der Text vor?
5. Nennen Sie einige Musikfeste und die Bundesländer (oder sogar die Orte), wo sie stattfinden.
6. Welche Wassersportarten treibt man in Österreich, und wo?
7. Was macht den Aufenthalt auf einem österreichischen Bauernhof attraktiv?
8. Was erzählt der Text vom Skilaufen in Österreich?
9. Welche Reise in die Schweiz empfiehlt der Text? Beschreiben Sie die möglichen Aktivitäten in der Jungfrau-Region in den verschiedenen Jahreszeiten.
10. Was ist ein RFA? Erklären Sie, warum es für Touristen so attraktiv ist.

Themen zum Schreiben und zur Diskussion

1. Wenn Sie Zeit für nur eine Reise hätten, wohin würden Sie fahren, nach Österreich oder in die Schweiz? Erklären Sie mit Hilfe der Beschreibungen aus dem Text.
2. Welche von den vier Reisen in Österreich möchten Sie machen? Erklären Sie, was Ihre Interessen sind.
3. Schreiben Sie ein Tagebuch für Ihre Tage auf einer von diesen Reisen. Was haben Sie an jedem Tag gesehen, gehört, gemacht?
4. Was denken Sie von Österreich und der Schweiz als Reiseländern?

Aktivitäten

1. Zeigen Sie auf der Landkarte von Österreich die neun Bundesländer und ihre Hauptstädte. Zeigen Sie, mit Hilfe des Textes, von wo bis wo die vorgeschlagene musikalische Reise geht. Dann zeigen Sie, wo die im Text genannten Seen liegen.
2. Wissen Sie die Namen der deutschsprachigen Städte in der Schweiz? Zeigen Sie sie auf einer Landkarte der Schweiz. Dann zeigen Sie das im Text genannte Berner Oberland, die Jungfrau, den Thuner und den Brienzer See.
3. Organisieren Sie einen Quiz für zwei Teams. Jedes Team formuliert Fragen über Österreich und die Schweiz (z. B.: Wieviele Bundesländer hat Österreich? Nennen Sie Österreichs Nachbarländer. Welche verschiedenen Sprachen werden in der Schweiz gesprochen? Wo liegt die deutsche Schweiz?)

4. Spielen Sie eine Szene im Reisebüro. Eine Studentin plant eine Fahrt nach Österreich oder in die Schweiz; ein Student ist der Herr im Reisebüro und schlägt verschiedene Reisen vor.

NONSTOP DURCH EUROPA

Neue Wörter

Verben

ab·geben (i), a, e	to turn in
benutzen	to use
bestellen	to order
ein·steigen, ie, ie (+ sein)	to get in
herum·fahren (ä), u, a (+ sein)	to travel around
los·fahren (ä), u, a (+ sein)	to depart, take off
zurück·kommen, a, o (+ sein)	to come back

Substantive

die **Auskunft, ¨-e**	information
das **Ausland**	(land) abroad
der **Bahnsteig, -e**	platform
der **Entschluß, ¨-sse**	decision
die **Entwicklung, -en**	development
die **Fahrkarte, -n**	ticket
das **Gepäck**	luggage
der **Paß, ¨-sse**	passport

Andere Wörter

irgendwohin	(to) anywhere
langsam	slow

NEUE WÖRTER IM KONTEXT

1. Sagen Sie das mit anderen Wörtern:

die Auskunft   das Ticket
gebrauchen   einsteigen
das Gepäck

2. Sagen Sie das Gegenteil:

langsam   das Inland
abgeben   einsteigen

3. Bilden Sie Sätze mit diesen Wörtern:

Interrailer/Entschlüsse; Europa/herumfahren; Bahnsteig/einsteigen; Bahn/benutzen

4. Beenden Sie diese Sätze:
Und wenn dir's dort nicht gefällt, _____.
Auf den wichtigsten Strecken _____.
Manche fahren einfach _____.
Mit der Interrailkarte können _____.
Für die wichtigsten Transeuropa-Routen _____.

REDEWENDUNG AUS DEM TEXT

kreuz und quer (durch)   *back and forth (through), crisscross*

Nonstop durch Europa

Mit einer Fahrkarte kreuz und quer durch Europa—das Interrail-Ticket für Leute unter 26 Jahren macht es möglich. Christine (19) ist ein „Interrailer", und Interrailer lieben schnelle Entschlüsse: „Ganz einfach: Du gehst auf einen Bahnsteig, steigst in einen Zug ein und fährst los—irgendwohin. Und wenn's dir dort nicht gefällt, dann fährst du einfach weiter." In diesem Sommer ist Christine mit ihrer Freundin Petra (18) durch Österreich und die Schweiz, durch Frankreich und England bis nach Schottland gefahren. Mit dem Interrail-Ticket kann man durch 30 Länder in Europa reisen, so weit und so lange, so schnell oder langsam, wie man will. Das Ticket kostet in der Bundesrepublik Deutschland 420 Mark. In jedem Jahr reisen etwa 70 000 junge Deutsche auf diese Weise. Besonders populär sind Frankreich, Italien und Griechenland. Auf den wichtigsten Strecken (zum Beispiel London-Paris-Lyon-Marseille) sollte man vorher einen Platz reservieren. Aber Interrailer machen nicht gerne Pläne. Die *regardless* meisten wollen einfach nur weit weg, egal° wohin. Manche fahren einfach nur in Europa herum: mal kurz nach Norwegen (nonstop in zwei Tagen), von dort nach Amsterdam und dann über Rom und München nach Berlin. Sie bleiben nur kurz in jeder Stadt. Am Abend wollen sie wieder im Zug sein, denn viele reisen mit dem Interrail-Trick: ganz wenig Gepäck, und die Bahn als Hotel benutzen. Das heißt: am Tag die Städte ansehen und in der Nacht im Zug fahren und schlafen. Manche reisen vier Wochen durch Europa mit nur 500 Mark in der Tasche.

Tips für Tramps

Mit der Interrail-Karte können junge Leute von 12 bis 26 Jahren einen Monat lang im Ausland reisen. Für die Fahrt im eigenen Land bis zur Grenze müssen sie den halben Fahrpreis bezahlen. Für die Fahrt bekommt man einen Interrail-Paß. Nach der Reise kann man den Paß am Bahnhof abgeben, dann bekommt man 10 Mark zurück.

alpine railways, shipping lines   Viele Bergbahnen°, Bus- und Schiffahrtslinien° sind für Interrailer billiger. Aber *on time* für die wichtigsten Transeuropa-Routen sollte man rechtzeitig° vorher die Auskunft anrufen, ob es Plätze gibt.

Fragen zum Text

1. Wer darf ein Interrail-Ticket kaufen?
2. Was für Leute sind die Interrailer?
3. Warum sind Frankreich, Griechenland und Italien so beliebt?
4. Beschreiben Sie eine typische Interrail-Reise mit dem Interrail-Trick.

Themen zum Schreiben und zur Diskussion

1. Für welche Leute sind Interrail-Karten gut, und für wen nicht? Möchten Sie so reisen?
2. Warum reisen so viele junge Deutsche auf diese Weise? Was wollen sie (nicht)?
3. Glauben Sie, daß das eine gute Entwicklung ist, d.h. gut für die jungen Leute und für den Verkehr?
4. Gibt es Interrail-Tickets in den USA? Wenn nicht, warum nicht?

Aktivitäten

1. Organisieren Sie einen Dialog zwischen einem erfahrenen Interrailer und einem „Neuling". Benutzen Sie die Informationen aus dem Text.
2. Identifizieren Sie die verschiedenen Reiseartikel auf dem Bild, und sagen Sie dann, was man mit ihnen machen kann, oder wozu man sie benutzt.
3. Studenten arbeiten in Gruppen. Das Bild vom Bahnhof ist die Basis für Dialoge zwischen den Personen, oder für Beschreibungen, was hier passiert. (z.B.: Der Mann im Imbiß-Laden spricht mit den Leuten davor: „Möchten Sie ein Würstchen? Meine Würstchen sind billig und heiß! Mein Bier schmeckt gut und ist kalt!"—„Wir bestellen drei Bier und sechs Würstchen.")

FAHRKARTE BITTE

Neue Wörter

Verben

ab·fahren (ä), u, a (+ sein)	to leave
ab·warten	to wait (for)
an·kommen, a, o (+ sein)	to arrive
an·rufen, ie, u	to telephone
auf·wachen (+ sein)	to wake up
aus·sehen (ie), a, e	to appear
hinunter·gehen, i, a (+ sein)	to go down
verlassen (ä), ie, a	to leave
verschließen, o, o	to lock up
vorbei·kommen, a, o (+ sein)	to pass by
weiter·gehen i, a (+ sein)	to go on
zu·hören	to listen (to)
zurück·geben (i), a, e	to give back

Substantive

die **Deutsche Demokratische Republik (DDR)**	German Democratic Republic (GDR)
der **Eingang, ¨e**	entry
das **Einzelzimmer, -**	single room
der **Gast, ¨e**	guest
die **Gaststube, -n**	restaurant
die **Handtasche, -n**	handbag

Andere Wörter

* = **geboren (am)**	born (on)
† = **gestorben (am)**	died (on)

NEUE WÖRTER IM KONTEXT

1. Sagen Sie das Gegenteil:

abfahren   verschließen
aufwachen   der Eingang
hinaufgehen

2. Geben Sie die gleiche Information mit anderen Wörtern:
Der Wirt hat mir etwas weggenommen.
Der Gast ist aus dem Haus weggegangen.
Ich möchte ein Zimmer mit einem Bett.
Darf ich mal telefonieren?

3. Bilden Sie kurze Sätze mit diesen Wörtern:
das Schiff/der Hafen; im Eingang/junger Mann; ein Einzelzimmer/sich leisten;
eine Handtasche/kein Gepäck; aufwachen/regnen; telefonieren/Freundin; der
Wirt/zuhören; die Fahrkarte/verschließen; vorbeikommen/Gaststube

REDEWENDUNGEN AUS DEM TEXT

1. So sehen Sie aus!	*You don't say; that's obvious.*
2. abwarten und Tee trinken	*wait and see*
3. Was haben Sie denn von mir?	*What do you want from me?*
4. Ich habe kein Geld bei mir.	*I don't have any money on me.*
5. Ich kann mir das leisten.	*I can afford it.*
6. Mein Schiff geht um drei.	*My ship departs at three.*
7. Da könnte ja jeder kommen.	*Anybody could say that.*

Gebrauchen Sie diese *Redewendungen* in den folgenden Sätzen:

Möchten Sie ein teures Zimmer? Ja, ich _____.
Fahren Sie heute nach England? Ja, _____.
Warum wollen Sie nicht bezahlen? Weil ich _____.
Lassen Sie mich jetzt bitte gehen, _____!
Wir verlassen jetzt das Hotel; wir bezahlen später.— _____!
Ich habe kein Gepäck, aber ich habe viel Geld.— _____!

VOKABULARARBEIT

Beenden Sie diese Sätze:
1. Ich habe nur eine Handtasche bei mir, _____.
2. Zuerst hole ich Geld, dann _____.
3. Er nimmt die Fahrkarte und _____.
4. Seit einer Woche _____.

Novak, Helga * 8.9.1935 in Berlin. Sie studierte Philosophie und Publizistik° [*journalism*] in Leipzig; arbeitete in Fabriken, Labors° und Buchhandlungen° [*laboratories, bookstores*]. Verließ 1961 die DDR; lebte sechs Jahre in Island; wohnt seit 1967 in Frankfurt am Main; nahm hier an den Studentenrevolten teil. 1968 erhielt sie für ihre Lyrik den Bremer Literaturpreis.

HELGA NOVAK

Fahrkarte bitte

Kiel sieht neu aus. Es ist dunkel. Ich gehe zum Hafen° [*harbor*]. Mein Schiff ist nicht da. Es fährt morgen. Es kommt morgen vormittag an und fährt um dreizehn Uhr wieder ab. Ich sehe ein Hotel. Im Eingang steht ein junger Mann. Er trägt einen weinroten Rollkragenpullover° [*turtleneck*].

Ich sage, haben Sie ein Einzelzimmer?   5
Er sagt, ja.

with me Ich sage, ich habe nur eine Handtasche bei mir°, mein ganzes Gepäck ist auf
lockers dem Bahnhof in Schließfächern°. Er sagt, Zimmer einundvierzig. Wollen Sie gleich
bezahlen? Ich sage, ach nein, ich bezahle morgen.

in torrents Ich schlafe gut. Ich wache auf. Es regnet in Strömen°. Ich gehe hinunter. Der 10
swollen junge Mann hat eine geschwollene° Lippe.
Ich sage, darf ich mal telefonieren?
O.K. Er sagt, naja°.
Ich rufe an.

Ich sage, du, ja, hier bin ich, heute noch, um eins, ja, ich komme gleich, doch 15
ich muß, ich habe kein Geld, mein Hotel, ach fein, ich gebe es dir zurück, sofort,
schön.

Der junge Mann steht neben mir. Er hat zugehört.
Ich sage, jetzt hole ich Geld. Dann bezahle ich.
Er sagt, zuerst bezahlen.   20
Ich sage, ich habe kein Geld, meine Freundin.
das . . . I can't take that chance Er sagt, das kann ich mir nicht leisten°.
Ich sage, aber ich muß nachher weiter.
da . . . anyone could try that Er sagt, da könnte ja jeder kommen°.
Ich sage, meine Freundin kann nicht aus dem Geschäft weg.   25
Er lacht.
ich . . . I'll be right back Ich sage, ich bin gleich wieder da°.
so . . . you don't say; that's obvious Er sagt, so sehen Sie aus°.
Was . . . What do you want Ich sage, lassen Sie mich doch gehen. Was haben Sie denn von mir?°
from me? Er sagt, ich will Sie ja gar nicht.   30
Ich sage, manch einer wäre froh.
Er sagt, den zeigen Sie mir mal.
Ich sage, Sie kennen mich noch nicht.
abwarten . . . wait and see Er sagt, abwarten und Tee trinken°.
Es kommen neue Gäste.   35
meanwhile Er sagt, gehen Sie solange° in die Gaststube.
Er kommt nach.
departs Ich sage, mein Schiff geht° um eins.
Er sagt, zeigen Sie mir bitte Ihre Fahrkarte.
safety box Er verschließt die Fahrkarte in einer Kassette°.   40
Ich sitze in der Gaststube und schreibe einen Brief.
White Maple Leaf Liebe Charlotte, seit einer Woche bin ich im „Weißen Ahornblatt"° Ser-
waitress viererin°. Nähe Hafen. Wenn Du hier vorbeikommst, sieh doch zu mir herein.
splendid Sonst geht es mir glänzend°. Deine Maria.

Fragen zum Text

1. Wo liegt Kiel? Was wissen Sie aus dem Text über die Stadt?

2. Warum hat Maria kein Gepäck? Was sind ihre Pläne?

3. Beschreiben Sie den jungen Mann im Hotel.

4. Erklären Sie Marias Problem mit dem Bezahlen am nächsten Morgen.

5. Was meinen die Sprecher in den Sätzen von „Was haben Sie denn von mir?" bis „abwarten und Tee trinken"?

6. Warum will der Mann die Fahrkarte sehen?

7. Erklären Sie Marias Situation am Ende. Ist sie gut oder nicht so gut für sie?

Themen zum Schreiben und zur Diskussion

1. Was denken Sie über Maria: Was für eine Person ist sie? Hatte sie Geld und Gepäck oder nicht?

2. Schreiben Sie, wie die Geschichte weitergehen könnte.

Aktivitäten

1. Sie sind Maria aus der Erzählung „Fahrkarte bitte." Erklären Sie Ihren Reiseplan, vor und nach Ihrer Ankunft in Kiel.

2. Zwei Studentinnen spielen das Telefongespräch zwischen Maria und ihrer Freundin Charlotte.

 GEPÄCK

Neue Wörter

Verben

an·fassen	to touch
auf·halten (ä), ie, a	to delay
besitzen, a, e	to own
bewachen	to guard
bewohnen	to occupy
hinauf·gehen i, a (+ sein)	to go up (stairs)
hinunter·kommen, a, o (+ sein)	to come down (stairs)
loben	to praise
meinen	to mean
passieren (+ sein)	to happen
schimpfen	to scold, grumble
schreien, ie, ie	to scream
stehlen (ie), a, o	to steal
teil·nehmen (i), a, o	to participate
verschwinden, a, u (+ sein)	to disappear
zurück·kehren (+ sein)	to return, come back

Substantive

der **Dichter, -**	poet
die **Freundschaft, -en**	friendship
das **Gasthaus, ¨er**	inn
die **Menge, -n**	crowd
die **Sehnsucht, ¨e**	longing
die **Wanderschaft**	journeying
der **Wirt, -e**	innkeeper

Andere Wörter

bedeutend	important
leider	unfortunately

NEUE WÖRTER IM KONTEXT

1. Sagen Sie das Gegenteil:

hinaufgehen	hinunterkommen
bedeutend	gestorben
zurückgeben	

2. Sagen Sie das mit Wörtern aus dem Vokabular:
Wir haben nichts.
Die Menschenmenge läßt mich nicht durch.
Gerda paßt auf das Gepäck auf.
Sie wohnt in diesem Zimmer.
Er schreit mich an.
Er ist nicht mehr zu sehen.
Der Gast ist wieder da.

3. Bilden Sie kurze Sätze mit diesen Wörtern:
Wirt/schimpfen; Gepäck/stehlen; Menge/verschwinden; Zimmer mit Balkon/ bewohnen; Markt/alles anfassen

REDEWENDUNGEN AUS DEM TEXT

1. Sie ist weg.   *She is gone.*
2. Ich hänge an dem Zeug.   *I'm attached to that stuff.*
3. Ich habe Heimweh.   *I'm homesick.*

Beenden Sie die Sätze mit einer Redewendung:
Ich will so schnell wie möglich nach Hause zurück, denn _____.
Bewache unser Gepäck gut, denn _____.
Ist Gerda noch hier? Nein, _____.

HELGA NOVAK
Gepäck

tied up   Wir haben kein Geld. Wir haben viel Gepäck. Alles, was wir besitzen, tragen wir in Koffern und Säcken verschnürt° bei uns. Es sind fünf Gepäckstücke.

town hall
(dance) hall, close together
    Wir kommen in einem Dorf an. Die Bürgermeisterei°, die Kirche, ein Gasthaus mit Saal° liegen eng beieinander°.   5

unemployed, **Noch . . .** *What's*
more, they're men.
    Wir fragen nach Arbeit. Der Wirt sagt, wir haben selber Arbeitslose°. Noch dazu° Männer.

tiles
peat red, patterned
advertised
haggled, smelled
fruit stands, pile up, fruit
pan, coffee roasting store, poles
skinned lambs
    Wir übernachten in dem Gasthaus. Das Zimmer ist billig. Es hat kalte Fliesen°. Die Fliesen sind marineblau und torfrot° gemustert°. Das Zimmer hat einen Balkon. Der Balkon hängt über den Markt. Auf dem Markt wird angepriesen°, 10 gefeilscht°, gelobt, geschimpft, alles angefaßt und berochen°. Auf den Obstständen° türmen sich° rote, gelbe, grüne Pyramiden aus Früchten°. Es riecht nach Kaffee. Die Pfanne° in der Kaffeerösterei° dreht sich. An langen Stangen° werden enthäutete Lämmer° vorübergetragen. Gerda und ich packen. Wir tragen das Gepäck in den Hof. Während ich hinaufgehe, um einen schweren Koffer zu 15 holen, bewacht Gerda das Gepäck.

get (into)
    Ich komme mit dem schweren Koffer hinunter. Gerda ist weg. Ich rufe, Gerda, Gerda. Ich gehe noch einmal hinauf. Ich komme hinunter. Zwei Gepäckstücke sind verschwunden. Ich rufe. Ich suche. Ich gerate° in die Menschenmenge auf dem Markt. Ich werde aufgehalten. Ich schreie. Ich drehe mich im Kreis. Ich kehre zurück. Es sind nur noch zwei Gepäckstücke da. Ich rufe. Ich weine. Ich 20

weep heule°.

    Gerda kommt. Sie lacht.
    Ich sage, wo warst du?

beans   Sie sagt, in der Küche, Bohnen° brechen.
meanwhile   Ich sage, derweil° haben sie uns das Letzte gestohlen.   25
    Sie sagt, leider nicht.
    Ich sage, aber die größten Stücke.

anyhow   Sie sagt, wir hatten sowieso° zu viel.
    Ich sage, jetzt haben wir gar nichts mehr.

quite a bit   Sie sagt, wir haben allerhand° gewonnen.   30
ich . . . *I was attached*
to that stuff
    Ich sage, ich habe an dem Zeug gehangen°.
    Sie sagt, entweder irgendwohin gehören oder gar kein Gepäck haben.

married
    Jetzt sind Gerda und der Wirt schon lange verheiratet°. Sie haben mich adoptiert. Ich bewohne das Zimmer mit den marineblauen und torfroten Fliesen und dem Balkon, der über den Markt hängt.   35

Vorbereitung

Beenden Sie diese Sätze:
Alles, was wir besitzen, _____.
Wir kommen in einem Dorf an und _____.

Unser Zimmer _____.
Während ich hinausgehe, um _____.
Als ich mit einem schweren Koffer hinunterkomme, _____.
Ich gerate in die Menschenmenge auf dem Markt und _____.
Gerda kommt zurück und sagt _____.
Ich bewohne das Zimmer mit _____.

Fragen zum Text

1. Was wissen Sie aus dem Text über die beiden Personen, als sie im Dorf ankommen?
2. Beschreiben Sie das Dorf. Ist es groß oder klein, reich oder arm? Wie wissen Sie das?
3. Was meint der Wirt, wenn er sagt, „Noch dazu Männer"?
4. Beschreiben Sie das Zimmer und die Aussicht vom Balkon.
5. Wer trägt das Gepäck in den Hof; wer soll es bewachen?
6. Was geschieht mit dem Gepäck und mit der anderen Person?
7. Was hat Gerda die ganze Zeit gemacht?
8. Wie endet die Geschichte für Gerda, und wie für die zweite Person?

Themen zum Schreiben und zur Diskussion

1. Zwei junge Menschen reisen zusammen; eine Person ist ein Mädchen, Gerda. Ist die andere auch ein Mädchen oder ein Junge? Wie alt? Erklären Sie Ihre Antwort aus dem Text.
2. Gibt der Text Ihnen eine Idee, wo das Dorf liegt?
3. Glauben Sie, die erzählende Person findet das Ende der Geschichte gut für Gerda und den Wirt und für sich selbst? Wie erklären Sie Ihre Meinung?
4. Was sind die Probleme für junge Leute beim Reisen?
5. Was denken Sie persönlich über das Reisen, nachdem Sie die Texte gelesen haben?

Aktivitäten

1. Zwei Studenten spielen die beiden jungen Leute aus „Gepäck". Erzählen Sie dem Wirt Ihre Reiseroute: Woher kommen Sie, wo sind Sie schon gewesen, wohin wollen Sie? Wie lange dauert Ihre Wanderung schon, und wie lange soll sie noch dauern? Haben Sie ein Ziel?
2. Ein Student und eine Studentin spielen die Szene zwischen dem Wirt und Gerda, als Gerda die Koffer bewachen sollte.

baron **Eichendorff, Joseph Freiherr° von,** *10.3.1788 auf Schloß Lubowitz in Oberschlesien; *law* †26.11.1857 in Neiße, studierte Jura° und Philosophie in Breslau, Halle, später in Wien; Herbst 1805 Fußreise: Thüringen, Harz, Hamburg, Lübeck, Halle; ab Mai 1807 in Heidelberg, dort Freundschaft mit vielen Dichtern der *Wars of Liberation* deutschen Romantik. Er nahm an den Freiheitskriegen° teil *civil service* und trat 1816 in den Staatsdienst°.—Bedeutender Dichter *set to music* der deutschen Romantik. Seine oft vertonte° Lyrik besingt *recurring* in immer wiederkehrenden° Motiven Naturschönheit, Sehnsucht, Wanderschaft, Heimweh.

JOSEPH VON EICHENDORFF

Der frohe Wandersmann

show kindness Wem Gott will rechte Gunst erweisen°,
    Den schickt er in die weite Welt,
miracles, show Dem will er seine Wunder° weisen°
    In Berg und Wald und Strom und Feld.

idle people Die Trägen°, die zu Hause liegen,   5
invigorates Erquicket° nicht das Morgenrot;
cradles Sie wissen nur von Kinderwiegen°,
Von . . . *sorrow, burden, and need* Von Sorgen, Last und Not° und Brot.

small brooks Die Bächlein° von den Bergen springen,
the larks soar up high with delight Die Lerchen schwirren hoch vor Lust°;   10
    Was sollt ich nicht mit ihnen singen
at the top of my voice Aus voller Kehl° und frischer Brust?

reign Den lieben Gott laß ich nur walten°
    Der Bächlein, Lerchen, Wald und Feld
    Und Erd und Himmel will erhalten,   15
has ordered my life for the best Hat auch mein Sach aufs best bestellt°.

Der frohe Wandersmann

Freizeit

ZELTPLATZ

SWAN

DIE FREIZEITGESELLSCHAFT

Neue Wörter

Verben

an·nehmen (i), a, o	to accept
sich aus·ruhen	to rest
befragen	to ask
erfüllen	to fulfill
frei·haben	to have off
Sport treiben, ie, ie	to do sports
zusammen·zählen	to add up

Substantive

der Alltag, -e	everyday life
die Art, -en	kind
der Ausflug, ¨e	excursion
die Ausgabe, -n	expense
der Bekannte, -n	acquaintance
die Beschäftigung, -en	occupation
der Besucher, -	visitor
die Bewegung, -en	movement
das Einkommen, -	income
die Einladung, -en	invitation
die Einrichtung, -en	establishment
die Entspannung, -en	relaxation
die Erholung, -en	recreation
der Feierabend, -e	after working hours
der Feiertag, -e	holiday
die Freizeit, -en	leisure time
die Freizeitgesellschaft	leisure society
Ostern	Easter
Pfingsten	Whitsun, Pentecost
die Unterhaltung	entertainment
die Wanderung, -en	hike
das Wochenende (-s), -n	weekend

Andere Wörter

fern	far away
gleichzeitig	simultaneous

NEUE WÖRTER IM KONTEXT

1. Geben Sie die gleiche Information mit anderen Wörtern:
Ich ruhe mich aus.
Ich befrage die Leute.

Ich verdiene nicht viel Geld.
Wir gehen auf eine Wanderung.
Am Feierabend erholen wir uns.
Wir geben viel Geld aus.
Er hat keine Beschäftigung.
Sie sprechen immer zur gleichen Zeit.
Wollen Sie ein Fernsehprogramm ansehen?

2. Sagen Sie das Gegenteil:

in der Nähe   der Alltag
regelmäßig   der Streß
die Freizeit

3. Befragen Sie Ihre Freunde mit diesen Wörtern:

Tage in der Woche arbeiten; Aktivitäten am Feierabend/Alltag/Wochenende; Aktivitäten in der Wohnung/außerhalb des Hauses; Bewegung oder Entspannung; für Urlaub und Freizeit Geld ausgeben; im Garten arbeiten; Sport treiben; Zeit frei haben

REDEWENDUNG AUS DEM TEXT

ich habe frei   *I am off work, have a holiday*

Die Freizeitgesellschaft: Deutschland und Österreich

Die meisten Österreicher arbeiten fünf Tage in der Woche, und erst seit kurzem weniger als 40 Stunden. Zu den beiden Wochenendtagen kommen dann die offiziellen Feiertage; das sind Weihnachten, der Neujahrstag, der Tag der Arbeit (1. Mai), der Nationalfeiertag (26. Oktober), und die kirchlichen Feiertage, die in der ganzen Republik gefeiert werden: Epiphanien (6. Januar), 5 *Ascension Day* Ostermontag, Pfingstmontag, Himmelfahrt°, Corpus Christi, Mariä Himmelfahrt *All Saints' Day, Immaculate* (15. August), Allerseelen° (1. November), das Fest der unbefleckten Empfängnis° *Conception* (8. Dezember) und St. Stefanstag (26. Dezember). Wenn man alle diese freien Tage und die normalen Urlaubstage zusammenzählt, haben die Österreicher ein Drittel des Jahres frei. In Westdeutschland ist es ähnlich; in beiden Ländern 10 spricht man heute von der „Freizeitgesellschaft". Das Resultat ist eine neue Freizeit- und Hobby-Industrie, die wächst und große Profite macht.

federal citizens Und was tun die Bundesbürger° in beiden Ländern in ihrer Freizeit? Die meisten sind aktiv; sie nehmen Einladungen bei Freunden und Bekannten an, sie machen Ausflüge und Wanderungen und finden Beschäftigungen außerhalb des 15 Hauses. Gleichzeitig wächst der Wunsch, sich fern vom Alltag zu amüsieren und

create   zu entspannen. Um diese verschiedenen Freizeitwünsche—Bewegung auf der
einen, Ruhe und Entspannung auf der anderen Seite—zu erfüllen, raten die
Experten, eine neue Art von Freizeitzentrum zu schaffen°: „Allround-Einrichtungen", wo die Besucher Sport treiben, spielen, aber auch sich ausruhen, fernsehen 20
und lesen können. Bis jetzt gibt es aber diese Allround-Einrichtungen nicht. Heute
sind der eigene Garten, die traditionellen Sportvereine und an kleineren Orten
tables for regulars   die Stammtische° noch immer die wichtigsten „Einrichtungen".

Das Budget für die Freizeit

je . . . desto the . . . the   Je kürzer die Arbeitszeit, je länger der Urlaub und je höher das Einkommen, 25
desto° größer werden die Ausgaben der Bundesbürger für die Freizeit: Reisen
und Erholung, Unterhaltung und Hobby, Sport und Spiel. Ein Haushalt von vier
Personen mit mittlerem Einkommen hatte in den achtziger Jahren für diese
Deutsche Mark   Zwecke doppelt so viel reserviert wie zehn Jahre vorher: 5 447 DM°. Selbst in
slow years, increased   den Flautejahren° 1981 bis 1983 hat sich das Freizeit-Budget weiter erhöht°.   30

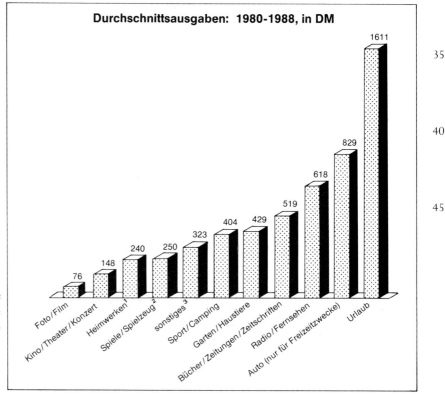

Durchschnittsausgaben: 1980-1988, in DM

35

40

45

[1]*do-it-yourself skills*
[2]*toys*
[3]*miscellaneous*

1611

829

618

519

429

404

323

250

240

148

76

Foto/Film
Kino/Theater/Konzert
Heimwerken[1]
Spiele/Spielzeug[2]
sonstiges[3]
Sport/Camping
Garten/Haustiere
Bücher/Zeitungen/Zeitschriften
Radio/Fernsehen
Auto (nur für Freizeitzwecke)
Urlaub

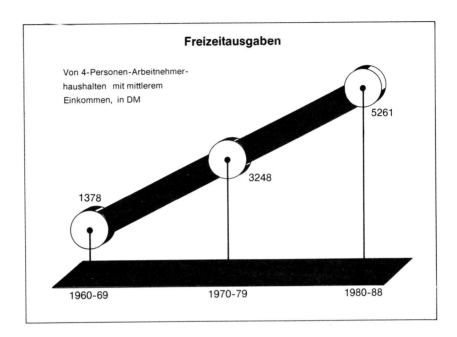

Freizeitausgaben

Von 4-Personen-Arbeitnehmer-
haushalten mit mittlerem
Einkommen, in DM

5261

3248

1378

1960-69   1970-79   1980-88

Freizeit in der DDR

behavior
citizens of the GDR, common

working
events

lectures

predominates

youths

Nach einer soziologischen Studie zum Freizeitverhalten°, wächst das Interesse der DDR-Bürger° an gemeinsamen° Freizeit-Aktivitäten, besonders im Kreis von Arbeitskollegen. Von den Befragten aus allen sozialen Gruppen waren 50 75 Prozent berufstätig°. Fast die Hälfte aller Berufstätigen hat in neun Monaten an mindestens zwei Veranstaltungen° ihres Arbeitskollektivs teilgenommen; 40 Prozent an fünf oder mehr. Genannt wurden dabei Brigadefeiern[1], gefolgt von gemeinsamen Fahrten und Sportfesten. Dazu kommen Besuche in Theatern, Museen, Kinos, Vorträge°, Buchdiskussionen und Treffen mit Arbeitern und 55 Künstlern aus anderen sozialistischen Ländern.

Bei den Beschäftigungen während der Freizeit steht das Fernsehen an erster, Hausarbeit an zweiter und Lesen an dritter Stelle. Etwa 20 Prozent der Befragten haben ein Hobby. Die Studie zeigte, daß Männer sich für verschiedene Beschäftigungen interessieren, während bei Frauen die Hausarbeit noch überwiegt°. 60

Für Personen mit längerer Schulbildung sind solche Beschäftigungen wie Lesen, Studium und Weiterbildung wichtiger, und die Zeit für Hausarbeit und Fernsehen wird weniger. Jugendliche° zwischen 14 und 17 Jahren haben oft mehrere Hobbys.

[1] *Brigade* is a work unit in socialist countries.

schalten . . . ein turn on   Mehr als die Hälfte der Befragten sagten, daß sie nur bestimmte Fernsehpro- 65
TV fans   gramme ansehen, und ein Drittel schalten den Apparat nur manchmal ein°. Die
periodical, magazine   meisten Fernsehlustigen° sind Rentner. Die Studie zeigte auch, daß 83 Prozent
permanent   eine Zeitung lesen, fast ebenso viele eine Zeitschrift° oder Illustrierte°. Über 47
Prozent sind aktive und ständige° Leser; sie lesen ein oder mehrere Bücher im
Monat.   70

Vorbereitung

Beenden Sie diese Sätze:

Die meisten Österreicher arbeiten _____.

Wenn man die Urlaubstage usw. zusammenzählt, _____.

In der Freizeit _____.

Die wichtigsten Freizeit-Einrichtungen _____.

Je länger der Urlaub, _____.

Ein Haushalt mit mittlerem Einkommen _____.

Je kürzer die Arbeitszeit, desto _____.

Fragen zu den Texten

1. Wieviele Stunden und Tage in der Woche arbeiten die Bundesbürger? Wieviele
   Wochen im Jahr?
2. Erklären Sie, was ein Feiertag ist.

3. In Österreich sind die Montage nach Ostern und Pfingsten auch Feiertage; dazu kommen die kirchlichen Feiertage. Wieviele Feiertage haben sie also?

4. Zählen Sie die Urlaubs- und Feiertage zusammen, die amerikanische Arbeiter haben; sind das mehr oder weniger als in Österreich?

5. Was tun Österreicher und Westdeutsche in der Freizeit?

6. Welche Freizeit-Wünsche werden in den nächsten Jahren wachsen? Wie soll man sie erfüllen?

7. Freizeit kostet Geld. Vergleichen Sie die Zahlen von 1973 und 1983. Was sind die wichtigsten Ausgaben für eine Familie von mittlerem Einkommen?

8. Analysieren Sie, welche die teuren und welche die billigen Aktivitäten sind. Welche Aktivitäten sind in den Vereinigten Staaten billig, welche teuer?

Themen zum Schreiben und zur Diskussion

1. Vergleichen Sie die Freizeit-Aktivitäten in Österreich und Westdeutschland mit den Vereinigten Staaten.

2. Finden Sie interessante Unterschiede in der Freizeitkultur in Österreich, der Bundesrepublik Deutschland und der DDR? Können Sie diese Unterschiede soziologisch erklären?

3. Was tun Sie und Ihre Familie in der Freizeit? Wie sieht Ihr Freizeit-Budget etwa aus?

Aktivitäten

1. Sie sind die Mutter oder der Vater und fragen die Familie; machen Sie dann eine Liste von den Freizeit-Aktivitäten und Hobbys.
   a) Arrangieren Sie die Liste nach Ihren Prioritäten.
   b) Arbeiten Sie nun Ihr Freizeit-Budget aus, pro Woche oder pro Monat. Diskutieren Sie dabei, was alles kostet, und ob die Familie sich das leisten kann.

2. Sie spielen Kulturdirektor
   a) in einer sehr kleinen Stadt,
   b) in einer Fabrik.
   Sie sprechen nun mit einer oder zwei Personen aus Ihrer Gruppe:
   a) Planen Sie ein Wochenende für Jugendliche, 14–16 Jahre alt; ein anderes Wochenende für Senioren.
   b) Planen Sie die Freizeit-Aktivitäten für 20 Arbeiter in Ihrer Fabrik mit zwei Mitarbeitern.

3. Jemand ruft den Kulturdirektor an und möchte mehr Information haben, was man in der Freizeit tun kann; erklären Sie.

SPORT IN DER FREIZEIT

Neue Wörter

Verben

verfolgen   to keep track of

Substantive

die **Bedeutung, -en**   significance, meaning
der **Druck**   pressure, stress
der **Fußball**   soccer
das **Kegeln**   German bowling
der **Kegler, -**   bowler
die **Leistung, -en**   performance
die **Mannschaft, -en**   team
das **Mitglied, -er**   member
das **Publikum**   public
das **Schwimmbad, ¨er**   swimming pool
die **Sportart, -en**   type of sport
der **Teilnehmer, -**   participant
der **Turner, -**   athlete
der **Verein, -e**   club
das **Vergnügen, -**   amusement, pleasure

Andere Wörter

in letzter Zeit   lately
öffentlich   public
regelmäßig   regular

NEUE WÖRTER IM KONTEXT

1. Nennen Sie ein Synonym:

das Team   der Turner
der Zuschauer   ein bestimmter Sport

2. Nennen Sie ein Antonym:

schon immer   privat   regelmäßig

REDEWENDUNGEN AUS DEM TEXT

1. das macht Vergnügen   *that's fun*
2. zum Vergnügen/Spaß   *for fun*

Beenden Sie die Sätze mit einer *Redewendung*:
Für mich ist Kegeln nur ein Hobby; ich kegle _____.
Spielen Sie gern Tennis? Ja, _____.

Sport in der Freizeit

education Die österreichischen Bundesbürger treiben Sport als Leistungssport, als Frei-
zeitaktivität und als Teil der Schulausbildung°. Im Bundesbudget sind jährlich rund 260 Millionen Schilling für Sport eingeplant, ein Drittel davon für
Sporteinrichtungen: fünf Sportheime, vier Sportschulen, ein Stadion und ein
Sportzentrum. Es gibt in den neun Bundesländern etwa 10 000 Sportvereine mit 5
etwa 2,3 Millionen Mitgliedern; andere Hunderttausende gebrauchen die
Sporteinrichtungen, ohne Mitglieder zu sein.

Im Land der vielen Berge ist Skifahren natürlich der Nationalsport; die Freude
der Österreicher am Skifahren zeigt sich darin, daß seit Ende des zweiten Welt-

funiculars, ways to get uphill   kriegs die zwölf Seilbahnen° und sechs Skilifts zu rund 4 000 Aufstiegshilfen° 10
geworden sind. In Österreich wurde 1897 das erste Skilehrbuch geschrieben, und
das Land gilt als führend in Theorie und Methodik des alpinen Skilaufs.

    Aber Fußball ist noch immer Volkssport Nummer 1. Zum österreichischen
Fußballbund gehören rund 2 000 Vereine mit über 250 000 aktiven Sportlern.
Man findet sogar in kleinen Dörfern Fußballplätze. Männer und Frauen, Jungen 15
und Mädchen spielen in ihren eigenen Teams und verfolgen die Leistungen ihrer
favorite team   Lieblingsmannschaft°. Die österreichische Nationalmannschaft gewann den dritten
Platz bei der Weltmeisterschaft 1954 und kam in die Endrunden der Weltmei-
sterschaften von 1978 und 1982.

mountain climbing   Wandern und Bergsteigen° sind beliebte Aktivitäten, um sich vom Druck des 20
Alltags zu befreien; rund 400 000 Personen gehören zu den Vereinen für Alpi-
nistik. Auf einem Wegnetz von vielen tausend Kilometern Länge und mit 730
mountain huts   Schutzhütten° kann man Österreich vom Wienerwald im Osten bis zum Bregen-
zer Wald im Westen durchwandern.

    In letzter Zeit sind auch Tennis, Wassersport, Radfahren und Laufen zu Volks- 25
sportarten geworden, daneben gewinnen auch Reiten und Golf mehr Bedeutung.
Tennisplätze und öffentliche Schwimmbäder existieren nicht nur in den größeren
Städten, sondern auch in allen Touristenzentren und Kurorten; Golfplätze gibt
es besonders in Wien und Niederösterreich. Gesundheitssportaktionen, „Fit-
aktionen" genannt, laden ein breites Publikum ein mitzumachen, beim Nationalen 30
Ski- oder Radwandertag zum Beispiel, und beim „Fitlauf" oder „Fitmarsch" am
26. Oktober gibt es Teilnehmer aus allen Altersgruppen.

Kegeln und Bowling—Ein deutsches Vergnügen

D ie Kegelfreunde treffen sich Woche für Woche: einmal wollen sie ihren
Sport treiben, zum anderen aber einen gemütlichen Abend haben. Kegeln
und Bier, das läßt sich verbinden. Daneben gibt es die Sportkegler, die richtige
Athleten sind und das Kegeln als harten Sport verstehen. Ob man es so oder so
sieht . . . wichtig ist: In deutschen Landen° wird mehr gekegelt als in anderen 5
Ländern.

deutschen Landen (poetic) German lands

Auch das Bowling, jenes Spiel mit den „zehn Kegeln°", findet immer mehr
Interesse. Wie die Kegler spielen auch die Bowler entweder in ihrer Freizeit aus
Spaß oder als Sport in einem Klub. Im Gegensatz° zum Spiel mit neun Kegeln,
wo man bestimmte Kegel oder auch so wenige Kegel wie möglich treffen muß, 10
will man beim Bowling in einem Schub° alle Pins abräumen°.

bowling pins

in contrast

in one roll, knock over

Fragen zu den Texten

1. Welche Rolle spielt der Sport im österreichischen Budget?
2. Etwa wieviele Bundesbürger treiben regelmäßig Sport?
3. Erklären Sie die Bedeutung des Skilaufens in Österreich.
4. Erzählen Sie, was Sie über Fußball in Österreich wissen.
5. Welche anderen Sportarten sind in Österreich beliebt?
6. Erklären Sie den Unterschied zwischen Kegeln und Bowling.

Themen zum Schreiben und zur Diskussion

1. Was sind die Nationalsportarten in Österreich und in den Vereinigten Staaten? Welche Sportarten treiben Sie am liebsten, und warum?
2. Was denken Sie über nationale Ski- oder Radwandertage, über „Fitlauf" oder „Fitmarsch"? Haben wir in den Vereinigten Staaten so etwas, oder etwas Ähnliches? Würden Sie mitmachen?
3. Finden Sie die beschriebenen Freizeit-Aktivitäten intelligent, interessant, gut für die Menschen? Interessieren Sie sich für diese Aktivitäten? Was tun Sie nicht gern in Ihrer Freizeit? Warum nicht?
4. Nennen Sie ein paar Dinge, die man in der Freizeit tun kann, die a) aufregend, b) gefährlich, c) ermüdend, d) dumm oder e) lustig sind. Was machen Sie zum Beispiel heute abend?

Aktivitäten

1. Ratespiel: Ich bin Athlet(in). Welche Sportart treibe ich? Die Klasse stellt Ja- oder Nein-Fragen.

2. Sie sollen ein Ferienlager für 15 Studenten an Ihrer Universität organisieren; Sport ist dort von großer Bedeutung. Planen Sie mit einer kleinen Gruppe: Wohin Sie gehen, mit welchen Transportmitteln, wie lange Sie bleiben, welche Sportarten Sie treiben wollen, was die Teilnehmer mitbringen müssen, wieviel es kostet, usw.

DAS KARTENSPIEL

Neue Wörter

Verben

aus·rechnen	to calculate
erfahren (ä), u, a	to come to know
grüßen	to greet
nicken	to nod
schütteln	to shake

Stellung nehmen (i), a, o (zu)   to take a position
überraschen   to surprise
zu·schauen   to watch

Substantive
der **Erzähler**, -   narrator
die **Kellnerin**, -nen   waitress
die **Spielregel**, -n   rule of game
der **Verlierer**, -   loser
der **Verlust**, -e   loss
die **Wirklichkeit**, -en   reality

Adjektive
erfolgreich   successful
neugierig   curious
spannend   suspenseful
vorsichtig   careful

NEUE WÖRTER IM KONTEXT

1. Sagen Sie das mit anderen Wörtern:
Er schaut dem Spiel zu.
Er interessiert sich für das Spiel.
Er sagt seine Meinung über allgemeine Fragen.
Er sagt guten Tag zu den Leuten.
Das hatte ich nicht erwartet.
in der Tat

2. Sagen Sie das Gegenteil:
den Kopf schütteln   der Verlierer
ein spannendes Spiel   Er ist nie erfolgreich.

REDEWENDUNG AUS DEM TEXT

von Zeit zu Zeit   *from time to time, now and then*

VOKABULARARBEIT

1. Beschreiben Sie die Situation bei einem Kartenspiel mit den folgenden Wörtern:
Karten legen/Tisch; Spieler/am Tisch; Spiel/fünf Uhr/beginnen; Spiel/spannend; jeden Tag; Karten/auf den Tisch werfen/zusammenzählen; sich ausrechnen/Verlust; Karten/früher/später/ausspielen; die Spielregeln/kennen

2. Beenden sie diese Sätze:
Die vier Spieler legen _____.
Um fünf Uhr _____.
Sie rechnen sich aus _____.

Bichsel, Peter   * 24.3.1935 in Luzern, Schweiz.
Bichsel ist ein links-orientierter Schweizer Autor, der zu
politischen Problemen als Journalist direkt Stellung nimmt.
dynamics Als Erzähler interessiert er sich für die Spannung° zwischen
dialect der schweizerischen Mundart° und dem Hochdeutschen
und experimentiert gern mit der sprachlichen Wirklichkeit.
Seine erfolgreiche Kurzprosa beschäftigt sich mit allgemein-
menschlichen Themen.

PETER BICHSEL

Das Kartenspiel

die Asse . . . aces and kings,   <big>H</big>err Kurt sagt nichts. Er sitzt da und schaut dem Spiel zu. Die vier legen
eights and tens   ihre Karten auf den Tisch, die Asse und die Könige, die Achter und die
warm   Zehner°, die roten zu den roten und die schwarzen zu den schwarzen.
chrome-plated container, lift   Herr Kurt läßt sich sein Bier temperieren°. Sein Glas steht in einem verchrom-
drip off   ten Gefäß° mit heißem Wasser. Von Zeit zu Zeit hebt° er es vorsichtig, läßt das   5
Wasser abtropfen°. Oft stellt er es zurück, ohne zu trinken; denn er schaut dem
Spiel zu.
why   Herr Kurt hat seinen Platz, niemand weiß seit wann und weshalb°. Aber um
fünf Uhr ist er da, setzt sich oben an den Tisch, grüßt, wenn er gegrüßt wird,
bestellt sein Bier, und man bringt ihm das heiße Wasser dazu.   10
        Um fünf Uhr sind auch die andern da, die vier, und spielen Karten, nicht
immer dieselben vier, am Montag meist jüngere, am Dienstag Geschäftsleute, am
former, born in 1912, remaining   Freitag vier ehemalige° Schulkollegen, Jahrgang 1912°, und an den übrigen°
any   Wochentagen irgendwelche° vier. Oben am Tisch sitzt immer Herr Kurt. Er
trinkt ein Bier und sitzt bis sieben Uhr da. Ist das Spiel spannend, bleibt er eine   15
Viertelstunde länger, später geht er nie.
        Im Restaurant sitzen auch andere, aber kein anderer kommt jeden Tag. Selbst
der Wirt ist nicht jeden Abend da, und die Kellnerin hat am Mittwoch ihren
freien Tag.
        Herr Kurt macht niemanden neugierig. Trotzdem hat man ihn in den Jahren   20
kennengelernt. In der Agenda des Wirts steht unter dem 14. Juli „Herr Kurt."
An diesem Tag, es ist sein Geburtstag, bekommt Herr Kurt sein Gratisbier. Der
Wirt kann sich nicht erinnern, woher er Herrn Kurts Geburtstag kennt. Man
würde Herrn Kurt nicht danach fragen.
        Nach dem Spiel werfen die vier ihre Karten auf den Tisch, nehmen die Kreide   25
bill, argue und zählen zusammen, die Verlierer bezahlen die Zeche°. Dann ereifern° sie sich
machen . . . reproach each other über Spiel und Taktik, machen sich gegenseitig Vorwürfe° und rechnen sich aus,
was geschehen wäre, wenn man den König später und den Zehner früher aus-
gespielt hätte. Herr Kurt nickt ab und zu oder schüttelt den Kopf. Er sagt nichts.
        Wenn Herr Kurt die Regeln des Kartenspiels nicht kennen würde, sähe er   30
sein Leben lang nur rote und schwarze Karten. Aber er kennt die Karten und

Max Liebermann:
Biergarten „Oude Vinck",
1905

er kennt das Spiel. Es ist wahrscheinlich, daß er es kennt.

funeral   Bei Herrn Kurts Beerdigung° wird man alles über ihn erfahren, die Todesur-
cause of death sache°, sein Alter, seinen Geburtsort, seinen Beruf. Man wird vielleicht überrascht
inevitable   sein. Und später wird, weil es unvermeidlich° ist, ein Spieler sagen, daß er Herrn 35
Kurt vermisse. Aber das ist nicht wahr, das Spiel hat ganz bestimmte Regeln.

Fragen zum Text

1. Wo und wann spielt die Episode?
2. Erzählen Sie, was die Hauptperson tut.
3. Wer sind die anderen Personen im Text? Was machen sie?
4. Was wissen die Leute über Herrn Kurt und was nicht?
5. Glauben Sie, daß man ihn später vermissen wird?

Themen zum Schreiben und zur Diskussion

1. Der Titel der Geschichte ist „Das Kartenspiel". Was ist aber wichtiger, Herr
   Kurt oder das Spiel? Was ist der Unterschied zwischen Herrn Kurt und den
   anderen Personen? Was, glauben Sie, will der Autor damit sagen?
2. Beschreiben Sie den Stil dieser Geschichte. Hat dieser Stil einen besonderen
   Zweck? Was ist das Thema der Geschichte?

BARGESCHICHTEN

Neue Wörter

Verben

auf·geben (i), a, e	to give up
sich betrinken, a, u	to get drunk
betrügen, o, o	to deceive
sich ein·bilden	to imagine
erfinden, a, u	to invent
sich erkundigen (nach)	to inquire
fordern	to demand
genießen, o, o	to enjoy
sich irren	to err
klagen	to complain
lächeln	to smile
rauchen	to smoke
übersetzen	to translate
verbrauchen	to consume
vermuten	to surmise
verursachen	to cause
zweifeln	to doubt

Substantive

die **Einbildung**, -en	imagination
die **Erfindung**, -en	invention
das **Gegenteil**, -e	contrary
die **Kunst**, ¨e	art
das **Pech** (-es)	bad luck

Andere Wörter

einzig	single, only
tapfer	brave
vergeblich	in vain
verrückt	crazy

NEUE WÖRTER IM KONTEXT

1. Sagen Sie das mit anderen Wörtern:

Er trinkt zu viel.   Er fragt nach dir.
Er mag das Spiel.   Er hat zuviel ausgegeben.
Sie glaubt das Gegenteil.   Er verlor den Verstand.
Das kann's geben.

2. Sagen Sie das Gegenteil:

Sie verliert immer.   Sie hat oft Glück.
Das ärgerte ihn.   Er will sein Geld.

REDEWENDUNGEN AUS DEM TEXT

1. Es nimmt ein schlimmes Ende.	*It'll come to a bad end.*
2. aus diesem Grund	*for this reason*
3. es ist mir lieber	*I prefer*
4. Es war zum Lachen.	*It was a joke.*
5. Das tut mir leid.	*I am sorry about that.*
6. Feuer geben	*to offer a light*
7. im Gegenteil	*on the contrary*
8. Er konnte es nicht fassen.	*He could not believe it.*
9. Es stand in den Zeitungen.	*It was (printed) in the papers.*

Geben Sie die Nummer der *Redewendung,* **die Sie in den folgenden Situationen gebrauchen:**

Sie wollen sich entschuldigen. ＿＿＿

Sie denken, etwas wird nicht gut gehen. ＿＿＿

Sie haben nicht die gleiche Meinung. ＿＿＿

Sie erklären, warum . . . ＿＿＿

Sie wollen rauchen. ＿＿＿

Sie finden etwas dumm oder lächerlich. ＿＿＿

Sie mögen etwas lieber. ＿＿＿

Frisch, Max   * 15.5.1911 in Zürich, ist ein sehr erfolgreicher deutsch-schweizerischer Erzähler und Dramatiker. Sein Werk wurde in mehr als 20 Sprachen übersetzt und seine Theaterstücke in mehr als 30 Ländern gegeben. Die Liste seiner Literaturpreise ist sehr lang. Frisch nach ist die Aufgabe der Literatur „das Private" zu zeigen, „das, was die Biologie, die Physik, die Soziologie nicht erfassen°: *encompass* die Person in ihren biologischen und gesellschaftlichen Bedingtheiten°, die leben muß mit dem Wissen, daß sie irrelevant ist." *limitations*

MAX FRISCH

Bargeschichten

„Jeder Mensch erfindet sich früher oder später eine Geschichte, die er für sein Leben hält," sage ich, „oder eine ganze Reihe von Geschichten," sage ich, bin aber zu betrunken, um meinen eignen Gedanken wirklich folgen zu können, und das ärgert mich°, sodaß ich verstumme°. Ich warte auf jemand. *annoys me, fall silent*

„Ich habe einen Mann gekannt," sage ich, um von etwas andrem zu reden, 5 „einen Milchmann, der ein schlimmes Ende nahm°. Nämlich° er kam ins Irren- *ein . . . came to a bad end, namely*

40   **Kapitel 2**

haus°, obschon° er sich nicht für Napoleon oder Einstein hielt, im Gegenteil, er
hielt sich durchaus° für einen Milchmann. Und er sah auch aus wie ein Milchmann.
Nebenbei° sammelte er Briefmarken°, aber das war der einzige fanatische Zug°
an ihm; er war Hauptmann bei der Feuerwehr°, weil er so verläßlich° war. In 10
jungen Jahren, glaube ich, war er Turner, jedenfalls ein gesunder und friedlicher°
Mann, Witwer°, Abstinent°, und niemand in unsrer Gemeinde° hätte jemals°
vermutet, daß dieser Mann dereinst° ins Irrenhaus eingeliefert werden müßte°."
Ich rauche. „Er hieß Otto," sage ich, „der Otto." Ich rauche. „Das Ich, das dieser
gute Mann sich erfunden hatte, blieb unbestritten° sein Lebenlang, zumal° es ja 15
von der Umwelt° keine Opfer° forderte, im Gegenteil," sage ich, „er brachte
Milch und Butter in jedes Haus. Einundzwanzig Jahre lang. Sogar sonntags. Wir
Kinder, da er uns oft auf seinen Dreiräderwagen aufhocken° ließ, liebten ihn."
Ich rauche. Ich erzähle.

„Es war ein Abend im Frühling, ein Sonnabend, als der Otto, Pfeife° rauchend 20
wie all die Jahre, auf dem Balkon seines Reiheneigenheims° stand, das zwar an
der Dorfstraße gelegen° war, jedoch mit soviel Gärtlein versehen°, daß die Scher-
ben° niemand gefährden° konnten. Nämlich aus Gründen, die ihm selbst verschlossen blieben, nahm der Otto plötzlich einen Blumentopf, Geranium, wenn
ich nicht irre, und schmetterte° denselben ziemlich senkrecht° in das Gärtlein 25
hinunter, was sofort nicht nur Scherben, sondern Aufsehen° verursachte. Alle
Nachbarn drehten sofort ihre Köpfe; sie standen auf ihren Balkonen, hemdärmlig°
wie er, um den Sonnabend zu genießen, oder in ihren Gärtlein, um die Beete°
zu begießen°, und alle drehten sofort ihren Kopf. Dieses öffentliche Aufsehen,
scheint es, verdroß° unseren Milchmann dermaßen°, daß er sämtliche° Blumen- 30
töpfe, siebzehn an der Zahl°, in das Gärtlein hinunterschmetterte, das ja schließ-
lich°, wie die Blumentöpfe selbst, sein schlichtes° Eigentum war. Trotzdem holte
man ihn. Seither° galt der Otto als verrückt. Und er war es wohl auch," sage
ich, „man konnte nicht mehr reden mit ihm." Ich rauche, während mein Barmann
angemessen° lächelt, aber unsicher, was ich denn damit sagen wolle. „Nun ja," 35
sage ich und zerquetsche° meine Zigarette im Aschenbecher° auf dem Zink°,
„sein Ich hatte sich verbraucht, das kann's geben° und ein anderes fiel ihm nicht
ein. Es war entsetzlich°."
Ich weiß nicht, ob er mich versteht.
„Ja," sage ich, „so war das."
Ich nehme die nächste Zigarette. 40
Ich warte auf jemand—
Mein Barmann gibt Feuer°.
„Ich habe einen Mann gekannt," sage ich, „einen andern, der nicht ins Irrenhaus kam," sage ich, „obschon er ganz und gar in seiner Einbildung lebte." Ich 45
rauche. „Er bildete sich ein, ein Pechvogel° zu sein, ein redlicher°, aber von
keinem Glück begünstigter° Mann. Wir alle hatten Mitleid° mit ihm. Kaum hatte
er etwas gespart, kam die Abwertung°. Und so ging's immer. Kein Ziegel° fiel
vom Dach, wenn er nicht vorbeiging. Die Erfindung, ein Pechvogel zu sein, ist
eine der beliebtesten°, denn sie ist bequem°. Kein Monat verging° für diesen 50

Marginal glosses:

mental hospital, although
absolutely
on the side, stamps, trait
fire department chief, reliable
peaceful
widower, teetotaller, community,
ever, at some future time, ins . . .
would have to be committed
undisputed, especially since
environment, sacrifices
mount
pipe
row house
situated, provided
broken pieces, endanger
schmetterte . . . hinunter,
hurled down, vertically
stir
in shirtsleeves
flower beds
water
vexed, to such an extent, all
in number
after all, simple
since then
appropriately
crush, ashtray, zinc counter
that may happen
terrible
gives me a light
unlucky fellow, upright
favored, pity
devaluation, tile
most popular, convenient, passed

to a certain extent
merely, legendary, in fact
happened to, were spared
undeniable
miracle
mainly, casually
blow
won the grand prize in the lottery
pale
beside himself
in general
Es . . . it was no joke, actually,
console, in vain
comprehend, confused
wallet
es war . . . he preferred it that
way, otherwise

more expensive

events, differently

I was sorry for

Mann, ohne daß er Grund hatte zu klagen, keine Woche, kaum ein Tag. Wer ihn einigermaßen° kannte, hatte Angst zu fragen: Wie geht's? Dabei klagte er nicht eigentlich, lächelte bloß° über sein sagenhaftes° Pech. Und in der Tat°, es stieß ihm immer etwas zu°, was den andern erspart bleibt°. Einfach Pech, es war nicht zu leugnen°, im großen wie im kleinen. Dabei trug er's tapfer," sage ich und rauche, „bis das Wunder° geschah." Ich rauche und warte, bis der Barmann, hauptsächlich° mit seinen Gläsern beschäftigt, sich beiläufig° nach der Art des Wunders erkundigt hat. „Es war ein Schlag° für ihn," sage ich, „ein richtiger Schlag, als dieser Mann das große Los gewann°. Es stand in der Zeitung, und so konnte er's nicht leugnen. Als ich ihn auf der Straße traf, war er bleich°, fassungslos°, er zweifelte nicht an seiner Erfindung, ein Pechvogel zu sein, sondern an der Lotterie, an der Lotterie, ja, an der Welt überhaupt°. Es war nicht zum Lachen°, man mußte ihn geradezu° trösten°. Vergeblich°. Er konnte es nicht fassen°, daß er kein Pechvogel sei, wollte es nicht fassen und war so verwirrt°, daß er, als er von der Bank kam, tatsächlich seine Brieftasche° verlor. Und ich glaube, es war ihm lieber so°," sage ich, „andernfalls° hätte er sich ja ein anderes Ich erfinden müssen, der Gute, er könnte sich nicht mehr als Pechvogel sehen. Ein anderes Ich, das ist kostspieliger° als der Verlust einer vollen Brieftasche, versteht sich, er müßte die ganze Geschichte seines Lebens aufgeben, alle Vorkommnisse° noch einmal erleben und zwar anders°, da sie nicht mehr zu seinem Ich passen—"

Ich trinke.

„Kurz darauf betrog ihn auch noch seine Frau," sage ich, „der Mann tat mir leid°, er war wirklich ein Pechvogel."

Vorbereitung

1. Versuchen Sie, die Geschichte von Otto zu erzählen, mit Wörtern, die Sie schon kennen, und mit dem neuen Vokabular:
Milchmann/ins Irrenhaus kommen; sich halten für/aussehen wie; Milch und Butter bringen/Kinder; ein Abend im Frühling/Balkon/rauchen; Gärtlein/Blumentopf/hinunterwerfen; Nachbarn/Köpfe drehen; als verrückt gelten; mit ihm reden können; ihn holen

2. Erzählen Sie die Geschichte vom Pechvogel in Ihren eigenen Worten oder mit dem neuen Vokabular:
sich einbilden/Pechvogel; Grund haben/klagen; immer etwas passieren/tapfer tragen; Wunder geschehen/in der Lotterie gewinnen; es nicht glauben können/an der Welt zweifeln; von der Bank kommen/Brieftasche verlieren; die Geschichte seines Lebens aufgeben/alles noch einmal erleben; nicht mehr zu seinem neuen Ich passen; seine Frau/betrügen

Fragen zum Text

1. Beschreiben Sie den Mann, der hier erzählt. Wem erzählt er seine Geschichten, und wo?
2. Was berichtet der Erzähler über Ottos Leben?
3. Was sagt er über Ottos Haus und Garten?
4. Was machte Otto mit seinen Blumentöpfen, und was war das Resultat?
5. Wie erklärt der Erzähler, warum Otto seine Blumentöpfe hinuntergeworfen hat?
6. Wie reagiert der Barmann auf die Erzählung?
7. Was war an dem nächsten Mann nicht normal, d.h. hatte er wirklich Pech? Beschreiben Sie sein Leben.
8. Was war das Wunder, und was passierte danach? Was denkt der Erzähler über den Verlust?
9. Wie endet die Geschichte des Pechvogels?

Themen zum Schreiben und zur Diskussion

1. Der Erzähler im Text erklärt, was den Männern passiert ist. Was denkt er über den Milchmann, was über den Pechvogel? Meinen Sie dasselbe? Wer tut Ihnen leid?
2. Was halten Sie von der Situation in der Bar, d.h. von dem Erzähler und dem Barmann?
3. Was will der Autor wohl mit diesen kurzen Geschichten sagen? Ist das Thema Freizeit, oder was sonst?

Aktivitäten

1. Zwei Kartenspieler unterhalten sich über Herrn Kurt.
2. Spielen Sie den Milchmann (ein Monolog vor der Klasse): Was denkt er, bevor er die Blumentöpfe hinunterwirft?
3. Zwei Studenten spielen die Szene in der Bar: Der Barmann stellt Fragen, der Erzähler antwortet.

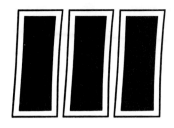

Beruf und Arbeit

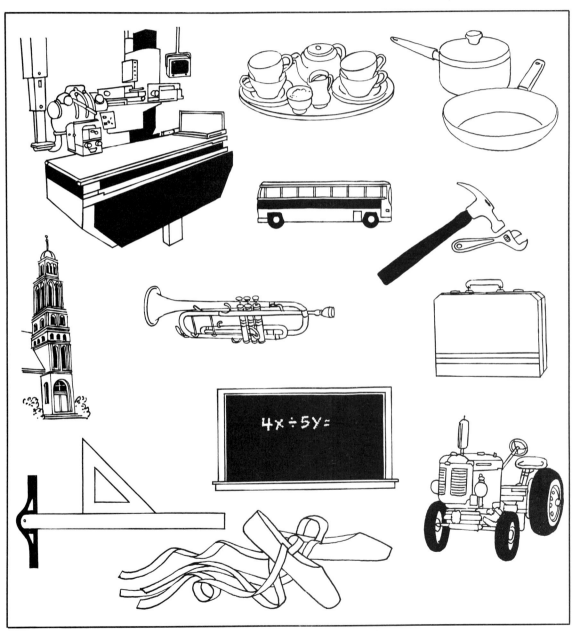

$$4x \div 5y =$$

ARBEITSWELT IM WANDEL

Neue Wörter

Verben

sich an·strengen	to make an effort
forschen	to research
her·stellen	to produce
leiten	to direct
nach·denken (über)	to think about, reflect on

Substantive

die **Ausbildung,** -en	education
der **Bundesbürger,** -	citizen of the Federal Republic
die **Dienstleistung,** -en	service
der **Führerschein,** -e	driver's license
der **Handel** (-s)	trade, business
der **Krankenpfleger,** -	nurse (*masc.*)
der **Laden,** ¨	shop, store

Andere Wörter

durchschnittlich	average
im Freien	outdoors
usw. = und so weiter	etc. = and so on

NEUE WÖRTER IM KONTEXT

1. Sagen Sie das Gegenteil:

leiten   im Zimmer

2. Nennen Sie ein Synonym:

sehr schwer arbeiten	produzieren
führen	der Kommerz
das Geschäft	im Durchschnitt

3. Setzen Sie das richtige Wort ein:

(ein Viertel, Dienstleistungssektor, Vierzigstundenwoche, geändert, Stundenlohn, durchschnittlich)

Die Beschäftigten waren ＿＿＿ 8 Stunden am Arbeitsplatz. Die Arbeitswelt hat sich ＿＿＿. Es gibt neue Jobs im ＿＿＿. Je ＿＿＿ arbeitet in Fabriken und in Büros. Der Mann ist seinen ＿＿＿ wert. Bis vor kurzen hatten wir die ＿＿＿.

REDEWENDUNGEN AUS DEM TEXT

1. Ich sehe schwarz.	*I'm pessimistic.*
2. Ich schaffe es.	*I'll make it.*

3. Das hat Zeit.   *There's no hurry (for that).*
4. wenn es geht   *if possible*
5. Ich werde Kellner.   *I'll be a waiter.*

Gebrauchen Sie eine der *Redewendungen,* wenn Sie sagen wollen,
daß Sie etwas nicht in diesem Moment tun wollen. _____
daß Ihnen etwas gelingen wird. _____
daß Sie wenig Hoffnung haben. _____
daß etwas vielleicht möglich ist. _____
daß Sie den Kellnerberuf wählen. _____

Arbeitswelt im Wandel°

change

Bundesbürger, die einen Beruf haben (rund 27 Millionen in Westdeutschland, rund 2,8 Millionen in Österreich) waren bis vor kurzem durchschnittlich acht Stunden am Arbeitsplatz, fünf Tage in der Woche. Was und wo sie arbeiten, wissen die Statistiker. Im letzten Viertel des zwanzigsten Jahrhunderts hat sich die Arbeitswelt in beiden Ländern sehr geändert. Es gibt weniger Arbeitsplätze 5 in der Landwirtschaft und in den klassischen Branchen Industrie und Bauge- *construction, economic sectors* werbe° und dafür neue Jobs in anderen Wirtschaftszweigen°, besonders im *health professions* Dienstleistungssektor und dem Gesundheitswesen°.

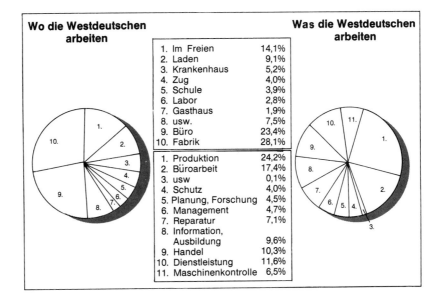

Wo die Westdeutschen arbeiten

1. Im Freien	14,1%
2. Laden	9,1%
3. Krankenhaus	5,2%
4. Zug	4,0%
5. Schule	3,9%
6. Labor	2,8%
7. Gasthaus	1,9%
8. usw.	7,5%
9. Büro	23,4%
10. Fabrik	28,1%

Was die Westdeutschen arbeiten

1. Produktion	24,2%
2. Büroarbeit	17,4%
3. usw	0,1%
4. Schutz	4,0%
5. Planung, Forschung	4,5%
6. Management	4,7%
7. Reparatur	7,1%
8. Information, Ausbildung	9,6%
9. Handel	10,3%
10. Dienstleistung	11,6%
11. Maschinenkontrolle	6,5%

Wo die Österreicher arbeiten

	1971	1981	Prognose für 1991
Beschäftigte (in Millionen):	2,39	2,80	?
Land-und Forstwirtschaft:	14%	9%	6%
Industrie, Gewerbe, Energiewirtschaft, Bergbau:	43%	41%	39%
Handel, Verkehr, Nachrichten-, private und öffentliche Dienstleistungen:	43%	50%	55%

in Prozenten

Fragen zum Text

1. Wieviele Menschen arbeiten in Westdeutschland in Fabriken, wieviele in Büros? Wo arbeiten die anderen 50 Prozent?
2. Wo arbeiten die meisten Österreicher?
3. Wo gingen in Österreich und in Westdeutschland Arbeitsplätze verloren, und wo gab es neue Jobs? Ist das in den USA auch so?

Was Abiturienten[1] über ihre Berufswahl denken

CHRISTA (18 Jahre)

Was ich werden will?—Eigentlich denke ich nicht gern darüber nach, denn bisher ist alles gut gegangen. Das viele Reden vom Numerus Clausus[2] macht mir aber doch ein wenig Angst, vor allem, weil mein Vater möchte, daß ich Medizin studiere. Doch schwarz sehe ich eigentlich nicht; vielleicht muß ich ein wenig 5 warten. Meine Eltern sagen: „Wenn du dich anstrengst und die Beste bist, dann wirst Du es auch schaffen!" Ich glaube, sie haben recht.

BÄRBEL (19 Jahre)

report card Ich habe immer viel gelernt, und doch ist mein Zeugnis° nur durchschnittlich.
stuck it out Bis heute habe ich durchgehalten°, aber jetzt bin ich froh, wenn die Schule mit 10
cramming der Paukerei° vorbei ist. Ich wäre gerne Lehrerin geworden, denn für Frauen ist das ein schöner Beruf. Das Risiko, keine Stelle zu bekommen, ist mir aber zu

[1] candidate for qualifying exams for the university after the last year of high school
[2] admissions limit in a given discipline, determined by grade average

groß. Meine Eltern sind nicht so reich, daß ich ein unsicheres Studium riskieren will. Eigentlich bin ich froh, daß ich nach den Sommerferien in einer Bank arbeiten kann. Die Ausbildung in einer Bank ist gut, und Arbeit gibt es auf einer 15 Bank in guten und in schlechten Zeiten.

BRUNO (19 Jahre)

Mit . . . This question can wait., / *Federal Army, if possible, enlist*

Mit dieser Frage hat's noch Zeit°. Jetzt gehe ich zuerst einmal zur Bundeswehr°, und wenn es geht°, werde ich mich für zwei Jahre verpflichten°. Da verdiene ich gutes Geld, ich mache den Führerschein und werde wohl auch sonst einiges 20 lernen. Und wenn die zwei Jahre vorbei sind, dann weiß ich wohl auch, wie es weitergeht.

KLAUS (18 Jahre)

private enterprise

Studieren will ich auf jeden Fall. Warum mache ich sonst mein Abitur? Und danach will ich einen sicheren Arbeitsplatz mit einem sicheren Einkommen. Die 25 freie Wirtschaft° ist nichts für mich, lieber arbeite ich bei der Regierung.

PETER (18 Jahre)

Peace Corps volunteer

Wenn ich einen praktischen Beruf hätte, würde ich Entwicklungshelfer° werden. Ich finde es schlimm, daß jeder nur an sich denkt. Wenn ich die Bundeswehrzeit[3] hinter mir habe, will ich Krankenpfleger werden. Oder ich werde Bewäh- 30 rungshelfer°. Wir werden ja sehen.

probation counselor

Fragen zum Text

1. Warum möchte Christa Medizin studieren? Was bedeutet „Numerus Clausus"?
2. Bärbel ist in der Schule nicht so gut, aber sie möchte doch Lehrerin werden. Warum hat sie Interesse für diesen Beruf? Tut sie das Richtige in ihrer Berufswahl?

[3] *Every young German man has to serve in the Federal Army or do alternative service.*

3. Warum hat Bruno Zeit, bevor er sich für einen Beruf entscheiden muß? Was erwartet er von seiner Dienstzeit in der Bundeswehr?

4. Was halten Sie von den Berufsplänen von Klaus und seinen Gründen zu studieren?

5. Welche Gedanken hat Peter, wenn er seinen späteren Beruf plant?

Themen zum Schreiben und zur Diskussion

1. Diskutieren Sie den Wandel in der Arbeitswelt in der Bundesrepublik und Österreich. Gibt es in den USA ein ähnliches Phänomen? Haben Sie eine Meinung, was das für ein Industrieland bedeutet?

2. Diskutieren Sie die Gründe der verschiedenen Abiturienten für ihre Berufswahl. Welche Rolle sollen die Eltern spielen?

3. Welche Fragen würden Sie stellen, wenn Sie mit diesen Abiturienten über ihren späteren Beruf sprächen? Können Sie sich mit ihnen identifizieren? Finden Sie einen der Berufe attraktiv? Warum?

4. Haben Sie schon in einem Beruf gearbeitet? Erzählen Sie darüber. Was antworten Sie, wenn man Sie heute über Ihre Berufspläne fragt?

Aktivitäten

1. Sie sind Journalist und fragen die Studenten in Ihrer Klasse, was sie werden wollen. Geben Sie dann einen Bericht darüber.

panel discussion 2. Eine Podiumsdiskussion°: Jeder Abiturient wird von einem Studenten vertreten und muß seine/ihre Berufswahl erklären.

INGENIEURINNEN SIND SELTEN

Neue Wörter

Verben

behaupten	to assert
hinein·gehören	to belong to
überzeugen	to persuade

Substantive

die **Akademikerin, -nen**	academic (*fem.*)
die **Anstellung, -en**	employment, position
der **Beschäftigte, -n**	employee
die **Erfahrung, -en**	experience
das **Fach, ¨-er**	subject, topic
die **Hochschule, -n**	university
das **Jahrhundert, -e**	century

die **Richterin, -nen**	judge (*fem.*)
die **Tatsache, -n**	fact
die **Untersuchung, -en**	examination
die **Wissenschaftlerin, -nen**	scientist (*fem.*)
der **Zeichner, -**	designer

Andere Wörter

ähnlich	similar
naturwissenschaftlich	scientific

NEUE WÖRTER IM KONTEXT

1. Setzen Sie das passende Wort ein:

(Tatsachen, hineingehören, überzeugen, Erfahrung, behaupten) Ich muß es glauben, weil du es _____. Suche einen anderen Beruf, in diesen _____ du nicht _____. Wenn du gut argumentierst, kannst du uns _____. Die Dokumentation braucht _____. In diesem Fach bin ich neu, ich habe keine _____.

2. Nennen Sie ein Synonym:

der Job	eine studierte Frau
alle Arbeiter	das Gebiet
die Universität	ein Job/eine Position

REDEWENDUNGEN AUS DEM TEXT

1. mit der Zeit	*in (the course of) time*
2. ich bin der Meinung	*in my opinion*
3. ich habe Interesse für	*I am interested in*

Geben Sie die Nummer der *Redewendung*, **die Sie gebrauchen, wenn Sie sagen wollen**

daß eine Sache langsam geht. _____ was Sie über etwas denken. _____
daß Sie an etwas interessiert sind. _____

Ingenieurinnen sind selten

succeeded — In der Bundesrepublik haben sich Ärztinnen, Lehrerinnen, Richterinnen, Biologinnen, ja sogar Chemikerinnen und Mathematikerinnen durchgesetzt°, Ingenieurinnen dagegen noch nicht. Von fünfhundert- bis sechshunderttausend *areas of specialization* — Ingenieuren in den verschiedenen Fachbereichen° sind nur etwa vierzehntausend Frauen. In den USA, Frankreich, England, Italien, der DDR und UdSSR arbeiten 5 viel mehr Frauen im Ingenieurberuf.

„Der Ingenieurberuf ist bei uns sehr männlich . . . eine Frau wird als Fremd-
something foreign körper° gesehen, der nicht in diesen Beruf hineingehört," so charakterisiert eine
Bauingenieurin die Situation der Frauen. Eine Maschinenbauerin formuliert sar-
kastisch: „Wenn man längere Zeit mit den Leuten zusammenarbeitet, dann kann 10
evil tongues man sie schon überzeugen, daß man kompetent ist. Böse Zungen° würden sagen:
mit der Zeit vergessen sie, daß ich 'ne Frau bin."

Man glaubt noch in den achtziger Jahren, daß Frauen kein Talent für Technik
haben. Dabei sieht man aber nicht, daß etwa 90 Prozent der Beschäftigten in der
assembly line Elektroindustrie Arbeiterinnen am Fließband° sind, die hochkomplizierte elek- 15
tronische Instrumente bauen. Auch die Hälfte aller technischen Zeichner sind
Frauen. Sicher ist, daß Frauen, die sich für ein Studium in einem der traditionellen
self-assured Ingenieurfächer entscheiden, sehr selbstbewußt° sein müssen, um nicht zu
resignieren.

conspicuously Ingenieurstudentinnen machen auffallend° gute Examen. Aber nach dem Stu- 20
dium müssen sie länger als die Männer auf eine Anstellung warten. Tatsache ist,
hindering their career daß Ingenieurinnen meist einen Beruf wählen, den Männer als karrierehemmend°
ansehen, zum Beispiel die Arbeit in der technischen Dokumentation. Sie kata-
logisieren technische Erfindungen, kommentieren sie, bringen sie in die Com-
technological development puter, aber sie nehmen viel seltener an der Technologie-Entwicklung° teil, und 25
giving up, advancement das bedeutet oft den Verzicht° auf beruflichen Aufstieg°. Eine Bauingenieurin
exceptional situation meint: „Wir stehen in einer Ausnahmesituation°, ob wir große Leistungen voll-
do, mediocrity bringen° oder nicht. Mittelmäßigkeit° wird nicht entschuldigt."

unfeminine
rise

Die meisten voll im Beruf arbeitenden Ingenieurinnen haben keine Angst, als unweiblich° zu gelten. Sie sind der Meinung, daß man Frau und Ingenieurin zur 30 selben Zeit sein kann. Trotzdem scheint der Wunsch nach beruflichem Aufstieg° bei den meisten Ingenieurfrauen den Verzicht auf Kinder zu fordern. Alle Frauen, die Beruf und Familie verbinden wollen, haben Probleme, aber Ingenieurinnen haben es besonders schwer. Halbtagsjobs sind gerade in diesem Berufssektor nur sehr selten zu finden. 35

Fragen zum Text

1. Nennen Sie Berufe, in denen Frauen heute völlig akzeptiert sind.
2. Arbeiten in der Bundesrepublik mehr oder weniger Ingenieurinnen als in anderen Ländern?
3. Wieso stehen Ingenieurinnen dem Text nach immer in einer „Ausnahmesituation"?
4. Welchen Preis müssen viele Ingenieurinnen für ihre Berufswahl bezahlen? Ist das für Frauen bei allen Berufen so?

Themen zum Schreiben und zur Diskussion

1. Sind Sie an technischen Berufen interessiert? Wissen Sie, welche technischen Berufe bei Frauen beliebt sind? Kennen Sie Frauen, die in technischen Berufen arbeiten? Glauben Sie, die Frauen sind gut in diesen Berufen?
2. Was denken die Studenten und die Studentinnen in Ihrer Klasse über die Probleme von Frauen in technischen Berufen? Was ist der Trend, d.h. werden bald mehr oder weniger Frauen in diesen Berufen arbeiten?
3. Nennen Sie ein paar Berufe, die früher Männerberufe waren. In welchen davon arbeiten heute viele Frauen? Wie finden Sie das?
4. Interessieren Sie sich für einen nicht-traditionellen Beruf? Welchen? In welchen drei Berufen würden Sie gern arbeiten? Welche drei Berufe finden Sie schrecklich?

Aktivitäten

1. Spielen Sie ein Interview zwischen einem Arbeitgeber (Mann oder Frau) und zwei Ingenieuren, einem Mann und einer Frau. Beide haben ihren Lebenslauf geschrieben; beide möchten die Anstellung.
2. Organisieren Sie eine Debatte: „Viele Frauen sind genau so gut wie Männer in technischen Berufen". (Kennen Sie Situationen, wo man glaubt, Studentinnen haben kein Talent für dieses oder jenes Fach? Was können die Studentinnen dagegen tun?)

EINE MÄNNLICHE PERLE

Neue Wörter

Verben

aus·wählen	to choose
entschuldigen	to excuse
erkennen, a, a	to recognize
kaputt·gehen i, a (+ sein)	to get broken
stören	to disturb
streichen, i, i	to stroke
verdienen	to earn

Substantive

der **Eintritt, -e**	entry
die **Erhöhung, -en**	increase
die **Hauptsache, -n**	main point
der **Kunde, -n**	customer
der **Staub (-s)**	dust
der **Stundenlohn, ̈e**	hourly wage
das **Wohnzimmer, -**	living room
die **Zeitschrift, -en**	journal

Andere Wörter

arbeitslos	unemployed
seitdem	ever since
wert	worth

NEUE WÖRTER IM KONTEXT

Nennen Sie das passende Vokabularwort:
Sie wollen schlafen, das Telefon klingelt. Es _____ Sie.
Die Maschine funktioniert nicht. Sie ist _____.
Es gibt drei Möglichkeiten; Sie müssen eine _____.
Wollen Sie mehr Geld? Ja, wir fordern eine _____.
Was bekommen Sie in der Stunde? Mein _____ ist . . .
Mein Mann hat seinen Job verloren, er ist _____.

REDEWENDUNGEN AUS DEM TEXT

1. Das ist er uns wert.   *(To us) he's worth that (much).*
2. Er schaltet und waltet.   *He is in charge.*
3. Darauf schwört er.   *He swears by it.*

Schreiben Sie die Nummer der *Redewendung*, die hier paßt
Ich darf hier gar nichts sagen, denn er _____. Die Methode muß gut sein; denn
_____. Wir bezahlen ihm sehr viel Geld; _____.

VOKABULARARBEIT

Bilden Sie Sätze mit diesen Wörtern:
durch die Wohnung/Ordnung; sehen/Staub; vor Eintritt des Putzmanns/Hausarbeit machen; Kunden/Referenzen bringen; Erhöhung/fordern; Staubsauger/kaputtgehen; nach getaner Arbeit; 10 Mark/verdienen

Eine männliche Perle[4]—Erfahrungen mit einem Putzmann

D ienstags abends renne ich durch die Wohnung und mache Ordnung. Schnell die Mäntel in den Schrank hängen, im Bad saubermachen und die Zeitschriften im Wohnzimmer ordentlich° hinlegen. „Aha", sagt mein Mann, „Rolf kommt."

orderly

Mittwoch ist Rolfs Tag. Rolf ist unser Putzmann. Seit zwei Jahren. Heute sagt 5 er kurz, „Guten Tag", geht an mir vorbei, ohne meine Vorarbeit° zu sehen, in die Küche. Mit seinen 1,85 Metern sieht er alles, auch den Staub auf dem obersten Regal°. Er streicht kurz darüber und hält mir triumphierend den fettglänzenden Finger unter die Nase.

preliminary work

shelf

„Wir kochen so gern", versuche ich mich zu entschuldigen und verschwinde. 10 Es ist immer besser, das Terrain zu verlassen, wenn Rolf anfängt. Bis zu Rolfs Eintritt in unser Familienleben machten wir die Hausarbeit im Teamwork. Manchen Schmutz sahen wir längere Zeit einfach nicht. Rolf dagegen findet alles: „Saubere Ritzen°", behauptet er, „daran erkennt man die gute Hausfrau." In seinen Augen bin ich schon lange keine mehr.   15

slits, crevices

Am Anfang durfte ich noch Wünsche haben; dann sagte ich eines Tages unschuldig°: „Es wäre schön, wenn Sie heute die Zimmertüren abwaschen würden." Rolf erstarrte°. Dann sagte er, und betonte° jede Silbe°: „Das habe ich schon letzte Woche getan." Seitdem laß ich ihn schalten und walten°, wie er will.   20

innocently

froze, emphasized, syllable

laß . . . let him reign

Der arbeitslose Bauarbeiter° wählt die Kunden für sein Ein-Mann-Reinigungsunternehmen° gut aus: wir mußten Referenzen bringen. Sie (übrigens° von zwei Ärzten) ließen ihn meinen Fehler mit den Zimmertüren vergessen. Er blieb. Aber er forderte eine Erhöhung des Stundenlohns von zehn auf zwölf Mark. Das war er uns wert. Leute wie er sind selten. Natürlich haben wir unseren Haushalt 25 auf die Wünsche unserer Perle umorganisiert. Als er unsere chemischen Putzmittel° sah, mußte er lächeln. „Dieses neumodische Zeug° brauche ich nicht. Is' nur teuer. Ich will grüne Schmierseife°." Darauf schwört er°.

construction worker

one man cleaning business, by the way

cleaning agents, newfangled stuff

cleaning soap, **Darauf . . .** *He swears by it.*

Dann kam der Tag, an dem unser Staubsauger° kaputtging. Inzwischen gut geschult, kauften wir das schönste, modernste und praktischste Modell. Geld 30 spielte keine Rolle. Hauptsache°, unser Rolf war mit dem Ding zufrieden. Es wurde ein Volltreffer°. „Damit machen Sie mir aber eine große Freude." sagte er und schwebte° über den Korridor: „Was ich jetzt alles schaffen kann."

vacuum cleaner

main thing

bulls eye, direct hit

floated

[4] *Perle* = pearl (jewel); usually applied to treasured female servants

Damit gab er uns indirekt seine Erlaubnis, in eine größere Wohnung umzu-
move ziehen°. „Aber", warnte er, als wir ihm unsere Pläne erzählten, „da machen Sie 35
dann von Anfang an alles ganz ordentlich." Wir versprachen es. Und jetzt sind
cushions, fold wir in unseren neuen vier Wänden. Alles glänzt, die Kissen° haben ihren Kniff°
in der Mitte, kein Regentropfen ist am Fenster, auf dem Teppich kein Stäubchen.
Nach getaner Arbeit läßt Rolf sich in den Sessel fallen, sieht zufrieden um sich
und sagt: „Es war schon gut, daß wir umgezogen sind."   40

Fragen zum Text

1. Was wissen Sie aus dem Text über den Putzmann?
2. Warum möchten so viele Leute bei ihm Kunden werden? Ist das leicht? Ist
   er billig? Arbeitet er anders als die Hausfrau?
3. Was tut die Hausfrau, bevor der Putzmann kommt? Warum?
4. Warum kauft das Ehepaar den teuersten Staubsauger? Was ist das Resultat?

Themen zum Schreiben und zur Diskussion

1. Was denken Sie über Hausarbeit? Machen Sie die gern? Möchten Sie, daß
   jemand anders diese Arbeit für Sie macht? Wer? Wie würden Sie die Arbeit
   verteilen, wenn verschiedene Leute zusammenwohnen?
2. Was für Berufe waren früher Frauenberufe? Was denken Sie über Männer,
   die solche Berufe wählen? Kennen Sie Männer, die in diesen Berufen gut sind
   und akzeptiert werden?

[Handwritten note: Write down the profession in German of 5–7 of these people. Give the feminine and masculine forms. Beispiel: der Bauer, die Bäuerin. Choose 3 of the professions and write a German sentence stating what he/she does.]

3. Warum spricht man heute noch von Männer- und Frauenberufen? Gibt es Berufe, für die Frauen/Männer nicht qualifiziert sind? Welche?

4. Sie suchen so einen Job; schreiben Sie eine Anzeige: „Anstellung als Ingenieurin/als Putzmann gesucht."

Aktivitäten

1. Spiel: „Wer bin ich?" Wählen Sie einen Beruf vom Bild auf dieser Seite. Die anderen Studenten stellen Ja- oder Nein-Fragen.

2. Spielen Sie das Interview zwischen dem neuen Putzmann und der Hausfrau/
dem Hausherrn. Beide Seiten sagen ihre Wünsche.

3. Spielen Sie eine Szene zwischen dem Hausherrn und der Hausfrau, bevor der
Putzmann zu ihnen kam.

MECHANISCHER DOPPELGÄNGER

Neue Wörter

Verben

auf·springen, a, u (+ sein)	to jump up
berühren	to touch
betrachten	to regard
ein·treten (i), a, e (+ sein)	to enter
erschrecken (i), a, o (+ sein)	to become frightened
ersetzen	to replace
überlegen	to ponder
sich vor·stellen	to introduce oneself
wiederholen	to repeat

Substantive

die **Aufmerksamkeit**, -en	attention
der **Auftrag**, ⸚e	order
der **Ausländer**, -	foreigner
die **Begegnung**, -en	encounter
der **Blick**, -e	look
der **Chef**, -s	boss
der **Doppelgänger**, -	double
der **Einfluß**, ⸚sse	influence
die **Erzählung**, -en	tale
der **Ersatz** (-es)	substitute
die **Fähigkeit**, -en	capability
die **Freundlichkeit**, -en	kindness
die **Geschwindigkeit**, -en	speed
die **Herstellung**, -en	production
der **Knopf**, ⸚e	button
die **Probe**, -n	rehearsal
der **Roman**, -e	novel
der **Schriftsteller**, -	writer
der **Schritt**, -e	step
der **Stellvertreter**, -	deputy
die **Störung**, -en	disturbance
die **Versammlung**, -en	meeting
der **Verstand** (-es)	reason
das **Wesen**, -	creature
die **Zeile**, -n	line

Andere Wörter

angenehm	pleasant
wenigstens	at least

NEUE WÖRTER IM KONTEXT

1. Nennen Sie ein Synonym:

berühren	das Treffen
ansehen	das Talent
eintreten	die Schnelligkeit
überlegen	die Produktion
noch einmal sagen	der Intellekt
schnell aufstehen	die Bestellung

2. Nennen Sie ein Antonym:

sitzenbleiben	eintreten
angenehm	das Original

REDEWENDUNGEN AUS DEM TEXT

1. Ich lasse bitten. — *Have (the visitor) come in.*
2. Ich tue so. — *I pretend.*
3. Es bleibt sich gleich. — *It's the same thing.*
4. Er war fort. — *He was gone.*
5. Davon kann keine Rede sein. — *That's out of the question.*

Gebrauchen Sie die richtige *Redewendung* in Ihrer Antwort:

War der Ausländer noch da? Nein, _____. Glauben Sie das wirklich? Nein, aber _____. Ein Herr möchte Sie sprechen. Sagen Sie, _____. Macht es einen Unterschied? Nein, _____. Ist das wirklich passiert? Ja wirklich, von Einbildung _____.

VOKABULARARBEIT

Was sagen Sie, wenn . . .

Someone is waiting for your boss; you're announcing him/her.
You are the boss, ready to receive him/her.
You, the visitor, are entering and wish to introduce yourself.
You, the boss, are asking the visitor to sit down.
You are asking the visitor to repeat what he was saying.
You are explaining that you will think about these remarks.
You are explaining that it makes no difference.
You, the visitor, are taking your leave.

Kasack, Hermann   * 24.7.1896 in Potsdam; †
10.1.1966 in Stuttgart. Ein Denker, der sich für Kafka und
den Surrealismus, aber auch für die Philosophie Schopen-
hauers, den Buddhismus und den Existentialismus interessiert; diese Einflüsse sind in seinen Romanen und Erzählungen zu sehen.

Er lebte sein ganzes Leben mit Büchern, zuerst im Buch-
handel° und in verschiedenen Verlagen°, als Mitbegründer
des PEN-Zentrums[1], von 1953–63 als Präsident der
Deutschen Akademie für Sprache und Dichtung°, seit 1949
als freier Schriftsteller. Zuerst expressionistischer Lyriker,
ist Kasack heute für seine symbolische oder satirische Prosa
bekannt. Sein Hauptthema ist der Mensch gegen die Mächte
der Zeit: Totalitarismus, Krieg, die großen anonymen Organisationen, die Bürokratie.

book trade, publishing houses

*German Academy for Language
and Literature*

HERMANN KASACK

Mechanischer Doppelgänger

announced
no introduction; also: no idea

apparently, some salesman
Have him come in.

to step down, ailing, estimate
beams, smoothly shaven
not dislikable, almost
courteous
*pointing, **Was . . . What gives**
me the honor?

***mit** . . . uttered with a slightly
howling sound, inimitable*
anticipation
behavior, astonished

instantly

You see, I'm stuffed (wired).
I beg your pardon!
*strange, regards me superciliously,
disregards the objection, continues
unperturbed*

„Ein Herr wünscht Sie zu sprechen", meldete° die Sekretärin. Ich las auf
der Besuchskarte: Tobias Hull, B.A.—Keine Vorstellung°. Auf meinen
fragenden Blick: „Ein Herr in den besten Jahren, elegant."

Anscheinend° ein Ausländer. Immer diese Störungen. Irgendein Vertreter°.
Oder? Was weiß man.—„Ich lasse bitten°."   5

Herr Tobias Hull tritt mit vorsichtigen Schritten ein. Er setzt Fuß vor Fuß,
als fürchte er, zu stark aufzutreten°. Ob er leidend° ist? Ich schätze° sein Alter
auf Mitte vierzig. Eine große Freundlichkeit strahlt° aus seinem glattrasierten°,
nicht unsympathischen° Gesicht. Sehr korrekt angezogen, beinahe° zu exakt in
seinen verbindlichen° Bewegungen, scheint mir. Nun, man wird sehen. Mit der 10
Hand zum Sessel weisend°: „Was verschafft mir die Ehre° Ihres Besuches?"

„Oh! Ich wollte mich Ihnen nur vorstellen."

„Sehr angenehm", sage ich.

„Oh! Sie verstehen!" Dieses mit einem leicht jaulenden Ton vorgebrachte° *Oh!*
ist unnachahmlich°. Seine müde, etwas monotone Stimme hat einen kleinen 15
fremden Akzent. Er sieht mich mit freundlicher Erwartung° an.

Über das Benehmen° seines Besuches doch ein wenig erstaunt°, wiederhole
ich: „Sehr angenehm. Aber darf ich Sie fragen—"

Da werde ich sogleich° mit seinem „Oh!" unterbrochen: „Bitte fragen Sie mich
nicht." Und dann beginnt er, seine Geschichte zu erzählen, die er anscheinend 20
schon hundertmal vorgebracht hat: „Ich bin nämlich ausgestopft°!"

„Aber—erlauben Sie mal°!"

Das eigentümliche° Wesen, das mich überlegen fixiert°, beachtet den Einwurf°
nicht, sondern fährt unbeirrt fort: „Erschrecken Sie nicht, weil ich eine Art

[1] PEN = Poets, Playwrights, Essayists, Editors, Novelists

Automat bin, eine Maschine in Menschenform, ein Ersatz sozusagen. Mr. Tobias 25
Hull existiert wirklich. Der Chef einer großen Fabrik zur Herstellung von mechanischen Doppelgängern. Ich bin, wie sagt man, eine Projektion, ja, Agent in
Propaganda. Ich kann Ihnen natürlich meinen Mechanismus im einzelnen nicht
erklären, Sie verstehen: Fabrikationsgeheimnis! Aber wenn Sie daran denken, daß
die meisten Menschen heutzutage° ganz schablonenmäßig° leben, handeln° und 30
denken, dann werden Sie sofort begreifen, worauf sich unsere Theorie gründet!
Herz und Verstand werden bei uns ausgeschaltet°. Sie sind es ja, die im Leben
so oft die störenden Komplikationen hervorrufen°. Bei uns ersetzt die Routine
alles. Sehr einleuchtend°, nicht wahr?" Ich nicke verstört°.

„Oh! Mein Inneres ist ein System elektrischer Ströme, automatischer Hebel°, 35
großartig°! Eine Antennenkonstruktion, die auf die feinsten Schwingungen°
reagiert. Sie läßt mich alle Funktionen eines menschlichen Wesens verrichten°,
ja, in gewisser Weise noch darüber hinaus. Sie sehen selbst, wie gut ich funk-
tioniere."

Zweifelnd°, mißtrauisch° betrachte ich das seltsame Geschöpf. „Unmöglich!" 40
sage ich. „Ein Taschenspielertrick°. Sehr apart°. Indessen°—"

„Oh! Ich kann mich in sieben Sprachen verständigen°. Wenn ich zum Beispiel
den obersten Knopf meiner Weste drehe, so spreche ich fließend° englisch, und
wenn ich den nächsten Knopf berühre, so spreche ich fließend französisch°, und
wenn ich—" 45

„Das ist wirklich erstaunlich°!"

„Oh! In gewisser Weise; vor allem aber angenehm. Wünschen Sie ein Gespräch
über das Wetter, über Film, über Sport? über Politik oder abstrakte Malerei°?
Fast alle Themen und Vokabeln des modernen Menschen sind in mir vorrätig°.
Auch eine Spule von Gemeinplätzen läßt sich abrollen°. Alles sinnreich°, kom- 50
fortabel und praktisch. Wie angenehm wird es für Sie sein, wenn Sie sich erst
einen mechanischen Doppelgänger von sich halten°—oder besser, wenn Sie gleich
zwei Exemplare von sich zur Verfügung° haben. Sie könnten gleichzeitig verschiedene Dienstreisen° unternehmen°, an mehreren Tagungen° teilnehmen°,
überall gesehen werden und selber obendrein° ruhig zu Hause sitzen. Sie haben 55
einen Stellvertreter Ihres Ich, der Ihre Geschäfte wahrscheinlich besser erledigt°
als Sie selbst. Sie werden das Doppelte verdienen und können Ihre eigene Person
vor vielen Überflüssigkeiten° des Lebens bewahren°. Ihr Wesen ist vervielfältigt°.
Sie können sogar sterben, ohne daß die Welt etwas davon bemerkt. Denn wir
Automaten beziehen° unsere Existenz aus jeder Begegnung mit wirklichen 60
Menschen."

„Aber dann werden ja die Menschen allmählich° ganz überflüssig°."

„Nein. Aus eben diesem Grunde° nicht. Zwei Menschenautomaten können mit
sich selber nur wenig anfangen°. Haben Sie also einen Auftrag für mich?"

Mit jähem Ruck° sprang das Wesen auf und sauste im Zimmer hin und her°. 65
„Oh! Wir können auch die Geschwindigkeit regulieren. Berühmte Rennfahrer°
und Wettläufer° halten sich schon Doppelgänger-Automaten, die ihre Rekorde
ständig steigern°."

„Phantastisch! Man weiß bald nicht mehr, ob man einen Menschen oder einen
Automaten vor sich hat." 70

Margin glossary:

- nowadays, mechanically, act
- switched off, eliminated
- call forth
- convincing, bewildered
- levers
- splendid, vibrations
- carry out
- doubtingly, suspiciously, strange
- creature conjuring trick, interesting, however communicate
- fluently
- French
- astonishing
- painting
- in stock
- a spool of clichés can be played, meaningful
- keep
- at your disposal
- different business trips, undertake, in several conferences, participate on top of it
- takes care of
- unnecessary things, protect, multiplied
- derive
- gradually, superfluous
- just for this reason
- do
- sudden jerk, **sauste hin und her**
- dashed about, famous racecar drivers
- runners
- improve

hissed „Oh!" zischte° es an mein Ohr, „das letzte Geheimnis der Natur werden wir
fathom nie ergründen°.—Darf ich also ein Duplikat von Ihnen herstellen lassen? Sie sind
advantageous nicht besonders kompliziert zusammengesetzt, das ist günstig°. Ihr Kapital wird
pay off, measure sich bestimmt rentieren°. Morgen wird ein Herr kommen und Maß nehmen°."
amazing „Die Probe Ihrer Existenz war in der Tat verblüffend°, jedoch—" Mir fehlten 75
pretended die Worte und ich tat°, als ob ich überlegte. „Jedoch, sagen Sie nur noch: Der
Herr, der morgen kommen soll, ist das nun ein Automat oder ein richtiger
Mensch?"
it wouldn't make a difference „Ich nehme an, noch ein richtiger Mensch. Aber es bliebe sich gleich°. Guten
Tag." 80
was gone, hallucination is out of Mr. Tobias Hull war fort°. Von Einbildung kann keine Rede sein°, die Se-
the question, witness, directly kretärin ist mein Zeuge°. Aber es muß diesem Gentlemangeschöpf unmittelbar°
happened to nach seinem Besuch bei mir etwas zugestoßen° sein, denn weder am nächsten
weder . . . noch *neither . . . nor* noch° an einem späteren Tag kam jemand, um für meinen Doppelgänger Maß
zu nehmen. Doch hoffe ich, wenigstens durch diese Zeilen die Aufmerksamkeit 85
direct der Tobias-Hull-Gesellschaft wieder auf meine Person zu lenken°.

Denn eines weiß ich seit jener Unterhaltung gewiß: Ich bin inzwischen vielen
Menschen begegnet, im Theater und im Kino, bei Versammlungen und auf Ge-
table for regulars sellschaften, im Klub und beim Stammtisch°, die bestimmt nicht sie selber waren,
already sondern bereits° ihre mechanischen Doppelgänger. 90

Fragen zum Text

1. Warum denkt der Erzähler, Hull ist Ausländer?
2. Beschreiben Sie Tobias Hull im Büro; was ist an ihm nicht ganz normal?
3. Erklären Sie, wer der wirkliche Tobias Hull ist. Wer ist der Mann im Büro?
4. Erklären Sie die Theorie der Firma Hull. Ist sie richtig, intelligent?
5. Wie funktioniert die „Maschine in Menschenform"? Beschreiben Sie alles, was der Besucher tun kann.
6. Warum können die Menschenautomaten die Menschen nicht ganz ersetzen?
7. Was will der Automat vom Erzähler? Wie reagiert der Erzähler?
8. Warum kommt am nächsten Tag niemand?
9. Warum möchte der Erzähler, daß die Tobias-Hull-Gesellschaft an ihn denkt?

Themen zum Schreiben und zur Diskussion

1. Welche menschlichen Fähigkeiten kann man mechanisch kopieren oder er-setzen, welche nicht? Denken Sie, Maschinen funktionieren besser als ein Mensch oder nicht so gut?
2. Formulieren Sie die Idee dieser Geschichte. Finden Sie, daß der Autor recht hat?
3. Was wissen Sie über Roboter und Computer und die Idee der künstlichen Intelligenz? Was denken Sie darüber?

Aktivitäten

1. Drei Studenten spielen eine Szene im Büro: Chef(in) und Sekretär(in); Besucher(in) kommt.
2. Job-Interview mit zwei Kandidaten; einer ist ein Roboter. Wer kann mehr, der Roboter oder der Mensch?
3. Ein Ratespiel: „Wer ist der Roboter?" Drei Studenten tun, als ob sie Herr oder Frau X sind. Die Klasse stellt Ja- und Nein-Fragen, um den Roboter zu erkennen.

DER SCHRIFTSTELLER

Neue Wörter

Verben
aus·sprechen (i), a, o	to express
gebrauchen	to use

Substantive
der **Ausdruck, ⁼e**	expression
die **Aussicht, -en**	view
die **Bemerkung, -en**	remark
das **Gefängnis, -se**	prison
die **Haltung, -en**	attitude
die **Höhe, -en**	height
der **Keller, -**	cellar
der **Maurer, -**	mason

NEUE WÖRTER IM KONTEXT

Nennen Sie das passende Vokabularwort:

der tiefste Raum im Haus
wer mit Steinen arbeitet
was jemand ausgesprochen hat

wo die Gefangenen sitzen
ein hoher Punkt
was man von der Höhe sieht

REDEWENDUNGEN AUS DEM TEXT

1. es wird mir . . .   *I'm getting . . .*
2. das tat (ihm) gut   *that felt good (to him)*

Gebrauchen Sie die richtige *Redewendung* in Ihrer Antwort:

Geht es Ihnen gut? Nein, im Moment _____.
Hat ihm die frische Luft geholfen? Ja, _____.

Borchert, Wolfgang *29.5.1921 in Hamburg; †
20.11.1947 in Basel. Vor und nach dem zweiten Weltkrieg
arbeitete er am Theater, aber sein ganzes Leben stand unter
dem Einfluß des Krieges. Zwischen 1941 und 1945 war er
Soldat an der Ostfront und kam zweimal, 1942 und 1944,
wegen seiner Oppositionshaltung ins Gefängnis. Er kehrte
krank aus dem Krieg zurück und starb zwei Jahre später
stay in a spa während eines Kuraufenthalts° in der Schweiz. Seine
Werke: Lyrik, Kurzgeschichten und ein Drama hatten in
den Nachkriegsjahren großen Erfolg, denn er sprach bitter
passionately, victims und leidenschaftlich° für die Opfer°, zeigte Soldaten an der
Front, Menschen in der Heimat, die Leiden des Krieges und
homecoming die Heimkehr° in die Ruinen.

WOLFGANG BORCHERT

Der Schriftsteller

     D er Schriftsteller muß dem Haus, an dem alle bauen, den Namen geben.
Auch den verschiedenen Räumen. Er muß das Krankenzimmer „Das trau-
attic rige Zimmer" nennen, die Dachkammer° „Das windige" und den Keller „Das
gloomy düstere°". Er darf den Keller nicht „Das schöne Zimmer" nennen.
despair, pain   Wenn man ihm keinen Bleistift gibt, muß er verzweifeln° vor Qual°. Er muß 5
spoon handle, scratch versuchen, mit dem Löffelstiel° an die Wand zu ritzen°. Wie im Gefängnis: Dies
ugly hole, genuine ist ein häßliches Loch°. Wenn er das nicht tut in seiner Not, ist er nicht echt°.
street sweepers Man sollte ihn zu den Straßenkehrern° schicken.
    Wenn man seine Briefe in anderen Häusern liest, muß man wissen: Aha. Ja.
all the same So also sind sie in jenem Haus. Es ist egal°, ob er groß oder klein schreibt. Aber 10
legibly er muß leserlich° schreiben. Er darf in dem Haus die Dachkammer bewohnen.
gruesome Dort hat man die tollsten Aussichten. Toll, das ist schön und grausig°. Es ist
lonely einsam° da oben. Und es ist da am kältesten und heißesten.
stonemason   Wenn der Steinhauer° Wilhelm Schröder den Schriftsteller in der Dachkam-
get dizzy mer besucht, kann ihm womöglich schwindelig werden°. Darauf darf der Schrift- 15
take into consideration, get used to steller keine Rücksicht nehmen°. Herr Schröder muß sich an die Höhe gewöhnen°.
Sie . . . *it will do him good,* Sie wird ihm gut tun°. Nachts darf der Schriftsteller die Sterne begucken°. Aber
look at wehe ihm°, wenn er nicht fühlt, daß sein Haus in Gefahr ist. Dann muß er
woe to him
blow the trumpet, burst posaunen°, bis ihm die Lungen platzen°!

Fragen zum Text
1. Was ist die erste Aufgabe des Schriftstellers, und wie löst er sie?
2. Was passiert, wenn er keinen Bleistift hat?
3. Was ist, wenn er seine Aufgabe nicht tut?
4. Was ist der Zweck seiner Arbeit?
5. Wo muß er wohnen? Was ist der Effekt auf andere Menschen?
6. Was ist die letzte Aufgabe des Schriftstellers?

Themen zum Schreiben und zur Diskussion

1. Borchert schreibt über Schriftsteller; die arbeiten mit Wörtern. Wofür steht das Wort „Haus", in „Haus, an dem alle bauen"? Finden Sie „Haus" ein gutes Wort für das, was Borchert meint?

2. Was bedeuten dann „andere Häuser"? Und „leserlich schreiben"? und „Briefe"? Sind das gute Ausdrücke, um die Aufgaben eines Schriftstellers zu erklären?

3. Was meint Borchert mit der „Dachkammer" im letzten Teil? Wen repräsentiert „der Steinhauer Wilhelm Schröder"?

4. Alle diese Fragen wollen die Bedeutung von Borcherts Wörtern erfahren. Wie nennt man solche Wörter?

Aktivitäten

1. Debatte: „Muß ein Schriftsteller ‚frei', d. h. autonom sein, um seine Aufgabe zu erfüllen?"

2. Assoziationsspiel: Die Klasse sitzt im Kreis; ein Student sagt ein Wort (z.B. „Haus"), die Nachbarin antwortet mit einem Wort, das dazu paßt (z.B. „bauen"), die nächste Person gibt wieder ein passendes Wort (z.B. „Maurer") usw.

Kahlau, Heinz * 6.2.1931 in Drewitz bei Potsdam. Er war Arbeiter, Traktorist° und FDJ[2] Funktionär, dann wurde er 1953 Schüler bei Brecht und lebt seitdem als Schriftsteller in Ostberlin. Als sozialistischer Autor schreibt er für die Massen ohne literarische Ambitionen. Seine Gebrauchslyrik°, Agitprop° und Balladen zeigen Brechts Einfluß. In der DDR ist er auch als Autor von Fernsehspielen, Filmdrehbüchern° und Laienspielen° bekannt.

tractor driver

every day lyrics, agitation propaganda (theatre)

screenplays, amateur plays

HEINZ KAHLAU

Der alte Maurer

Johannes, der alte Maurer, ist tot.
Wie der Mörtel°,
mit dem er Stein zu Steinen fügte°,
ist sein Gesicht.
Seine Hände auch.

5

Der Junge,
den er gestern schelten° mußte—
wegen Achtlosigkeit°—
bekam seine Kelle°.

mortar

joined

scold

negligence

trowel

[2] FDJ = Free German Youth, socialist youth organization in the GDR.

chimney Vom Schornstein°,   1
         der sein letzter wurde,
         stieg heute morgen
smoke der erste Rauch°.

bury Begrabt° ihn ohne Lügen.

Fragen zum Text

1. Wer ist gestorben? Beschreiben Sie den Toten.

2. Warum hat er gestern den Jungen gescholten? Der Junge hat aber trotzdem seine Kelle bekommen. Was soll das heißen?

3. Die letzte Arbeit des Maurers war ein Schornstein. Was meint die Bemerkung über den ersten Rauch?

4. Erklären Sie die Bedeutung der letzten Zeile.

IV  Familie

DIE „HALBE" FAMILIE

Neue Wörter

Verben

auf·räumen	to tidy up
auf·wachsen (ä), u, a (+ sein)	to grow up
bezeichnen (als)	to designate (as)
ergänzen	to add
erziehen, o, o	to educate
heiraten	to marry
sich kümmern um	to take care of
mit·nehmen (i), a, o	to take along
prüfen	to examine
sich scheiden lassen (ä), ie, a	to get divorced
schieben, o, o	to push

Substantive

die Anerkennung, -en	recognition
der Anteil, -e	share
die Bezeichnung, -en	designation
das Ehepaar, -e	couple
der Einwohner, -	inhabitant
der Elternteil, -e	parent
die Folge, -n	consequence
das Gericht, -e	law court
die Geschwister	siblings
der Großvater, ¨	grandfather
die Heirat, -en	marriage
der Jugendliche, -n	youth
der Kinderwagen, -	baby carriage
der Mitarbeiter, -	co-worker
der Neffe, (-ns), -n	nephew
die Nichte, -n	niece
die Scheidung, -en	divorce
der Spaziergang, ¨e	walk, stroll
das Spielzeug, -e	toy
der Vergleich, -e	comparison
das Verhältnis, -se	relationship
der Vetter, (-s), -n	cousin
der Verwandte, -n	relative
der Vorname, (-ns), -n	first name
der Witwer, -	widower
die Witwe, -n	widow

Andere Wörter

geschieden	divorced
getrennt	separated

ledig	single
selbständig	independent
stolz	proud
verheiratet	married
verwitwet	widowed

NEUE WÖRTER IM KONTEXT

1. Nennen Sie Synonyme:

größer werden	untersuchen
das Ehepaar	die Konsequenz
Brüder und Schwestern	der junge Mann
Vater oder Mutter	Vater und Mutter
ohne Ehepartner	selbständig

2. Nennen Sie das passende Vokabularwort:

ein Mann, der seine Frau verloren hat
der Sohn meines Onkels
die Schwester meines Vaters
die Mutter meines Vaters
ein Mann und eine Frau, die verheiratet sind
eine Frau, deren Mann gestorben ist
ein Mann, der nicht geheiratet hat
ein Junge oder ein Mädchen unter 20
meine Onkel und Tanten und deren Kinder
die Formalität, wenn Eheleute auseinandergehen
eine Familie ohne den Vater/die Mutter
Menschen, die am gleichen Ort wohnen

REDEWENDUNGEN AUS DEM TEXT

1. Ich bin schuld daran.	*It is my fault.*
2. Bring das Kind ins Bett!	*Put the child to bed!*
3. Wir setzen alles aufs Spiel.	*We risk everything.*
4. Er rechnet auf Anerkennung.	*He counts upon recognition.*
5. mehr Schein als Sein	*more appearance than reality.*

Welche *Redewendung* hat die gleiche Bedeutung:

Das sieht nur so aus. _____	Das ist eine Illusion. _____
Das ist meine Schuld. _____	Hat er Anerkennung erwartet? _____
Leg das Kind schlafen! _____	Wir riskieren alles. _____

VOKABULARARBEIT

Sagen Sie das auf Deutsch:
1. I'd like to get married. 2. I'm not thinking of a new marriage. 3. I've been married for years. 3. I'll marry off my son. 4. Married people are couples. 5. My brother is a widower. 6. He grew up at his grandparents'. 7. They are getting divorced. 8. One has to expect conflicts in a marriage. 9. May I call you by your first name? 10. They divide up the housework. 11. The children help tidy up.

Die „halbe" Familie

Frauen, die ohne Mann ihre Kinder erziehen mußten, hat es in der Geschichte immer wieder gegeben. Meistens waren Kriege und deren Folgen daran *responsible, divorce rates* schuld°. Heute sind es die hohen Scheidungsquoten° (etwa 100 000 jährlich in der Bundesrepublik Deutschland) oder der Trend, ein Kind allein erziehen zu wollen. 5

Vor Jahren nannte man diese Haushalte „halbe Familien", aber heute leben in der Bundesrepublik mehr als 1,3 Millionen Kinder und Jugendliche unter 18 Jahren mit nur einem Elternteil zusammen. Neu an dieser Entwicklung ist, daß immer mehr Männer ihre Kinder allein erziehen, nämlich 140 000 von rund 900 000 Alleinerziehenden. Norbert Lange ist einer von ihnen. Morgens um sieben 10 war die Welt für ihn noch in Ordnung, als er aber nachmittags von seiner Arbeit nach Hause kam, lag nur noch ein Stück Papier mit wenigen Worten auf dem Tisch: seine Frau hatte ihn verlassen und den gemeinsamen Sohn mitgenommen.

Norbert Lange verstand die Welt nicht mehr. „Wir waren am Tag vorher noch zusammen mit Harald Golf spielen. Abends haben wir dann ferngesehen 15 . . .", denkt er laut zurück. Nach dem ersten Schock wurde er dann aktiv: „Ich *Youth Welfare Department, lawyer* bin zur Polizei, zum Jugendamt° und zu einer Rechtsanwältin° gegangen und *custody, applied for* habe das Sorgerecht° für meinen Sohn beantragt°." Er hat es bekommen; Harald war damals vier Jahre alt.

Die Tendenz ist in allen Industrieländern zu beobachten. Mit dem international 20 beweinten Film „Kramer gegen Kramer" sind alleinerziehende Väter ein interessantes Thema geworden. In Frankfurt, wo Norbert Lange mit seinem Sohn wohnt, steht heute zwei Heiraten eine Scheidung gegenüber. 10%, in Großstädten *minor* sogar 20% der Haushalte mit minderjährigen° Kindern sind sogenannte Ein-Eltern Familien. Und die Zahl der Männer wächst, für die Vaterschaft bessere Lebens- 25 qualität bedeutet.

Junge Väter schieben heute stolz den Kinderwagen, tragen ihre schlafenden *piggy-back* Babies huckepack°, beantragen Dreiviertel- oder Halbtagsjobs, um sich intensiver um ihre Kinder kümmern zu können. Und wenn eine Ehe kaputtgeht, gehen *fight for custody* Väter auch vor ein Gericht, um sich das Sorgerecht zu erkämpfen°. „Ein Leben 30 ohne Harald könnte ich mir nicht mehr denken", sagt Norbert Lange und ergänzt

stolz: „Harald konnte früher ‚Papa‘ als ‚Mama‘ sagen." Der junge Vater hatte sich
put to bed von Anfang an um seinen Kleinen gekümmert. Er hat ihn ins Bett gebracht°, hat
ihm Gute-Nacht-Geschichten vorgelesen und immer viel mit ihm gespielt. „Ha- 35
ralds Mutter war zwar zu Hause, sie war Hausfrau, aber beim Spielen mit leichten
more skillful technischen Dingen ist ein Mann geschickter°", meint der Vater. Seine neue Rolle
as a second job als Hausmann im Nebenberuf° stört ihn gar nicht. Und wer in die kleine Woh-
cared for nung kommt, merkt: hier ist alles gepflegt°, sauber und gemütlich.
      Vater und Sohn teilen die Hausarbeit: Harald hilft beim Aufräumen, Ab-
setting the table, dusting waschen, Tischdecken°, Staubwischen°. Den Rest macht der Vater. Sagt Norbert 40
Lange: „Ich habe mich ziemlich schnell in die neue Situation hineingefunden,
weil ich vorher meiner Frau auch schon immer geholfen habe."
      An eine neue Ehe denkt der alleinerziehende Vater im Moment nicht: „Ich
will lieber allein bleiben, Distanz halten!" Während Norbert Lange erzählt, turnt
Harald um ihn herum, spricht ein bißchen mit, holt Spielzeug zum Vorzeigen. 45
Der Vater hört auf jedes Wort seines Sohnes; das gute Verhältnis der beiden ist
leicht zu sehen.
      Daher ist es nicht erstaunlich, daß die Quote der Neuverheiratungen von
custody Müttern und Vätern mit Sorgerecht° tief unter der von geschiedenen Männern
und Frauen allgemein liegt. Viele wollen ihre neue Selbständigkeit nicht aufgeben; 50
in case of doubt viele entscheiden sich im Zweifelsfall° für die Kinder und gegen einen neuen
must be expected Partner, wenn bei einer geplanten Heirat mit Konflikt zu rechnen ist°.

Norbert Lange erzählt: „Vor kurzer Zeit kam ich nach Hause, da hatte Harald von seinem Taschengeld Kuchen für uns gekauft." „Fünf Stück", ergänzt der *setzt . . . aufs Spiel   risk*   Sohn stolz. Solche Harmonie setzt man nicht leicht aufs Spiel°, auch nicht für 55
more appearance than reality   das Ideal einer „vollständigen Familie". (Ein Ideal, das oft mehr Schein als Sein° ist, wie die hohen Scheidungsquoten zeigen.) Dennoch wird die „Halb-" oder „Restfamilie", die „irreguläre" oder „nicht-normale" Familie, am Ideal der Stan-
lack, deficit   dardfamilie gemessen und meistens wird ein Mangel° gesehen, man prüft aber nicht, ob wirklich ein Defizit existiert, oder woran es gemessen wird.   60

Norbert Lange nimmt an den Diskussionen und Seminaren der Organisationen *support*   für Alleinerziehende teil, obwohl er jetzt diese moralische Unterstützung° nicht mehr braucht. Er hat, was er wollte: seinen Sohn. Er hat außerdem den großen *advantage*   Vorteil°, daß seine Arbeitszeit variabel ist, obwohl er einen Acht-Stunden-Ar-
worries   beitstag hat. Er hat auch keine finanziellen Sorgen°: „Vorher mußte ich die Frau 65
feed, dispose of   ja miternähren°. Im Endeffekt kann ich über mein Geld verfügen°." Und die Mutter? Spielt sie gar keine Rolle mehr im Leben des Kindes? Anfangs holte sie Harald noch alle zwei Wochen zu sich in die Wohnung, in der sie mit ihrem Freund lebt. „Dann hat Harald sich auf die Straße geworfen und geweint", berichtet Norbert Lange, und der Sohn sekundiert: „Ich habe mich immer unter 70
hid   dem Bett versteckt°."

Das machte natürlich auch die Mutter traurig. Aber inzwischen gibt es einen *court decision*   neuen Gerichtsbeschluß°. „Die Mutter bekommt das Kind am ersten Sonntag und am dritten Wochenende eines jeden Monats, an Pfingsten und an 14 Tagen *lively*   Urlaub", sagt der Vater. Harald weint heute nicht mehr. Er ist ein lebendiger°, 75
self-assured   fröhlicher Junge, selbständig und selbstbewußt°. Vermißt er seine Mutter? Harald: „Ich weiß nicht . . ."

Im Gegensatz zu den alleinstehenden Vätern geht es alleinstehenden Müttern nicht so gut. Oft sind sie nicht qualifiziert ausgebildet und führen mit ihren *pitiful, on the edge*   Kindern ein klägliches° Dasein am Rande° des Existenzminimums. Im Punkt 80
Karriere sind sowohl Väter als auch Mütter „draußen", weil sie weniger Zeit haben als ihre konkurrierenden Kollegen. Die Analyse der finanziellen Verhältnisse von Alleinerziehenden mit Kind(ern) zeigt: geschiedene oder verwitwete Väter kommen auf 70,5%, verwitwete Mütter auf 65,3%, geschiedene Mütter auf 54,3% und ledige Mütter auf 48% des Einkommens von Standardfamilien.   85

Fragen zum Text

1. Der Text erzählt von Ein-Eltern Familien. Wie wurden sie früher genannt? Welchen Namen finden Sie richtiger oder besser? Warum?

2. Wieviel Kinder leben in den achtziger Jahren in der Bundesrepublik in Ein-Eltern Familien? Wieviele Mütter erziehen ihre Kinder allein? Wieviele Väter? Wieviel Prozent sind das?

3. Warum ist Norbert Lange geschieden? Was hat er getan, nachdem seine Frau ihn verlassen hat?

4. Beschreiben Sie, wie Norbert Lange und sein Sohn ihr Leben nach der Scheidung organisiert haben.

5. Wie nennt man den neuen Erziehungsstil? Wie funktioniert er?

6. Erzählen Sie, welche Entwicklung die Soziologen an den Männern beobachten. Was tun sie heute für ihre Kinder?

7. Beschreiben Sie Haralds Verhältnis zu seiner Mutter, früher und heute. Wie kam das?

8. Geht es Harald heute gut? Glauben Sie, es gibt viele Kinder, die in einer Ein-Eltern Familie ziemlich normal leben? Kennen Sie welche?

9. Was ist der Unterschied in der Situation von alleinstehenden Vätern und alleinstehenden Müttern? Was haben beide gemeinsam?

Themen zum Schreiben und zur Diskussion

1. Warum werden heute so viele Ehen geschieden? Was sind dabei die Vorteile und die Nachteile? Was bedeuten die Scheidungen für die Kinder?

2. Haben Sie eine Meinung, wer das Sorgerecht bekommen sollte,
   (a) im Fall von unserem Text,
   (b) im allgemeinen?
   Erklären Sie Ihre Meinung, indem Sie die Rolle der Mutter und des Vaters in der Familie diskutieren.

3. Was ist der Standpunkt des Reporters in diesem Text? Wie kann man das sehen?

4. Was denken Sie über den Trend, daß Frauen ihre Kinder ohne Mann erziehen wollen, vielleicht in einer „Großfamilie"?

Aktivitäten

1. Drei Studenten spielen eine Szene: Ein Mann und eine Frau vor dem Richter. (Diskussion über Sorgerecht, Kindergeld und andere Bedingungen der Scheidung.)

2. Organisieren Sie zwei Debatten: „Ein Kind braucht beide, den Vater und die Mutter, um gesund aufzuwachsen." und „Die Vor- und Nachteile von Ein-Eltern Familien."

3. Sie spielen Reporter: Interviews mit Sozialarbeiter(innen), für einen Bericht in Ihrer Zeitung. Stellen Sie Fragen über
   a) die Probleme von Ein-Eltern Familien, und wie Väter oder Mütter damit fertig werden,
   b) den Lebensstandard in Ein-Eltern Familien mit Vätern, mit Müttern,
   c) mögliche Defizite, die entstehen, wenn Kinder allein aufwachsen, und was man dagegen tun kann.

SIND KINDER LUXUS?

Neue Wörter

Verben

verzichten auf   to renounce

Substantive

die **Bevölkerung**   population
das **Einzelkind, -er**   only child
die **Steuer, -n**   tax

Andere Wörter

kinderlos   childless
kinderreich   with many children

NEUE WÖRTER IM KONTEXT

Nennen Sie das richtige Vokabularwort:
alle Menschen in einer Nation
ein Ehepaar, das keine Kinder hat
das Geld, das alle Bürger dem Staat bezahlen müssen
eine Mutter mit vielen Kindern
sie müssen etwas aufgeben

REDEWENDUNGEN AUS DEM TEXT

Sie leiden darunter.   *They suffer from that.*
Das kommt auf sie zu.   *They'll have to expect that.*

Sind Kinder Luxus°?

a luxury

Viele junge Ehepaare in Westeuropa überlegen heute, ob sie mehr als ein Kind haben sollten, oder sogar, ob sie überhaupt Kinder wollen. Natürlich wünschen sich die meisten eine Familie, doch ist ein starker Trend zur Klein-familie zu bemerken. Man hört: „Seitdem wir unser Baby haben, können wir uns überhaupt nichts mehr leisten°", „Unsere Wohnung ist zu klein", „Seitdem das Kind da ist, arbeitet meine Frau nicht mehr mit."

afford

Durchschnittlich haben junge Familien jetzt 1,5 Kinder; aber 2,2 Kinder sind nötig, um den Bevölkerungsstand° zu halten. In Österreich wurden 1985 nur

population level

66% so viele Kinder geboren wie 1961; wenn man die Zahlen für die Gestorbenen
mit den Neugeborenen vergleicht, sinkt seit 1975 die Bevölkerung jedes Jahr. In 10
Westdeutschland ist es ähnlich: 1976 wurden dort nur halb so viele Kinder
geboren wie 1966; seit 1972 sterben mehr Menschen als geboren werden. Deshalb
wird natürlich die Bevölkerung auch älter: der Anteil der Menschen über 65 ist
heute dreimal so hoch wie vor zehn Jahren.

vehemence   Sind Kinder unerwünscht? Und warum? Die Diskussion wird mit Leidenschaft° 15
und Polemik geführt; man erkennt aber bald, daß es die verschiedensten Gründe
economic für den Trend gibt. Wirtschaftliche° Faktoren sind wichtig: wer keine Kinder
hat, dem geht es finanziell besser. Psychologen und Erzieher finden, die jungen
Mütter sollten sich zu Hause um ihre Kinder kümmern, bis die etwa drei Jahre
alt sind. Wenn aber eine junge Frau nach der Geburt eines Kindes nicht mehr 20
arbeiten geht, dann bezahlt die Familie zwar weniger Steuern und bekommt auch
Kindergeld vom Staat, aber das Einkommen des Mannes ist nicht so hoch wie

world view

pollution

would be in store for

own

reasons

schließen . . . zusammen band together

das von zwei Verdienern. Gleichzeitig wächst die Zahl der kinderlosen Familien mit einem höheren Lebensstandard, so daß die kinderreichen Familien darunter leiden, weniger Geld zu haben. Aber auch die Weltanschauung° spielt eine Rolle: 25 viele junge Leute haben Angst vor der Zukunft, vielleicht vor Krieg, vor der Atombombe, vor der Umweltverschmutzung°, und was sonst noch auf ihre Kinder zukommen würde°. Und wieder andere junge Leute möchten zwar eine Familie, aber sie denken darüber nach, wie viele Kinder es schon in der Welt gibt, die hungern müssen, Kinder, um die sich niemand kümmert. Viele junge 30 deutsche Ehepaare verzichten deshalb auf ein eigenes° Kind, und versuchen stattdessen, Kinder aus der dritten Welt zu adoptieren.

Aus allen diesen Gründen° gibt es in Westeuropa eine große Anzahl von Einzelkindern (in der Bundesrepublik heute etwa 5 Millionen, d.h. jedes zweite Kind wächst ohne Geschwister auf). Man fragt sich, was für soziale Defizite für 35 die Kinder daraus resultieren können. Manche junge Familien mieten deshalb zusammen ein Haus und schließen sich zu Großfamilien zusammen°; wenn aber der Trend so weiter geht, gibt es in hundert Jahren nur etwa 22 Millionen Menschen in der Bundesrepublik, und die Österreicher verlieren etwa 2 Millionen von ihren 7,5 Millionen Bundesbürgern. 40

Fragen zum Text

1. Wiederholen Sie, warum junge westeuropäische Eheleute nur ein Kind oder sogar kein Kind haben.
2. Wieviele Kinder haben junge Ehepaare durchschnittlich? Wieviele braucht eine Gesellschaft, um den Bevölkerungsstand zu halten? Was war der Unterschied in der Geburtenzahl zwischen 1966 und 1976 in der Bundesrepublik? Zwischen 1961 und 1981 in Österreich? Was bedeuten die Zahlen für die beiden Länder?
3. Was sind die finanziellen Konsequenzen, wenn ein Ehepaar ein Kind oder Kinder hat? Finden Ehepaare das wichtig?
4. Wieviele Einzelkinder gibt es heute in der Bundesrepublik? Ist das ein Problem für die Kinder, für die Eltern? Was können die Familien tun?

Themen zum Schreiben und zur Diskussion

1. Viele junge Ehepaare in der Bundesrepublik und Österreich haben heute nur ein Kind oder gar kein Kind. Was denken Sie über die Gründe, die sie dafür nennen? Welche finden Sie richtig, welche nicht? Wie würden Sie heute entscheiden, wenn Sie ein junger Ehemann oder eine junge Ehefrau wären?
2. Finden Sie, daß dies Privatfragen für individuelle Menschen oder Familien sind? Oder denken Sie, daß die Institution Familie so wichtig ist, daß die ganze Gesellschaft sich dafür interessieren sollte? Erklären Sie Ihre Meinung.

3. Was denken Sie über die Zukunft der „normalen" Familie, d.h. Vater, Mutter, Kinder? Glauben Sie, daß diese Institution in Gefahr ist? Glauben Sie, sie ist für die Gesellschaft eines Landes wichtig? Können Sie an einen Ersatz denken? Erklären Sie Ihre Meinung.

Aktivitäten

1. Spielen Sie eine Szene zwischen einem jungverheirateten Ehepaar; beide gehen arbeiten. Er (sie) möchte Kinder, sie (er) nicht.
2. Erzählen Sie die Bilder auf dieser Seite als Geschichte; oder sprechen Sie mit einem Partner einen kurzen Dialog für jedes Bild.

light (trashy) fiction   **Der Schmöker**°

DIE NACHT IM HOTEL

Neue Wörter

Verben

aus·füllen	to fill in
bedauern	to regret
beeinflussen	to influence
beugen	to bend
betrügen, o, o	to deceive
blicken auf	to look at
ein·schlafen (ä), ie, a (+ sein)	to fall asleep
erblicken	to see
erwachen (+ sein)	to awaken
fließen, o, o (+ sein)	to flow
gehorchen	to obey
hassen	to hate
sich schämen	to be ashamed
spüren	to feel, to sense
stolpern (+ sein)	to stumble
sich auf·stützen	to prop oneself up
veranlassen	to cause
verlangsamen	to slow down
verzweifeln	to despair
winken	to wave
zögern	to hesitate
zwingen	to force

Substantive

der **Atem (-s)**	breath
die **Ausnahme, -n**	exception
der **Betrug (-s)**	deception
die **Decke, -n**	cover
das **Elend (-s)**	misfortune, misery
die **Entscheidung, -en**	decision
der **Erzieher, -**	educator
die **Faust, ̈e**	fist
der **Fremde, -n**	stranger
das **Geräusch, -e**	noise
die **Gerechtigkeit**	justice
die **Hoffnung, -en**	hope
der **Kerl, -e**	fellow
das **Mitleid (-s)**	compassion
die **Schulter, -n**	shoulder
die **Verantwortung, -en**	responsibility
das **Verhalten, -**	behavior

der **Vertreter, -**	representative
die **Vorschrift, -en**	instruction, rule
die **Wärme**	warmth

Andere Wörter

bereits	already
berühmt	famous
enttäuscht	disappointed
lächerlich	ridiculous
merkwürdig	strange
übrigens	by the way

NEUE WÖRTER IM KONTEXT

1. Nennen Sie ein Antonym:

der Fremde	die Wärme
die Regel	erfreut/zufrieden
normal	einschlafen
hassen	berühmt

2. Bilden Sie Sätze:

der Fremde/ausfüllen/Formular; ein freies Bett/in einem Doppelzimmer; Wärme fühlen/einschlafen; Geräusch/aufwachen; Entscheidung/bedauern; enttäuscht/ stolpern/nach Hause

REDEWENDUNGEN AUS DEM TEXT

1. Wie kommen Sie dazu!	*How dare you!*
2. Es steht Ihnen frei.	*You're free to.*
3. ich bin nicht in der Lage	*I'm unable*
4. Sie würden mir einen Gefallen tun.	*You'd do me a favor.*
5. in jeder Hinsicht	*in every respect*
6. Er nimmt es sich zu Herzen.	*He takes it to heart.*
7. Das geht mich nichts an.	*That's not my business.*
8. Das tut mir leid.	*I am sorry (for that).*

Schreiben Sie die Nummer der *Redewendung*, die etwa dasselbe sagt:
Das ist nichts für mich. _____ Ich kann nicht. _____ Ich entschuldige mich dafür. _____ vollständig, ganz _____ Er leidet darunter. _____ Es wäre eine Hilfe für mich. _____ Was fällt Ihnen ein! _____ Sie dürfen gern. _____

Lenz, Siegfried　*17.3.1926 in Lyck, Masuren. Er gehört zu den populärsten Autoren der Bundesrepublik. Seine Werke erhielten wichtige Literaturpreise und wurden in zwanzig Sprachen übersetzt.

navy
captivity
radio scriptwriter

Am Kriegsende war er bei der Marine° und kurz in Gefangenschaft°; seit 1945 lebt er in Hamburg, seit 1951 als Funkautor° und Schriftsteller. Er ist politisch engagiert und interessiert sich für die Position des „Schriftstellers zwischen Literatur und Politik". Man hat seine vielen Romane und Erzählungen „moralpolitische Parabeln" genannt,

persecution, violence
death

denn sie sprechen von Verfolgung° und Flucht, Gewalt° und Untergang° und von der menschlichen Verantwortung. Er verlangt vom Schriftsteller „Mitleid, Gerechtigkeit und einen nötigen Protest", und vom Leser, daß er ethische Entscheidungen trifft.

SIEGFRIED LENZ

Die Nacht im Hotel

night clerk, chewed fingernails
register

D er Nachtportier° strich mit seinen abgebissenen Fingerkuppen° über eine Kladde°, hob bedauernd die Schultern und drehte seinen Körper zur linken Seite, wobei sich der Stoff seiner Uniform gefährlich unter dem Arm spannte.

*nowhere, **Es ... you are free to***
inquire
without result, in a position

„Das ist die einzige Möglichkeit", sagte er. „Zu so später Stunde werden Sie nirgendwo° ein Einzelzimmer bekommen. Es steht Ihnen natürlich frei°, in an- 5 deren Hotels nachzufragen°. Aber ich kann Ihnen schon jetzt sagen, daß wir, wenn Sie ergebnislos° zurückkommen, nicht mehr in der Lage° sein werden, Ihnen zu dienen. Denn das freie Bett in dem Doppelzimmer, das Sie—ich weiß nicht aus welchen Gründen—nicht nehmen wollen, wird dann auch einen Müden gefunden haben." 10

share

„Gut", sagte Schwamm, „ich werde das Bett nehmen. Nur, wie Sie vielleicht verstehen werden, möchte ich wissen, mit wem ich das Zimmer zu teilen° habe; nicht aus Vorsicht, gewiß nicht, denn ich habe nichts zu fürchten. Ist mein Partner—Leute, mit denen man eine Nacht verbringt, könnte man doch fast Partner nennen—schon da?" 15

„Ja, er ist da und schläft."

registration forms
***reichte ... zurück** handed back*
involuntarily

„Er schläft", wiederholte Schwamm, ließ sich die Anmeldeformulare° geben, füllte sie aus und reichte sie dem Nachtportier zurück°; dann ging er hinauf.

Unwillkürlich° verlangsamte Schwamm, als er die Zimmertür mit der ihm genannten Zahl erblickte, seine Schritte, hielt den Atem an, in der Hoffnung, 20 Geräusche, die der Fremde verursachen könnte, zu hören, und beugte sich dann

keyhole

zum Schlüsselloch° hinab. Das Zimmer war dunkel. In diesem Augenblick hörte

act   er jemanden die Treppe heraufkommen, und jetzt mußte er handeln°. Er konnte
fortgehen, selbstverständlich, und so tun, als ob er sich im Korridor geirrt habe.
consisted in   Eine andere Möglichkeit bestand darin°, in das Zimmer zu treten, in welches er 25
rightfully put   rechtmäßig eingewiesen° worden war und in dessen einem Bett bereits ein Mann
schlief.

*door handle, **drückte . . . herab***   Schwamm drückte die Klinke° herab°. Er schloß die Tür wieder und tastete°
pressed down, groped for   mit flacher Hand nach dem Lichtschalter°. Da hielt er plötzlich inne°: neben
*light switch, **hielt . . . inne***   ihm—und er schloß sofort, daß da die Betten stehen müßten—sagte jemand mit 30
stopped   einer dunklen, aber auch energischen Stimme:

do a favor   „Halt! Bitte machen Sie kein Licht. Sie würden mir einen Gefallen tun°, wenn
Sie das Zimmer dunkel ließen."

„Haben Sie auf mich gewartet?" fragte Schwamm erschrocken; doch er erhielt
keine Antwort. Statt dessen sagte der Fremde: 35

crutches   „Stolpern Sie nicht über meine Krücken°, und seien Sie vorsichtig, daß Sie
nicht über meinen Koffer fallen, der ungefähr in der Mitte des Zimmers steht.
direct   Ich werde Sie sicher zu Ihrem Bett dirigieren°: Gehen Sie drei Schritte an der
Wand entlang, und dann wenden Sie sich nach links, und wenn Sie wiederum
bed post   drei Schritte getan haben, werden Sie den Bettpfosten° berühren können."   40

undressed, slipped   Schwamm gehorchte: er erreichte sein Bett, entkleidete sich° und schlüpfte°
breathing, for the time being   unter die Decke. Er hörte die Atemzüge° des anderen und spürte, daß er vorerst°
nicht würde einschlafen können.

„Übrigens", sagte er zögernd nach einer Weile, „mein Name ist Schwamm."
„So", sagte der andere.   45
„Ja."
„Sind Sie zu einem Kongreß hierhergekommen?"
„Nein. Und Sie?"
„Nein."   50
„Geschäftlich?"
„Nein, das kann man nicht sagen."
„Wahrscheinlich habe ich den merkwürdigsten Grund, den je ein Mensch
hatte, um in die Stadt zu fahren", sagte Schwamm. Auf dem nahen Bahnhof
switched tracks   rangierte° ein Zug. Die Erde zitterte, und die Betten, in denen die Männer lagen,
vibrierten.   55
commit suicide   „Wollen Sie in der Stadt Selbstmord begehen°?" fragte der andere.
„Nein", sagte Schwamm, „sehe ich so aus?"
„Ich weiß nicht, wie Sie aussehen", sagte der andere, „es ist dunkel."
anxious cheerfulness   Schwamm erklärte mit banger Fröhlichkeit° in der Stimme:
God forbid   „Gott bewahre°, nein. Ich habe einen Sohn, Herr . . . (der andere nannte nicht 60
little rascal, because of him   seinen Namen), einen kleinen Lausejungen°, und seinetwegen° bin ich hierher-
gefahren."

„Ist er im Krankenhaus?"
pale   „Wieso denn? Er ist gesund, ein wenig bleich° zwar, das mag sein, aber sonst

hängt . . . zusammen *is connected*; *extremely sensitive, like a mimosa*

sehr gesund. Ich wollte Ihnen sagen, warum ich hier bin, hier bei Ihnen, in diesem Zimmer. Wie ich schon sagte, hängt das mit meinem Jungen zusammen°. Er ist äußerst sensibel°, mimosenhaft°, er reagiert bereits, wenn ein Schatten auf ihn fällt."

„Also ist er doch im Krankenhaus."

in every respect; *endangered, little rascal*; *threatened*

„Nein", rief Schwamm, „ich sagte schon, daß er gesund ist, in jeder Hinsicht°. Aber er ist gefährdet°, dieser kleine Bengel° hat eine Glasseele, und darum ist er bedroht°."

„Warum begeht er nicht Selbstmord?" fragte der andere.

crossing barrier; *vigorously*

„Aber hören Sie, ein Kind wie er, ungereift, in solch einem Alter! Warum sagen Sie das? Nein, mein Junge ist aus folgendem Grunde gefährdet: Jeden Morgen, wenn er zur Schule geht—er geht übrigens immer allein dorthin—jeden Morgen muß er vor einer Schranke° stehen bleiben und warten, bis der Frühzug vorbei ist. Er steht dann da, der kleine Kerl, und winkt, winkt heftig° und freundlich und verzweifelt."

„Ja und?"

upset, dazed, weeps; *able*

„Dann", sagte Schwamm, „dann geht er in die Schule, und wenn er nach Hause kommt, ist er verstört° und benommen°, und manchmal heult° er auch. Er ist nicht imstande°, seine Schularbeiten zu machen, er mag nicht spielen und nicht sprechen: das geht nun schon seit Monaten so, jeden lieben Tag. Der Junge geht kaputt dabei!"

„Was veranlaßt ihn denn zu solchem Verhalten?"

nimmt . . . *takes to heart*; *fears*; *issue a regulation in regard to this*

„Sehen Sie", sagte Schwamm, „das ist merkwürdig: Der Junge winkt, und—wie er traurig sieht—es winkt ihm keiner der Reisenden zurück. Und das nimmt er sich so zu Herzen°, daß wir—meine Frau und ich—die größten Befürchtungen° haben. Er winkt, und keiner winkt zurück; man kann die Reisenden natürlich nicht dazu zwingen, und es wäre absurd und lächerlich, eine diesbezügliche Vorschrift zu erlassen°, aber . . ."

absorb, soak up

„Und Sie, Herr Schwamm, wollen nun das Elend Ihres Jungen aufsaugen°, indem Sie morgen den Frühzug nehmen, um dem Kleinen zu winken?"

„Ja", sagte Schwamm, „ja."

don't concern me; *avoid them, to be exact*; *birth*

„Mich", sagte der Fremde, „gehen Kinder nichts an°. Ich hasse sie und weiche ihnen aus°, denn ihretwegen habe ich—wenn man's genau nimmt°—meine Frau verloren. Sie starb bei der ersten Geburt°."

„Das tut mir leid", sagte Schwamm und stützte sich im Bett auf. Eine angenehme Wärme floß durch seinen Körper; er spürte, daß er jetzt würde einschlafen können.

Der andere fragte: „Sie fahren nach Kurzbach, nicht wahr?"

„Ja."

misgivings, intention „Und Ihnen kommen keine Bedenken° bei Ihrem Vorhaben°? Offener gesagt: Sie schämen sich nicht, Ihren Jungen zu betrügen? Denn, was Sie vorhaben, Sie 105
admit, downright fraud, deception müssen es zugeben°, ist doch ein glatter Betrug°, eine Hintergehung°.“
angrily Schwamm sagte aufgebracht°: „Was erlauben Sie sich, ich bitte Sie, wie kom-
how dare you! men Sie dazu°!“ Er ließ sich fallen, zog die Decke über den Kopf, lag eine Weile überlegend da und schlief dann ein.
noticed Als er am nächsten Morgen erwachte, stellte er fest°, daß er allein im Zimmer 110 war. Er blickte auf die Uhr und erschrak: bis zum Morgenzug blieben ihm noch
out of the question fünf Minuten, es war ausgeschlossen°, daß er ihn noch erreichte.

Am Nachmittag—er konnte es sich nicht leisten, noch eine Nacht in der Stadt
depressed zu bleiben—kam er niedergeschlagen° und enttäuscht zu Hause an.

Sein Junge öffnete ihm die Tür, glücklich, außer sich vor Freude. Er warf sich 115 ihm entgegen und hämmerte mit den Fäusten gegen seinen Schenkel° und rief:
thigh „Einer hat gewinkt, einer hat ganz lange gewinkt.“

„Mit einer Krücke?“ fragte Schwamm.
handkerchief „Ja, mit einem Stock. Und zuletzt hat er sein Taschentuch° an den Stock gebunden und es so lange aus dem Fenster gehalten, bis ich es nicht mehr sehen 120 konnte.“

Fragen zum Text

1. Warum wollte Herr Schwamm das Zimmer zuerst nicht nehmen? Warum nahm er es?

2. Beschreiben Sie Schwamm vor der Zimmertür; welche Möglichkeiten hatte er? Was tat er?

3. Was macht man, wenn man in ein dunkles Zimmer kommt? Warum tat Schwamm das nicht?

4. Wie erreichte Schwamm sein Bett? Und was tat er dann? Warum konnte er nicht schlafen?

5. Worüber unterhielten sich die beiden Männer? Was für Fragen stellte der Fremde? Was für ein Mensch scheint er zu sein?

6. Erklären Sie das Problem von Schwamms Sohn.

7. Was wollte Schwamm tun, um seinem Jungen zu helfen? Was dachte der Fremde darüber?

8. Erklären Sie das Verhalten des Fremden zu Kindern. Warum glaubte Schwamm, er könnte jetzt schlafen?

9. Erzählen Sie, was am Morgen passierte, bis Schwamm wieder zu Hause war, und wie sein Sohn ihn begrüßte.

Themen zum Schreiben und zur Diskussion

1. Wie läßt der Autor die Situation im Hotel (beim Nachtportier und im Zimmer) gefährlich erscheinen? Wann verändert sich dann die Atmosphäre? Wie macht der Autor das?
2. Was möchten Sie über die Person des Fremden wissen? Würden Sie ein Zimmer nehmen, in dem schon jemand wohnt, den Sie nicht kennen? Haben Sie vielleicht schon einmal ein Zimmer mit einem Fremden geteilt?
3. Ist die Situation des Jungen etwas Besonderes? Kennen Sie solche Situationen aus Ihrem Leben? Was will der Autor damit zeigen?
4. Warum spricht der Fremde wiederholt von Selbstmord? Wie ist er für die Erzählung wichtig?
5. Was ist das Thema der Erzählung? Meint der Autor mehr als nur den Fall von Herrn Schwamm und seinem Sohn und dem Fremden?

Aktivitäten

1. Spielen Sie den Fremden, als er aufwacht und entscheidet, den Zug zu nehmen und dem Kind zu winken. Sprechen Sie seine Gedanken aus.
2. Spielen Sie eine Szene im Hotelzimmer: zwei Personen müssen das Zimmer teilen, aber Sie kennen einander nicht.
3. Ein Psychologe spricht mit Frau Schwamm über die Probleme des Jungen. Er möchte wissen,
   a) was der Junge jeden Tag nach dem Frühstück macht,
   b) warum er allein in die Schule gehen muß,
   c) warum er an der Schranke warten muß,
   d) warum er jeden Tag winkt,
   e) ob er versteht, warum die Leute nicht zurückwinken,
   f) was er danach in der Schule macht,
   g) was er nach der Rückkehr nach Hause macht, und
   h) was die Mutter zu tun plant.

Hoffmann, Heinrich   * 13.6.1809, † 20.9.1894 in Frankfurt. Nach dem Studium der Medizin in Heidelberg und Halle war er seit 1833 Arzt in Frankfurt und von 1851–88 Direktor der städtischen Irrenanstalt°. Er wurde aber nicht als Arzt berühmt, sondern als Autor des *Struwwelpeter,* von dem bis heute mehr als 25 Millionen Exemplare° in aller Welt verkauft und in fast sämtliche Sprachen der Welt übersetzt wurden. Dr. Hoffmann hatte das Kinderbuch selbst geschrieben und illustriert, als er zu Weihnachten 1846 kein Buch für seinen kleinen Sohn finden konnte. Er wollte, daß „das Buch märchenhafte, grausige, übertriebene Vorstellungen hervorrufen sollte° . . ." Denn „Mit der absoluten Wahrheit, mit algebraischen und geometrischen Sätzen rührt° man keine Kinderseele, sondern läßt sie elend verkümmern°."

mental hospital

copies

evoke fairytale-like, gruesome,
exaggerated ideas

moves

wither away miserably

HEINRICH HOFFMANN

Die Geschichte vom Suppen-Kaspar

1.

Der Kaspar, der war kerngesund,
Ein dicker Bub und kugelrund,
Er hatte Backen, rot und frisch;
Die Suppe aß er hübsch bei Tisch.
Doch einmal fing er an zu schrein:
„Ich esse keine Suppe! Nein!
Ich esse meine Suppe nicht!
Nein, meine Suppe ess' ich nicht!"

2.

Am nächsten Tag – ja sieh nur her!
Da war er schon viel magerer.
Da fing er wieder an zu schrein:
„Ich esse keine Suppe! Nein!
Ich esse meine Suppe nicht!
Nein, meine Suppe ess' ich nicht!"

3.

Am dritten Tag, o weh und ach!
Wie ist der Kaspar dünn und schwach!
Doch als die Suppe kam herein,
Gleich fing er wieder an zu schrein:
„Ich esse keine Suppe! Nein!
Ich esse meine Suppe nicht!
Nein, meine Suppe ess' ich nicht!"

4.

Am vierten Tage endlich gar
Der Kaspar wie ein Fädchen war.
Er wog vielleicht ein halbes Lot –
Und war am fünften Tage tot.

 **Mitmenschen**

SCHENKEN—AUS LIEBE ODER EIGENLIEBE?

Neue Wörter

Verben

ein·packen	to wrap
schenken	to give a present
schweigen, ie, ie	to be silent
verpflichten	to oblige

Substantive

das **Geschenk**, -e	present, gift
die **Mühe**, -n	effort
die **Verpflichtung**, -en	obligation
der **Verwandte**, -n	relative

Andere Wörter

allgemein	general
bewußt	conscious
unbewußt	subconscious
dankbar	grateful
eigennützig	selfish
hübsch	nice

NEUE WÖRTER IM KONTEXT

1. Sagen Sie das Gegenteil:

sie spricht	eigennützig
er empfängt etwas	er packt aus

2. Sagen Sie das mit anderen Wörtern:
Er macht gern Geschenke.
Wir sind verpflichtet
meine Vettern, Tanten usw.

REDEWENDUNGEN AUS DEM TEXT

1. jemand(em) eine Freude machen	*to please someone*
2. Er macht sich Gedanken über	*he reflects on*
3. Ich habe Freude an	*I am pleased by*
4. Sie hat sich die Mühe gemacht	*she has taken the trouble*

Schreiben Sie die Nummer der passenden *Redewendung*:
Hat sie daran gearbeitet? Ja, sie _____.
Sie kaufte schöne Geschenke ein, denn sie wollte _____.
Ich bin dir so dankbar, weil ich _____ deinen Geschenken.
Wird er sich die Sache überlegen? Ja, er _____.

VOKABULARARBEIT

Beantworten Sie die Frage mit den gegebenen Wörtern:

Warum machen Sie Geschenke?

Freude machen; Verpflichtungen haben; Freunde verpflichten; Freude haben;

dankbar; eigennützig

Schenken—Aus Liebe oder Eigenliebe°?

selfishness   Vier Wochen vor Weihnachten beginnt es: Martin und Jutta setzen sich abends zusammen und schreiben ihre Geschenkliste. „Sonst verlieren wir

overview, control den Überblick° über die Ausgaben", meint der Familienvater. Wer also soll was bekommen? Für die engsten Familienmitglieder ist das entschieden, aber die vielen Freunde, die guten Bekannten und entfernten Verwandten—sie stehen wie war- 5

beggars tende, schweigende Bettler° vor der Weihnachtstür.

Ganz oben auf der Liste stehen die Namen Fred und Ursula Siebert. Im Frühling, als Jutta für eine Woche ins Krankenhaus mußte und Martin nicht Urlaub nehmen konnte, haben ihre beiden kleinen Kinder bei den Sieberts ge- wohnt. Und so ist das Geschenk für sie wie ein verdienter Lohn: ein Fondu- 10

fondue set with plates and forks Gerät mit Tellern und Gabeln°.

charming Dann Tante Vera, eine der wenigen reizenden° Verwandten, die mit einer

lace cloth schönen Spitzendecke° überrascht werden soll. Die alte Dame soll sehen, daß man an sie denkt. Dann noch die Meyers; die hatten Jutta und Martin im letzten

Da . . . one cannot be stingy Jahr eine wundervolle Vase geschenkt. Da läßt man sich nicht lumpen°. Dann 15 noch die vielen kleinen Geschenke, die einfach „sein müssen". Halt! sagt Jutta, Direktor Schulze nicht vergessen! Ein zwar etwas entfernter Bekannter, aber einer, der vielleicht „bald etwas für dich tun könnte . . ." Als die Liste fertig ist, ist die Summe 1 300 Mark.

Natürlich gibt es die verschiedensten Gründe fürs Schenken. Im allgemeinen 20 aber sehen Psychologen ein paar wichtige Motive:

recipient   • Wir wollen dem Beschenkten° Freude machen.

    • Wir wollen uns dankbar zeigen.

compassion   • Wir wollen Solidarität oder auch Mitleid° demonstrieren.

make amends for   • Wir möchten einen Fehler wiedergutmachen°.   25

    • Wir wollen den Beschenkten für uns gewinnen, ihn an uns binden, ihn ver- pflichten.

pay back an obligation   • Wir wollen mit dem Geschenk eine Verpflichtung abgelten°.

cause, prompt   • Wir wollen den Beschenkten zu einem Gegengeschenk veranlassen°.

    • Wir schenken aus Verpflichtung, die Tradition will es so.   30

Schenken wir vielleicht zuviel? Ein Psychologe meint: „Ich glaube nicht, daß ‚zuviel' geschenkt wird. Und ich glaube auch nicht, daß die meisten Leute aus

elsewhere eigennützigen Motiven schenken. Das Problem liegt woanders°. Wir legen einfach das Geld auf den Ladentisch und überlegen oft nicht, an welchem Geschenk der andere wirklich Freude hätte. Wir müssen uns also intensiver in den anderen 35 hineinfühlen und etwas schenken, das jemand nicht so leicht selbst kaufen kann."

Dagegen meint eine Psychotherapeutin und Schriftstellerin: Im allgemeinen schenken wir zuviel und sehr oft auch aus eigennützigen Motiven, bewußt oder unbewußt. Das Schenken aber hat in sich einen hohen Wert, auch dann, wenn es unbewußt mit eigennützigen Motiven verbunden sein sollte. Von höchstem 40
expectation Wert ist natürlich jenes Geschenk, das ganz frei ist von der Erwartung° eines Vorteils.

would take the trouble Wie wär's denn, wenn sich die Schenker wenigstens die Mühe machten°, die Geschenke selbst einzupacken? Hier läge eine kleine Möglichkeit, wenigstens noch ein bißchen von sich selbst ins Geschenk hineinzugeben. Etwas von der eigenen 45 Persönlichkeit.

Fragen zum Text

1. Warum machen Jutta und Martin eine Geschenkliste?
2. Wer sind die wichtigsten Menschen auf ihrer Liste; warum?

3. Warum schenken sie den Meyers und Direktor Schulze etwas?

4. Warum gibt man Geschenke? Gibt es gute Gründe dafür?

5. Gibt es wirklich Probleme beim Schenken? Wie könnte man persönlicher schenken?

Themen zum Schreiben und zur Diskussion

1. Was denken Sie persönlich über das Schenken? Antworten Sie ehrlich, warum Sie persönlich Geschenke machen. Was denken Sie über die Meinung der Experten?

2. Welches war das netteste Geschenk, das Sie bekommen haben? Warum? Welches war das dümmste? Wer hat Ihnen das geschenkt, und warum?

3. Was hatten Sie über das Schenken gedacht, bevor Sie diesen Text lasen? Hatten Sie schon vorher eine Meinung? Erklären Sie. Finden Sie das ein interessantes Thema?

Aktivitäten

1. Sie sind im Kaufhaus und müssen ein Geschenk kaufen, wissen aber nicht, was. Bitten Sie die Verkäuferin um Rat.

2. Ein Gespräch zwischen Mann und Frau: Sie haben dieses Jahr sehr wenig Geld, wollen aber Ihrer Familie ein paar Geschenke machen. Der Mann sagt, das ist nicht richtig; die Frau erklärt, warum sie es nötig findet.

3. Je zwei Student(inn)en machen eine Liste, was sie den Klassenkamerad(inn)en schenken wollen.

4. Debatte: „Schenken ist niemals altruistisch; der Schenker möchte entweder den Empfänger verpflichten, oder er möchte einen Fehler wiedergutmachen."

5. Alle Studenten malen ein Geschenk auf ein Stück Papier. Dann bekommen sie alle ein Papier und müssen sagen, was sie über das Geschenk denken.

6. Erzählen Sie die Geschichte nach den Bildern.

FÜR ANDERE DA SEIN

Neue Wörter

Verben

auf·stehen, a, a (+ sein)	to get up
empfangen (ä), i, a	to receive
pflegen	to care for, attend to
in den Sinn kommen, a, o (+ sein)	to occur to
sorgen für	to take care of
verderben (i), a, o	to spoil
versprechen (i), a, o	to promise

Substantive

das **Amt**, ¨-er	public office
der **Angestellte**, -n	employee
die **Bedingung**, -en	condition
das **Dasein** (-s)	existence
die **Freiheit**, -en	freedom
das **Gebet**, -e	prayer
die **Gelegenheit**, -en	occasion
die **Gemeinde**, -n	community, parish
der **Grundsatz**, ¨-e	principle
der **Gruß**, ¨-e	greeting
der **Kasten**, ¨	box
das **Mißtrauen** (-s)	mistrust
die **Nachricht**, -en	news
der **Rand**, ¨-er	border
der **Schreibtisch**, -e	desk
die **Sitzung**, -en	meeting
der **Termin**, -e	appointment
das **Vertrauen** (-s)	trust
die **Wäsche**	laundry

Adjektive

gepflegt	cared for
nötig	necessary
schmal	narrow

NEUE WÖRTER IM KONTEXT

1. Sagen Sie das Gegenteil:

er bleibt sitzen	der Garten ist unordentlich
das Vertrauen	gepflegt
breit	

2. Sagen Sie das mit einem Vokabularwort:
Sie sprechen mit Gott
Sie kümmern sich um (kranke Menschen)
Sie können es nicht garantieren
eine Gruppe von Leuten, die zu einer Kirche gehören
eine Neuigkeit

REDEWENDUNGEN AUS DEM TEXT

1. ich weiß nicht mehr weiter	*I don't know what to do next*
2. der Grundsatz gilt	*the principle is*
3. es kommt mir in den Sinn	*it occurs to me*
4. die Wäsche wechseln	*to change (one's) clothes*
5. es ist mir unangenehm	*it's embarrassing to me*
6. jemand(em) aus dem Weg gehen	*to avoid someone*

Setzen Sie eine passende *Redewendung* ein:
Pack genug Hemden usw. ein, daß ich jeden Tag _____ kann.
Ich will ihn nicht treffen, ich will ihm _____. Ich habe keine
Idee, was ich tun soll, ich _____. So etwas mag ich gar nicht,
es _____. Existiert das Prinzip noch heute? Ja, _____. Ich habe
gerade an etwas gedacht; es _____.

VOKABULARARBEIT

Beantworten sie die Frage mit diesen Wörtern:
Was sind die Verpflichtungen einer Gemeindeschwester? für andere; achten
auf; sorgen für; pflegen; Freude machen; Treppen steigen; Wäsche; Gebet

Für Andere da sein

poverty, misery „Ja, es gibt sie noch, die Not°." Schwester Agatha sitzt in einem schmalen
cot Raum im Pfarrhaus ihrer Gemeinde: 2 × 3, 5 m. Da steht eine Liege°,
tiny ein Schrank, ein winziger° Schreibtisch mit dem Telefon, an der Wand ein
sink, meticulously Waschbecken°. Medizinisches Gerät ist peinlich° sauber aufgestellt. In der Ecke
ein Stuhl für Besucher. Auf ihm sitzen oft jüngere Menschen, die nicht wissen, 5
was tun mit ihren Alten. Die Jungen haben ihre eigenen Sorgen und kommen
dann zur Kirche, wenn sie nicht mehr weiter wissen.
parish nurse Schwester Agathe ist ambulante Gemeindeschwester°. Ihre Gemeinde liegt am
development houses Rand der Großstadt: Enge Siedlungshäuser° und Wohnblocks stehen oft um grüne

railroad workers, white-collar workers, civil servants Höfe mit alten Bäumen. Eisenbahner° Angestellte° und mittlere Beamte° wohnen 10 dort, eine Schnellstraße geht hindurch. Kleingärtner sorgen für ihre Gärtchen.

hoop Kinder laufen auf ruhigen Wohnstraßen mit Ball und Reifen°. Hausfrauen tragen die Einkäufe in ihre Küchen. Die Parkplätze sind voll mit guten, gepflegten Wagen, und vor den Fenstern hängen viele Kästen mit Blumen.

looks around Nur wer die Türen öffnet, in die Häuser geht und sich umsieht°, glaubt der 15 Schwester Agatha den Satz von der Not. Da ist die Frau, die in der Nacht gestürzt

floor ist, nicht mehr aufstehen konnte und dann Stunden auf dem Fußboden° lag; da ist die Neunzigjährige, die leicht konfus im Kopf in ihrem Stuhl sitzt und jeden Tag darauf wartet, daß die Schwester kommt und ihr das Butterbrot gibt, von

crust dem die Rinde° weggeschnitten ist. Dann die alte Frau, die den Urin nicht mehr 20 halten kann und die Nacht über im nassen Bett liegt, weil sie ohne Hilfe nicht mehr aufstehen kann. Da ist der Mann, der seit zwanzig Jahren seine Frau pflegt,

stroke die nach einem Gehirnschlag° während eines Urlaubsspazierganges sich nicht

insulin injection mehr bewegen kann. Da sind Menschen, die auf ihre tägliche Insulinspritze° warten, ihren Tag nur noch um einen Termin planen: Schwester Agatha kommt 25 meist pünktlich.

convent Ihr Tag fängt früh an. Fünf Uhr fünfzehn ist Wecken im Ordenshaus°. Die „Grauen Schwestern", so genannt nach ihrem Ordenskleid, wollen arme und

without regard to class, verlassene Kranke ohne Unterschied des Standes° und der Religion in ihren

holds, the principle Wohnungen pflegen. Für die Schwestern gilt der Grundsatz°: „Wir müssen die 30 Menschen froh machen."

Die Gemeindeschwester Agatha trägt ihr Ordenskleid als Arbeitskleid. Es ist
thread grau mit schwarzem Zwirn° dazwischen. Für den Sonntag hängt ein schwarzes
Kleid im Schrank, aber das gehört ihr nicht: beim Eintritt in den Orden hat
celibacy, poverty, obedience Agatha dem Orden Ehelosigkeit°, Armut° und Gehorsam° versprochen. 35
decrepit Seit zehn Jahren fährt sie täglich mit einem altersschwachen° VW zu den
comforting Kranken und Alten. Arbeit, Helfen und Lindern° ist ihr Leben. „Dort, wo Hilfe
nötig ist, muß man Wege finden." Auf das Reagieren von Ämtern mag sie nicht
erst warten. „Man muß spontan handeln," sagt sie. Zu sagen, „Hier bin ich nicht
authorized, responsible zuständig°", käme ihr nicht in den Sinn. 40
Sie wird in den dunklen Wohnungen immer mit hellen Worten empfangen.
„Wie schön, daß Sie wieder da sind, Schwester", sagt eine alte Frau, die vor
wenigen Stunden aus dem Krankenhaus kam und nun Angst hat vor ihren Verwandten. Weil sie kaum noch sieht, ist sie krank vor Mißtrauen. Die Frau weint,
als Schwester Agatha geht. Aber sie ist sicher, daß sie wiederkommen wird. 45
Bis zur Mittagspause hat Schwester Agatha rund zwanzig Besuche hinter sich.
Sie ist die Treppen hinauf- und hinuntergestiegen, hat schmutzige Wäsche ge-
withered wechselt und welke° Körper gewaschen. Sie hat die Routinespritze für den
diabetic Zuckerkranken° gesetzt. Sie hat versprochen, für eine Hilfe aus der Nachbarschaft
bedridden woman zu sorgen, hat mit der Ärztin telefoniert, hat mit dem Sohn einer Bettlägerigen° 50
ein Treffen arrangiert. „Wo man Not sieht, darf man ihr nicht aus dem Wege
gehen."
embarrassing Der Frau im grauen Kleid ist es unangenehm°, über die Dinge zu sprechen,
die ihr Alltag sind. Daß ihre Hilfe den Nächsten nicht alltäglich ist, sieht sie.
retreat Aber verstehen kann sie es nicht. Und Zurückweichen° ist ihr fremd. „Ich kann 55
auch ganz lange Wege gehen", sagt sie.
Der Weg von Schwester Agatha begann in der dörflichen Welt; sie war das
farmer dritte von zehn Kindern eines Landwirts°. Auf dem Land waren der Lauf der
seasons Jahreszeiten° und die Krankheiten der Dorfbewohner die immer wieder neuen
Tagesgespräche. Als Mädchen hat sie die Missionszeitschriften gelesen, „wo die 60
Not besonders drastisch beschrieben wurde." Sie half bei Krankheiten in der
Nachbarschaft und in der eigenen Familie. „Es war für mich selbstverständlich,
join daß ich einem Schwesternorden beitreten° werde." Nach acht Jahren hatte sie
die Schule verlassen und ging nach Amerika, wo sie fünf Jahre bei einem Onkel
nurse arbeitete. Sie wurde dort Krankenschwester° und trat nach ihrer Rückkehr in 65
den Orden ein. „Das ist alles", sagt sie.
Sie versteht nicht, was denn an ihr „interessant" sein mag. „Meine Aufgabe
admit ist ganz einfach, für andere dazusein." Nicht gern muß sie zugeben°, daß „es
strength auch Tage gibt, wo meine Kraft° am Ende ist." Wenn sie sagt, daß ihr das Gebet
fellowship Kraft gibt, glaubt man ihr das. Die Gemeinschaft° des Ordens, der Gruß eines 70
kranken Menschen helfen ihr auch.
Aber diese schwachen Tage müssen selten sein, Agathas Hände sind kräftig.
smartly Im alten Volkswagen fährt sie flott° durch die Straßen des Viertels. Man sagt ihr
immer, sie fahre zu schnell. Das Auto ist ein Teil ihrer wenigen Freiheit. Da hört
sie auf dem Weg zur Gemeinde im Radio die Nachrichten, weil sie den Kontakt 75
zu dem, was draußen geschieht, nicht verlieren mag.

Fragen zum Text

1. Erklären Sie, was Not ist. Gibt es heute noch Not in west-europäischen Ländern? Wo?
2. Was ist eine Gemeinde? Was wissen Sie aus dem Text über die Gemeinde von Schwester Agatha?
3. Erzählen Sie, was Schwester Agatha an einem typischen Tag macht. Was haben die Leute gemeinsam, die die Hilfe der Schwester brauchen?
4. Wie wurde die Bauerntochter eine graue Schwester? Was sagt der Text über diesen Orden?
5. Was können Sie über Schwester Agathas Persönlichkeit sagen?

Themen zum Schreiben und zur Diskussion

1. Was sind die Vorteile und Nachteile von Schwester Agathas Beruf? Welche anderen Berufe tun solche Arbeit? Können Sie sich denken, daß Sie so einen Beruf hätten? Kennen Sie solche Berufstätigen in Ihrem Land?
2. Natürlich berichtet der Text positiv über Schwester Agatha. Glauben Sie, die Schwester führt ein glückliches Leben? Oder ist „glücklich" nicht das richtige Wort?
3. Waren Sie selbst schon in Situationen, wo Sie anderen helfen sollten? Haben Sie es getan? Wenn man es nicht tut, heißt das, man ist egoistisch?
4. Finden Sie Ihre eigene Haltung und die von Ihren Freunden und Ihrer Familie zu den Mitmenschen gut und anständig? Was könnte man tun, um den Mitmenschen etwas mehr Hilfe zu geben? Ist das eine Verpflichtung für Privatleute oder für die Gesellschaft?

Aktivitäten

1. Eine Debatte: „Wer ist besser qualifiziert, den Menschen zu helfen, eine Ordensschwester oder eine Sozialarbeiterin?"
2. Spielen Sie verschiedene Szenen zwischen Agatha und einigen von ihren Patienten oder deren Verwandten.
3. Sie sind Reporter und halten ein Telefon-Interview mit einer Nonne, die auch Sozialarbeiterin ist. Schreiben Sie Ihre Fragen und die Antworten der Schwester auf.
4. Ein junger Mensch (Mann oder Frau) möche Sozialarbeiter(in) werden. Stellen Sie eine Liste mit Fragen und Antworten zu diesem Beruf zusammen, und spielen Sie das Interview.

WER SORGT FÜR DIE SENIOREN?
Neue Wörter

ein·kaufen	to shop
ein·laden (ä), u, a	to invite
freiwillig	voluntary

Wer sorgt für die Senioren?

growing old
loneliness, helplessness

Materielle Sicherheit ist nur eine Seite des Alterns°. Ältere Leute haben viele andere Probleme. Einsamkeit° und Hilflosigkeit° kann einen Lebensabend verderben. Was tut die sozialistische Gesellschaft dagegen? Wir sagen ja nicht, daß schon alles perfekt ist, aber viel ist schon getan. Die Senioren in unserer
safe, cared for Gesellschaft fühlen sich geborgen°, betreut° und von anderen respektiert.   5

events
needy pensioners
branch offices

In der DDR ist es besonders die Volkssolidaritätsorganisation, die für die Alten sorgt. Sie organisiert Nachbarschaftshilfe und kulturelle Veranstaltungen° und gibt warme Mahlzeiten aus für sorgebedürftige Rentner°. 12 440 Volkssolidaritäts-Zweigstellen° und mehr als 420 Klubs stehen den Senioren offen. Zehntausende von politischen und kulturellen Veranstaltungen werden von freiwilligen Helfern   10
besonders für Rentner organisiert und zum großen Teil von Mitgliedern der Volkssolidarität finanziert.

union committees
cooperation
retired

In vielen Unternehmen gibt es spezielle Gewerkschaftskomitees°, die in Zu-
sammenarbeit° mit der Volkssolidarität für ihre früheren Mitglieder sorgen. Sie
laden pensionierte° Arbeiter zu gesellschaftlichen Treffen, Sitzungen und anderen 15
Gelegenheiten ein. Manchmal bittet man sie um Rat. Sie nehmen an Urlaubsreisen
teil, man besucht sie, wenn sie krank sind und wenn sie besondere Geburtstage
haben (den siebzigsten, achtzigsten usw.). Manche Rentner, besonders solche, die
allein leben, essen jeden Tag in der Fabrik zu Mittag. Krankenschwestern, Me-
dizinstudenten und die Jungen Pioniere (die Kinderorganisation der DDR) sorgen 20

keep them company

auch für die Senioren. Sie helfen beim Einkaufen, leisten ihnen Gesellschaft° und
erzählen ihnen, was in der Welt passiert.

Fragen zum Text

1. Nennen Sie die wichtigen Probleme des Alterns.
2. Wie geht es den Senioren in der DDR, d. h. wer sorgt für sie, und wie ist
   diese Hilfe organisiert?
3. Was für besondere Aktivitäten gibt es für die Alten? Wer organisiert und
   finanziert sie?
4. Nennen Sie die Gruppen, die für ihre früheren Kollegen sorgen.

STENOGRAMM

Neue Wörter

Verben

an·gehen, i, a	to concern s.o.
aus·steigen, ie, ie (+ sein)	to get out
ein·steigen, ie, ie (+ sein)	to get in
behandeln	to treat
bemerken	to notice
bremsen	to brake
entdecken	to discover
sich ereignen	to happen
Gas geben (i), a, e	to accelerate
kriegen	to get
melden	to report
schwitzen	to sweat
unterscheiden, ie, ie	to distinguish
vergehen, i, a (+ sein)	to pass (of time)
wetten	to bet
zittern	to tremble

Substantive

der **Ärger** (-s)	annoyance, trouble
die **Beziehung, -en**	relationship
die **Gewalt, -en**	force
die **Nummer, -n**	number
der **Reifen, -**	tire
der **Stamm, ̈e**	trunk
das **Steuer, -**	steering wheel
der **Tote, -n**	dead
der **Unfall, ̈e**	accident
der **Zeuge, -n**	witness

Andere Wörter

alltäglich	everyday
dringend	urgent
feucht	damp
gewöhnlich	ordinary
kindisch	childish
langsam	slow
scheu	shy
unbedingt	absolute
unterwegs	on the way
verärgert	annoyed

NEUE WÖRTER IM KONTEXT

1. Sagen Sie das Gegenteil:

aussteigen	Gas geben
ein Lebender	trocken
zuhause	erfreut

2. Nennen Sie ein Synonym:

bemerken	die Situation
passieren	ärgerlich
das Verhältnis	berichten
schneller fahren	einen Unfall haben

REDEWENDUNGEN AUS DEM TEXT

1. er hat recht.	*He is right.*
2. im Vorbeifahren	*while driving by*
3. zum Stehen kommen	*to come to a stop*
4. Es geht mich nichts an.	*That's none of my business.*
5. Wir sind spät dran.	*We're late.*

6. sie hat Mühe   *she's having a hard time*
7. um Himmels willen   *for heaven's sake*
8. Das fehlt uns noch.   *That's all we need.*
9. Ich merke mir die Nummer.   *I note the number.*
10. Soll es uns so gehen?   *Should that happen to us?*
11. Mir wird schlecht.   *I'm getting sick.*

Schreiben Sie die Nummer der *Redewendung*, die etwa das gleiche sagt:

Es ist nicht leicht für sie. _____   Sie hält. _____
Das können wir nicht brauchen. _____   Wir sind nicht pünktlich. _____
Ich vergesse die Nummer nicht. _____   Was er sagt, ist richtig. _____
Damit habe ich nichts zu tun. _____   Mein Gott! _____
Als wir daran vorbeifuhren _____   Soll uns das auch passieren? _____
Sie wurde krank. _____

---

social literature
paratrooper
taken prisoner
mining
miner

radio and TV plays

emphasis

Grün, Max von der   *25.5.1926 in Bayreuth. Er ist als Erzähler und Dramatiker der neuen Arbeiterdichtung° bekannt. Im Zweiten Weltkrieg war er Fallschirmjäger° und wurde von den Amerikanern gefangengenommen°. Er lernte in New Mexico Bergbau° und arbeitete nach seiner Rückkehr 1947 noch Jahre als Bergmann°. 1961 gründete er mit anderen Autoren die „Gruppe 61".[1] Seine Romane, Erzählungen, Hör- und Fernsehspiele° beschäftigen sich mit dem Thema dieser Gruppe, der Arbeiter in der kapitalistischen Industriegesellschaft: alltägliche Situationen im Milieu gewöhnlicher Menschen, oft mit drastischen Effekten und mit Betonung° auf ethischen Fragen anstatt auf ästhetischen Werten.

MAX VON DER GRÜN

Das Stenogramm

Federal Highway

icy, hairpin turn
impact, dug into
car involved in an accident
house call

Am Sonntag, dem 16. Februar 1969, fuhr auf der Bundesstraße° 13, Ansbach–Würzburg, drei Kilometer vor Ochsenfurt, ein weißer VW auf vereister° Straße aus einer Nadelkurve° heraus an einen Straßenbaum.
Der Aufprall° war so stark, daß sich der Stamm in den Wagen hineinfraß°. Im Unglückswagen° saßen ein Arzt und seine Frau, sie waren von einem dringenden Hausbesuch° gekommen, zu dem sie am frühen Morgen telefonisch gerufen worden waren. 5

---

[1] Group of authors, journalists and critics, founded in 1961, to renew proletarian literature by concentrating on the situation of the workers in modern industrial society.

Der Arzt war diesem Notruf° sofort nachgekommen, er hatte an diesem Wochen- *emergency call*
ende Notdienst°. Der Arzt hatte in einem abgelegenen° Dorf ein diphterie- *was on call, remote*
verdächtiges° Kind behandelt. Das Unglück ereignete sich genau 10.30 Uhr. 10 *with a suspected case of diphtheria*

10.35 Uhr

Ein grüner Mercedes mit drei Insassen° näherte sich° mit mäßiger° Geschwin- *passengers, approached, moderate*
digkeit aus der Kurve heraus dem Unglückswagen. Am Steuer saß ein älterer
Herr, auf dem Rücksitz° eine junge Frau, neben ihr eine ältere, ihre Schwieger- *backseat*
mutter°. Die junge Frau schaukelte° ein etwa dreijähriges Kind auf ihrem Schoß°. *mother-in-law, rocked, lap*
Die junge Frau schrie: Ewald, du mußt anhalten. Um Gottes willen°, da ist was 15 *for God's sake*
passiert.

Der Mann schüttelte verärgert den Kopf.

Quatsch°, sagte er, sowas ist nichts für das Kind. *nonsense*

Die ältere Frau pflichtete ihm bei°. Fahr weiter, nuschelte° sie, recht hat er, *agreed, muttered*
recht. Aber wir können doch nicht . . . die junge Frau sagte es hastig°. Sei jetzt 20 *hastily*
still, sagte ihre Schwiegermutter, und der Mann am Steuer ergänzte°: Wir können *added*
in Ochsenfurt auch nicht zur Polizei gehen und den Unfall melden. Ich habe
meine Papiere vergessen. Glaubst du, ich will wegen dem VW da in einen
Schlamassel° kommen? *mess*

Der Mann schaute im Vorbeifahren geradeaus, die junge Frau scheu auf den 25
Unglückswagen, ihre Schwiegermutter zündete sich eine Zigarette an°, ihre ***zündete . . . an*** *lit*
Hände zitterten.

Als sie etwa einen Kilometer weitergefahren waren, sagte die junge Frau: Wir
sollten doch zur Polizei gehen. Der Mann am Lenkrad° und die ältere Frau *steering wheel*
schwiegen, nur das Kind auf dem Schoß seiner Mutter krähte°: Mami . . . tatü 30 *crowed*
. . . tatü . . .

10.42 Uhr

Ein schwarzer VW mit vier Insassen fuhr forsch° aus der Kurve heraus. Der *briskly*
Fahrer des Wagens sah den Unglückswagen, wollte bremsen, ließ dann aber den
Wagen ausrollen° und kam etwa sechzig Meter weiter zum Stehen. 35 *roll to a stop*

Der etwa Vierzigjährige verließ den Wagen. Der Mann schaute sich verstohlen
um°, die Straße entlang. Seine Frau, die auf dem Beifahrersitz° Zeitung las, guckte *looked around furtively, passenger seat*

looked up astonished erstaunt auf°, fragte: Ist was? Trink doch morgens nicht so viel Kaffee, dann mußt du auch nicht so viel laufen. Die beiden jungen Mädchen auf dem Rücksitz, *giggled* die Töchter· der beiden, kicherten°. Eines der Mädchen rief: Papa, unser Was- 40 serfall.

Da hinten ist ein VW an einen Baum gefahren, sagte der Mann. Er wollte weggehen, die Frau rief ihn zurück.· Was geht es dich an, rief sie. Fahr weiter. Die sollen nicht immer so rasen. Die Mädchen riefen: Wo? Wowowo? ach . . . *totaled* da . . . na, der Wagen ist futsch°.   45

Der Mann zögerte. Die Frau beugte sich aus dem Fenster und sagte leise: Emil, komm rein, sei nicht kindisch. Dann mußt du als Zeuge bleiben, und die *possibly* verlangen dann womöglich° deinen Führerschein. Was ist dann? Willst du die *attract attention* letzten vier Wochen, bis du ihn wiederkriegst, auffallen°? Na also, steig ein.

Der Mann nickte, stieg ein und fuhr langsam weiter. Die Mädchen auf dem 50 *rear window* Rücksitz preßten ihre Gesichter an das Heckfenster°, bis der Unglückswagen nicht mehr zu sehen war.

hissed Nun fahr doch ein bißchen schneller, zischte° die Frau, wir sind sowieso zu *we're late anyhow, studded tires* spät dran°. Wofür hat dir mein Vater eigentlich die Spikesreifen° gekauft? Na also.   55

10.53 Uhr

crept, slid Ein kanariengelber Fiat tastete sich° vorsichtig in die Kurve, schlitterte° trotz- *vehicle* dem, die junge Frau am Steuer hatte Mühe, das Fahrzeug° in der Gewalt zu **in** . . . *to keep under control,* behalten°. Sie fuhr im Schritt-Tempo° aus der Kurve heraus, sie bemerkte den *walking speed* Wagen am Baum, sie schloß einen Moment die Augen, sie schrie leise auf°.   60
cried out

crossed herself, whispered Ihre Mutter, die neben ihr saß, bekreuzigte sich°, flüsterte°: Else, um Himmels *for Heaven's sake* willen°, fahr weiter, schnell, bevor jemand kommt. Wir wollen mit so was nichts zu tun haben. Else, Kind, ich kann so was nicht sehen, du weißt, Kind, mir wird bei so was gleich schlecht.   65

Wir müssen das der Polizei melden, Mutter.

trouble Polizei? Kind, fahr weiter, wir wollen keine Scherereien° haben, wir haben 65 noch nie was mit der Polizei zu tun gehabt. Fahr weiter, wir haben einfach nichts gesehen, nach uns kommen auch noch welche.

murmured Die Mutter bekreuzigte sich noch einmal, sie murmelte° vor sich hin.

10.58 Uhr
                                                                                                   70
town limits Aus Richtung Ochsenfurt kam ein Wagen, er war am Ortsausgang° dem kanariengelben Fiat begegnet. Der Mann fuhr an dem Unglückswagen vorbei, als *nonexistent* ob er überhaupt nicht vorhanden° sei.

Das fehlte noch, dachte der Mann, daß ich jetzt angehalten werde, dann steht mein Name womöglich morgen in der Zeitung, das fehlte noch.   75

In der Kurve begegnete ihm ein Mercedes-Diesel um

10.59 Uhr

rattling, rickety Am Steuer des klapprigen°, schwarzen Diesel saß ein weißhaariger Mann. Der *wrapped* Mann erschrak für eine Sekunde, als er den um den Baum gewickelten° VW sah, *crashed vehicle* er fuhr dann langsam weiter, an das verunglückte Fahrzeug° heran, und hielt 80 wenige Meter dahinter. Der Mann stieg aus, er war etwa sechzig Jahre alt, sehr *portly, somehow* beleibt° und irgendwie° zu kurz geraten. Der dicke Mann ging um den VW *lifeless* herum, sah erschreckt ein paar Sekunden auf die beiden leblosen° Menschen *fractured windshield* durch die zerborstene Windschutzscheibe°, flüsterte: furchtbar . . . Dann, als er

wie zufällig° seine abgefahrenen° Reifen sah, stieg er wieder in seinen Wagen 85
und fuhr weiter. Ich will doch keinen Ärger haben, wenn die Polizei kommt,
dachte er. Das Klappern des lose hängenden Auspuffs° war noch lange zu hören.

11.08 Uhr

Ein popbemalter Citroën 2 CV schlich° in die Kurve, die vier jungen Leute,
zwei Jungen, zwei Mädchen, sangen einen Schlager°, sie waren, trotz der verei- 90
sten° Straße, ausgelassen°, als kämen sie von einer Party.

Der Mann am Steuer schrie: Nun seid doch mal still. Schaut mal nach vorne,
da hängt einer am Baum.

Die Mädchen sangen weiter, und der junge Mann schrie noch lauter: Still
jetzt! Verdammt° noch mal, ihr blöden Gänse°, könnt ihr nicht mal still sein. 95

Er hielt an. Er und sein Begleiter° stiegen aus, sie blieben einige Meter vor
dem VW stehen, sie bewegten ratlos° ihre Arme. Dann traten sie näher.

Mein Lieber, der muß vielleicht einen Zahn drauf gehabt haben°. Da ist nichts
mehr zu machen, die sind hops°.

Und jetzt? fragte der andere, sollen wir warten, bis die Polizei kommt? Oder 100
sollen wir in Ochsenfurt zur Polizei fahren?

Mensch, bist du verrückt? Ich hab gesoffen°, ich bin noch von heute nacht
voll, ich hab doch eine Fahne°, die riechen das doch, die sind doch auch nicht
von Dummsdorf°. Wenn ich blasen° muß, dann bin ich dran°. Das kann ich mir
nicht leisten°. Sie gingen zurück, stiegen ein und fuhren weiter. Eines der 105
Mädchen fragte: Sind die tot?

Nein, sagte der Mann am Steuer, und er umkrampfte° das Lenkrad so, daß
die Knöchel° weiß wurden, nein, die spielen nur Karten, die warten auf den
dritten Mann zum Skat². Ach, wie spaßig°, sagte das andere Mädchen, und beide 110
begannen, einen neuen Schlager zu singen.

11.15 Uhr

Ein roter VW, an der Antenne einen Fuchsschwanz°, fuhr äußerst gewagt° in
die Kurve, forsch aus der Kurve heraus. Der Glatzköpfige°, allein im Auto, pfiff,
als er den verunglückten Wagen sah, scharf durch die Zähne.

Verdammt, murmelte° er, verdammt, das hat mir gerade noch gefehlt°. Er gab 115
vorsichtig Gas, trotzdem drehten die Räder durch°, der Wagen schlitterte° ein
paar Sekunden, dann fing er sich wieder auf einer trockenen Stelle der Straße.
Der Glatzköpfige begann zu schwitzen, seine Handflächen° wurden feucht.

Hoffentlich kommt mir jetzt keiner entgegen und merkt sich meine Nummer,
brummelte° er vor sich hin. Verdammt, wenn mich jetzt die Polizei anhält, mit 120
dem geklauten° Wagen . . . nicht auszudenken° . . . laßt sie liegen . . . laßt sie
liegen . . . sind ja sowieso überm Jordan°.

11.28 Uhr

Ein beiger BMW fährt in die Kurve, am Steuer eine blonde, sehr schöne Frau.
Der Mann neben ihr ist schläfrig°, er gähnt dauernd°. 125

Fahr nicht so leichtsinnig°, sagt er zu der blonden Frau. Da sieht er den
verunglückten Wagen, und er sagt: Soll es uns so gehen wie denen da?

Die Frau wollte anhalten. Der Mann schrie: Bist du verrückt? Hinterher°
müssen wir noch als Zeugen auftreten°.

---

² German card game for three

by chance, worn

rattling of the loose muffler

crawled
hit song
icy, exuberant

damn, silly geese
companion
helplessly
must have raced
dead, gone

boozed
I'm reeking
they're not from Dumb-Ville,
blow: to take a breathalizer test,
caught
I can't afford that.

clenched
knuckles
funny

foxtail, most daringly
bald-headed man

mumbled, that's all I need

spun, slid

palms of his hands

mumbled
stolen, just imagine!
dead anyhow (lit. across the Jordan river)

sleepy, yawns constantly
recklessly

afterwards
appear

Na und? fragte die Frau.   130

panted, **hast** . . . *are you*   Sag mal, keuchte° der Mann, hast du vielleicht ein Brett vor dem Kopf°? Und
a blockhead?   wenn meine Frau die Vorladung° in die Finger kriegt, da steht doch dann auch
summons   dein Name drauf° . . . was dann . . . na . . . kapiert°?
appears, got it?

Die Frau fuhr langsam weiter, aber sie sah den Mann neben ihr nicht mehr
an.   135

11.35 Uhr

salt spreader   Langsam näherte sich mit rotierendem Gelblicht der Streuwagen° aus der
Kurve heraus dem Unglückswagen.

co-driver   Der Beifahrer° schrie: Franz! Halt an . . . da . . . da. Ich hab's dir doch gleich
sticks to something   gesagt, daß wir heute noch einen antreffen, der wo dranklebt°. Hätten wir mal 140
gewettet.

Sie hielten hinter dem Unglückswagen, die beiden Männer stiegen aus, sie
shrugged their shoulders   sahen kurz auf die leblosen Insassen, sahen sich an, zuckten die Schultern°. Der
CB   Fahrer des Streuwagens steig wortlos ein und meldete den Unfall per Sprechfunk°
central office   in die Zentrale°. Sie warteten, ohne ein Wort zu wechseln, eine Viertelstunde, 145
arrival   bis die Polizei kam, und noch weitere zehn Minuten bis zum Eintreffen° des
ambulance   Krankenwagens° in dem ein Arzt mitgekommen war. Als der Arzt den Toten am
Lenkrad sah, schrie er leise auf.

Ist was, Doktor, fragte einer der drei Polizisten.

Nein, nein, nichts. Sind mindestens eine Stunde tot, sagte der Arzt.   150

Eine Stunde? fragte ein anderer Polizist. Daß die aber nicht früher entdeckt
wurden.

rotten weather   Wie soll auch, antwortete der Arzt. Wer fährt schon bei dem Sauwetter° und
den Straßen und am Sonntagmorgen, wenn er nicht unbedingt muß. Und wer
muß schon unbedingt am Sonntagmorgen.   155

Da haben Sie auch wieder recht, sagte der erste Polizist, und die drei Uni-
take down the evidence   formierten begannen, den Tatbestand zu protokollieren°.

report   Meldung° am 17.2.69 in allen Würzburger Zeitungen: Auf der Bundesstraße
13, kurz vor Ochsenfurt, verunglückte gestern vormittag der praktische Arzt

verunglückte . . . tödlich *had*   Wilhelm Altmann mit seiner Ehefrau tödlich°. Die Polizei nimmt an, daß der 160
a fatal accident   Wagen infolge° überhöhter° Geschwindigkeit auf spiegelglatter° Straße aus der
as a result of, excessive, slippery as   Kurve getragen wurde und dann an einen Baum prallte°. Die beiden Insassen
glass
hit
rushed to the scene   waren nach Auskunft des hinzugeeilten° Arztes sofort tot.

Alle diejenigen, die am Sonntag, dem 16. 2. 69, in der Zeit von 10. 30 Uhr
scene of the accident   und 11.35 Uhr die Unglücksstelle° passierten, lasen am Montagmorgen die Zei- 165
tung.

Fragen zum Text

1. Geben Sie die Einzelheiten: Zeit, Ort, Wetter usw. für den Unfall an.

2. Warum hält der grüne Mercedes nicht? Was wissen Sie aus der Konversation
der drei Personen über die Familiensituation?

3. Der Fahrer des schwarzen VW steigt aus, er möchte helfen, aber er tut es
nicht. Warum nicht? Erzählen Sie, was Sie über die Familiensituation wissen.

4. Beschreiben Sie die nächste Fahrerin und ihr Auto. Warum hält sie nicht?

5. Der nächste Wagen kommt aus der anderen Richtung. Warum erwartet der Leser nicht, daß er hält?

6. Warum wird der alte Mann in dem Diesel nichts tun?

7. Nachdem die beiden jungen Männer im Citroën gehalten und den Unfall angesehen haben, erwartet der Leser, daß sie zur Polizei fahren. Warum tun sie es nicht? Was ist an dieser Episode so schockierend?

8. Erklären Sie die Situation des Glatzköpfigen.

9. Was ist die Situation des Mannes und der Frau im BMW? Warum läßt der Mann sie nicht halten? Ändert sich die Beziehung zwischen diesen beiden?

10. Wie lange nach dem Unfall kommt endlich der Streuwagen? Wieviel später kommt die Polizei, und wieviel später der Arzt?

11. Warum schreit der Arzt leise auf, als er die Toten sieht? Was bedeuten seine Worte zu dem Polizisten?

12. Meldet die Zeitung am nächsten Tag den Unfall richtig? Wieviele Wagen sind vorbeigefahren?

Themen zum Schreiben und zur Diskussion

1. Der Autor beschreibt die Wagen nach Typ und Farbe. Warum? Wie unterscheidet er zwischen den verschiedenen Typen von Menschen? Wie können Sie sehen, was er über sie denkt?

2. Diskutieren Sie die verschiedenen Gründe, warum die Fahrer nichts tun. Was denken Sie darüber? Glauben Sie, der Autor möchte, daß Sie urteilen: gut oder schlecht oder böse, und richtig oder falsch?

3. Stellen Sie sich vor, daß sie in einem von diesen Autos wären. Was würden Sie in der Situation tun, besonders wenn Sie auch ein Problem hätten? Waren Sie schon einmal in einer schwierigen und unerwarteten Situation, in der Sie schnell denken und handeln mußten? Beschreiben Sie, was Sie (oder ein Familienmitglied oder Freund) gemacht haben, und warum.

4. Was ist das Thema der Erzählung? Was bedeutet der Titel, und was der letzte Satz?

Aktivitäten

1. Debatte: „Das Verhalten der verschiedenen Autofahrer charakterisiert die meisten Leute in unserer Gesellschaft."

2. Sie haben gestern auf der Straße einen Unfall gesehen und rufen jetzt die Polizei an.

3. Sie und eine andere Person sind an einem verunglückten Wagen vorbeigefahren und diskutieren jetzt, ob Sie den Unfall melden sollen.

painting
Busch, Wilhelm, * 15.4.1832 in Wiedensahl, Hannover, † 9.1.1908 in Mechtshausen, Harz. Nach dem Studium von Maschinenbau, dann Malerei°, und zehn Jahren Aufenthalt in München, lebte er sein ganzes Leben in den zwei kleinen Orten, wo er geboren wurde, und wo er später starb. Aber er kritisierte seine ganze Zeit: den Staat, die Kirche und vor allem die zufriedenen Bürger, und er wurde
drawings durch seine Gedichte und Zeichnungen° in der ganzen Welt
most popular bekannt. Er ist der bedeutendste und volkstümlichste° deutsche Humorist, ein Meister der pointierten Charakter-
creator parodie und grotesken Situationskomik, der Schöpfer° un-
immortal sterblicher° komischer Typen, wie Max und Moritz.

WILHELM BUSCH

D ie erste alte Tante sprach:
  Wir müssen nun auch dran denken,
Was wir zu ihrem Namenstag
Dem guten Sophiechen schenken.

boldly Drauf sprach die zweite Tante kühn°:
suggest Ich schlage vor°, wir entscheiden
pea-green Uns für ein Kleid in Erbsengrün°,
Das mag Sophiechen nicht leiden.

Der dritten Tante war das recht:
tendrils Ja, sprach sie, mit gelben Ranken°!
Ich weiß, sie ärgert sich nicht schlecht
Und muß sich auch noch bedanken.

VI. Humor und Witz

GEDANKEN ÜBER HUMOR UND WITZ

Neue Wörter

Verben

sich beeilen	to hurry
bestehen (aus), a, a,	to consist (of)
beurteilen	to judge
dienen	to serve
enthalten (ä), ie, a	to contain
entstehen (aus), a, a (+ sein)	to originate (from)
sich langweilen	to be bored
malen	to paint
rasieren	to shave
spiegeln	to reflect
vertreten (i), a, e	to represent
verwechseln	to mix up
wählen	to dial; to vote, elect
zerstören	to destroy

Substantive

die **Ahnung, -en**	notion
die **Bildung**	education
der **Gegensatz, ¨e**	contrast
die **Gegenwart**	present (time)
die **Gestalt, -en**	figure
die **Handlung, -en**	plot
das **Mißverständnis, -se**	misunderstanding
der **Pfarrer, -**	priest, minister
die **Pointe, -n**	point (of a joke)
die **Prüfung, -en**	exam
die **Puppe, -n**	puppet, doll
die **Semmel, -n**	bread roll
der **Spaß, ¨e**	fun
die **Stimmung, -en**	mood
der **Versuch, -e**	attempt
das **Vorurteil, -e**	prejudice
der **Witz, -e**	joke
das **Zentrum, Zentren**	center

Adjektive

bequem	lazy, indolent
bereit	ready, prepared
eilig	hurried
ernst	serious
frech	impertinent
fröhlich	merry
geistig	intellectual

heilig	sacred
lustig	funny
notwendig	necessary
nüchtern	sober
rein	pure
riesig	gigantic
streng	strict
üblich	usual
wach	alert

NEUE WÖRTER IM KONTEXT

1. Sagen Sie das Gegenteil:

zerstören	die Vergangenheit
dienen	traurig
betrunken	profan

2. Nennen Sie ein Synonym:

sehr groß	die Tat
Langeweile haben	der Pastor
intellektuell	normal

REDEWENDUNGEN AUS DEM TEXT

1. ernst nehmen — *to take seriously*
2. Er hat Haare auf den Zähnen. — *He has a sharp tongue.*
3. es kommt darauf an — *it depends upon*
4. Es kommt nicht so darauf an. — *It's not too important.*
5. es hängt mit . . . zusammen — *it's connected with*
6. Er liegt im Sterben. — *He's dying.*
7. Mir kann keiner (etwas tun). — *Nobody can touch/harm me.*
8. sich über Wasser halten — *to stay above water*
9. Mir können sie den Buckel runterrutschen — *They can drop dead.*

Geben Sie die Nummer der *Redewendung*, die paßt, wenn

Sie es wichtig finden, was eine andere Person denkt oder sagt. _____

Sie sagen wollen, daß etwas nicht so wichtig ist. _____

jemand sehr scharf spricht. _____

Sie nicht untergehen/versinken wollen. _____

Sie nicht sicher sind, was passieren wird. _____

Sie zeigen wollen, daß Sie keine Angst haben. _____

es Sie nicht interessiert, was andere über Sie denken. _____

man erwartet, daß eine Person bald tot ist. _____

Gedanken über Humor und Witz

awareness of life Humor ist ein Lebensgefühl°, eine Haltung zur Welt (andere solche Haltungen sind Komik, Tragik usw.) Der Humor sieht das Leben, mit allen seinen Fehlern und Leiden, und allem Guten und Notwendigen, von einer höheren Position. Humor findet sich in allen literarischen Genres. Man liest, lächelt, fühlt
reflective, thoughtful sich aber eher nachdenklich° als lustig.	5

orally Unter Witz dagegen versteht man eine sehr kurze, meist mündlich° erzählte Geschichte, die aus der Witzhandlung und der Pointe am Ende besteht. Witze
spread entstehen anonym und verbreiten sich° im Diskurs des Alltags. Die Zuhörer reagieren durch Lachen. Wegen dieser Wirkung gehört der Witz zum Genre der Komik. Der Witz dient immer wieder als ein Instrument der Kritik. Man will	10
das Objekt aber nicht zerstören, sondern man will darüber lachen. Aber Witze
ridicule enthalten oft auch Klischees und Vorurteile, sie verspotten° nicht nur die Mächtigen (wie im politischen Witz), sondern auch ethnische und soziale Minderhei-
minorities, justified ten°, z.B. Kranke oder Dumme. Dann ist der Witz aber kein berechtigter° Protest
oppression mehr, sondern ein Instrument der sozialen Unterdrückung°. An den Witzen eines	15
Volkes kann man sehen, was ihm heilig oder profan ist, und welche sprachlichen Mittel vom Volk toleriert werden, um die Defekte der Gesellschaft zu zeigen.

Die Motive, aus denen die Witze leben, sind natürlich international; aber die sprachlichen Formulierungen sind so verschieden wie die sprachlichen Konventionen der Länder. Witze sind nicht leicht zu übersetzen, denn sie spiegeln	20
Situationen und Gefühle einer besonderen Gesellschaft in dem Idiom nur dieser einen Kultur. Amerikaner zum Beispiel finden manche Situationen komisch, die
vice versa Deutsche gar nicht komisch beurteilen, und umgekehrt°. Vom deutschen Humor wird oft gesagt, daß er „heavy-handed" ist und nicht wirklich komisch. Innerhalb von Deutschland lachen die Menschen nicht über die gleichen Sachen; man kann	25
characteristic regionale Witz-Images sehen, die auf der Eigenart° einer Landschaft, einer Groß-stadt oder einer ganzen Bevölkerung basieren. So wie man die verschiedenen Nationen im Bild ihrer großen Metropolen zu verstehen versucht, sind auch die großen Städte Hauptorte des Witzes; im deutschsprachigen Raum vor allem Berlin, Wien, Hamburg und Köln.	30

Berlin

daring breed (of people) Ein klassischer Versuch, den Berliner zu charakterisieren, waren Goethes Worte, die er im Dezember 1823 zu Eckermann gesagt haben soll: „Es lebt
get far, **man . . .** dort ein so verwegener Menschenschlag° beisammen, daß man mit der Delicatesse
have a sharp nicht weit reicht°, sondern daß man Haare auf den Zähnen haben° und mitunter°
tongue, now and then
rude, to keep up etwas grob° sein muß, um sich über Wasser zu halten°."	35

Hier sind ein paar Beispiele für Berliner Witze:

Käufer auf dem Markt: „Sind das auch wirklich holländische Kartoffeln?"
Marktfrau: „WollenSe mit sie reden oder wollenSe sie essen?"

Der berühmte Berliner Maler Liebermann malt den berühmten Berliner Arzt Sauerbruch. Nach einiger Zeit erklärt der Arzt: „Können Sie sich nicht	40

Max Liebermann, „Doktor Sauerbruch", 1932

it doesn't matter so much ein bißchen beeilen? Ich muß ins Krankenhaus, und bei Ihrer Arbeit kommt's
ja nicht so drauf an.°"

mess up „Sagen Sie das nicht," antwortet Liebermann, „wissen Sie, was Sie ver-
murksen°, liegt unter dem grünen Rasen. Was ich mache, kommt ins Museum."   45

Der Berliner Witz wird charakterisiert als wach, kritisch, aktuell, nüchtern,
brash, snotty scharf, aggresiv, proletig, frech, schnoddrig°, selbstsicher und respektlos. Das sind
natürlich auch die Prädikate für den Witz anderer Großstädte und hängt wohl
hängt . . . zusammen *is*
connected with mit dem schnelleren Lebensrhythmus der Metropolen zusammen°.

Das Besondere am Berliner Witz aber ist immer wieder die Schnelligkeit seiner 50
Reaktion, dazu die Schnoddrigkeit, alles zusammen ist zu finden im Ausdruck
big mouth „Berliner Schnauze°" oder „Schnauze mit Herz". Nüchtern handeln, ohne große
Gefühle zu zeigen, auch in gefährlichen Situationen, gehört dazu. Nach dem
zweiten Weltkrieg, als Berlin von der russischen Zone isoliert wurde, sangen die
*islander, **verliert . . .*** *doesn't*
lose his cool Kabarettisten: „Der Insulaner° verliert die Ruhe nicht°, der Insulaner liebt keen 55
kein Getue *= no fuss* Jetue° nicht . . ."

Eilig läuft ein Reisender über den Bahnsteig. „Bekomm ich noch den Zug
nach Hamburg?" ruft er dem Beamten zu. „Kommt darauf an°, wie schnell
that depends Sie laufen können. Abgefahren ist er vor drei Minuten."

Berlin, Brandenburger Tor

porter Ein eiliger Reisender auf dem Bahnhof fragt den Gepäckträger°: „Sie, wo 60
läßt man sich am besten rasieren?" Der Gepäckträger, gar nicht eilig: „Am
besten im Gesicht."

conductor In der Straßenbahn sagt der Schaffner°: „Na, Kleiner, du mußt voll bezahlen,
für 'ne Kinderkarte bist du schon zu groß." Darauf der Kleine: „Dann
stop calling me **du** lassenSe bitte auch das Duzen°!" 65

are effective, work Schnoddrige Repliken der „Berliner Schnauze" wirken° dort am stärksten, wo
fit sie nicht hinpassen°, also z.B. Tod und Sterben.

Ein Berliner Gastwirt hat sich sein Leben lang mit seiner Alten herumge-
quarrelled, is dying zankt°. Nun liegt er im Sterben°. „Soll ich den Pfarrer und die Verwandten
holen?" fragt die zukünftige Witwe. „Nee," sagt August und faßt nach der 70
Hand seiner Alten, „bleib du man hier, dann wird mir das Sterben viel
leichter."

Außerdem war und ist natürlich Berlin das Zentrum des politischen Witzes.

a Berlin telephone exchange Berliner Telefongespräch, März 1933: „Is dort Bleibtreu° 1418?" „Nee, hier
pun on "dial" and "vote" is Krause." „Oh, dann habe ich falsch gewählt°." „Wem sagen Sie das, das 75
haben wir alle!"

[1] Hitler came to power on January 30, 1933.

Hamburg

*Nobody can (do anything to) me
= **Mir können sie alle den
Buckel runterrutschen)** they
can all drop dead
rude, blunt, outright, offensive*

seaport

cunning
precocious

bust

flat

smash

borrowed

Dem Berliner Motto „Mir kann kenner°" stellt der Hamburger sein „Mir
können sie alle°" gegenüber. Vom Hamburger Humor sagt man, daß er
derb° und geradeheraus° ist und darum auch nicht verletzend°. Wie andere
norddeutsche Witze tendiert er zum Understatement. Die Stimmung der Ha- 80
fenstadt° mit Seeleuten und Hafenarbeitern formt den Hamburger Witz. Seine
bekannteste Witz-Gestalt, Klein-Erna, ist noch nicht besonders alt; Klein-Erna-
Geschichten gehen nur bis in die ersten Jahre unseres Jahrhunderts zurück. Der
Hamburger denkt sich Klein-Erna als ein listiges°, impertinentes kleines Ding mit
frechem Mund, das auf naive Fragen mit altklugen° Antworten reagiert und 85
immer das letzte Wort behält.

Klein-Erna wird gefragt, „Na, was möchtest du denn später mal werden?"
Da sagt Klein-Erna: „Wenn ich 'nen schönen richtigen Busen° krieg, so wie
Sofia Loren, dann geh ich zum Film! Aber wenn ich vorne so platt° bleiben
tu, denn werd ich Lehrerin!"   90

Gestern da treff ich meine Freundin Klein-Erna vorm Käseladen, und da
hatte die'n Milchtopf in der Hand. Und da hab ich gesagt: „Soll ich dich
mal dein Milchpott kaputtschmeißen°?" Da sagt sie: „Ja." Sag ich: „Dann
weinste doch." Sagt sie: „Nee, dann lach ich." Und da hab ich ihr kaputt-
gemacht. Da sagt sie: „Das macht nix, den hat schon mein Mudder von 95
dein Mudder gepumpt°."

Hamburg, Hafen

parrot

Und da hat mein Freundin doch so'n klein Papagei°, und da hat sie zu mir gesagt: „Klein-Erna, mein Papagei ist ja so furchtbar schmutzig." Sag ich: „Wasch ihn doch so'n bißchen in Seifenwasser." Am nächsten Tag sag ich: „Na, was is?" Sagt sie: „Ja, der is ja so schick sauber." Sag ich: „Siehste°!" 100

siehst du?   *you see?*

... aushalten   *couldn't survive*
                the wringing

„Gar nicht siehste. Nu is er tot." Ich sagt: „Wieso is er denn tot?" „Ja, ich glaub, der konnt das Auswringen nicht ab°."

Köln

historical background

Man sagt, in Köln wird von allen deutschen Großstädten am meisten gelacht. Zu den geschichtlichen Hintergründen° des Kölner Witzes gehört die lange kirchliche Tradition, also werden Priester und Nonnen nicht selten belacht. Dazu 105 kommt die niederrheinische° Vitalität und Derbheit°.

of the Lower Rhine, earthiness

cross-eyed

Die beiden Repräsentanten des Kölner Witzes sind vielleicht Typen aus dem Puppenspiel des 19. Jahrhunderts; Tünnes (Anton) und Schäl (der Schielende°) sind schwache Menschen mit einem guten Herz, sie können aber auch negativ gesehen werden: als zwei arbeitsscheue°, nach Schnaps riechende Hafenarbeiter, 110

work-shy

Der Kölner Dom

die ihren Lebenszweck° darin finden, sich gehenzulassen° und ihr letztes bißchen Geld kleinzukriegen°. Tünnes ist naiv und optimistisch, etwas bequem und phlegmatisch, aber er ist gutmütig° und hat eine offene Hand für Menschen in Not. Schäl dagegen ist flexibel und kann sich schnell in eine neue Situation finden. Wie sein Name sagt, schaut er mit dem Silberblick°, ob er nicht etwas sehen 115 kann, was ihm und Köln nützlich wäre. Zusammen gesehen, spiegeln die beiden den ganzen, wirklichen, von Natur und Geschichte geformten kölnischen Volkscharakter. Trotzdem sind viele der Tünnes-und-Schäl-Witze reiner Nonsens.

aim in life, take it easy
spend
good-natured

cross-eyed

> Tünnes und Schäl sitzen auf einer Bank im Park. Plötzlich lacht Schäl laut auf. „Was ist denn mit dir?" fragt Tünnes. „Ich hab mir grad einen neuen 120 Witz erzählt." Nach einer Weile schüttelt Schäl den Kopf. „Was ist denn jetzt los?" will Tünnes wissen. „Den ich mir jetzt erzählt hab, den kannt' ich schon."

Oft sind es Wortwitze, die Dummheit oder Mißverständnisse belachen.

> Tünnes: „Wohin fährst du auf Pfingsten, Schäl?" 125
> Schäl: „Ich fahre nach Sicht."
> Tünnes: „Wo liegt der Ort?"
> Schäl: „Keine Ahnung! Aber in der Zeitung steht: SCHÖNES PFINGSTWETTER IN SICHT°."

in sight (i.e. forecast)

> Schäl muß ins Krankenhaus. Die Aufnahmeschwester° fragt nach mitge- 130 brachter Wäsche: „Haben Sie Pyjamas?" „Pyjamas? Enä, ich glaube nicht. Der Doktor meint, es wäre Blinddarmentzündung°."

receiving nurse

appendicitis

Wien

In der Gegenwart konzentriert sich der Wiener Witz auf Graf Bobby und seine aristokratischen Freunde und Konversationspartner, die Barone Rudi, Mucki, Poldi, oder wie sie sonst heißen. Im Gegensatz zu Tünnes und Schäl oder 135 Klein-Erna, die eine soziale Unterschicht° vertreten, repräsentieren sie alten Adel°. Graf Bobby ist leicht degeneriert, weltfern° und geistig etwas beschränkt°; natürlich streng konservativ. Immer aber ist Graf Bobby ein Kavalier und Weltmann, charmant, elegant und gesellschaftlich gewandt°. Er scheint seine eigene Komik nicht zu bemerken, denn er ist zu gut erzogen oder vielleicht auch zu 140 weise, um seinen Mitmenschen den Spaß zu verderben. Eine gewisse elegische Stimmung charakterisiert viele Graf-Bobby-Witze. Diese Witze belachen menschliche Schwächen°: Dummheit, Unbildung, oder Zerstreutheit°; sie spielen im Wiener Alltagsleben, oft im Kaffeehaus oder Restaurant, aber auch beim Friseur° oder in der Oper. Ihre Komik besteht oft in Konflikten mit der Logik, manchmal 145 stehen sie schon in der Nähe des surrealistischen Witzes.

lower classes aristocracy,
naive, limited, dull

adroit

weaknesses, absent-mindedness
barber shop

> „Die Post heutzutage!" klagt Graf Bobby, „denken Sie nur: kommt mir da gestern ein Briefträger nachgelaufen, er habe ein Telegramm für mich: GROSSMUTTER GESTORBEN. O weh! Und so unerwartet! Zum Glück sehe ich die Adresse: er hat mich doch tatsächlich mit meinem Bruder verwechselt!" 150

Wien, Stephansdom und Prater

„Jetzt möcht ich wissen," fragt Baron Mucki, „woher hat die Post eigentlich das viele Geld? Da bauen sie ein neues Postamt nach dem anderen, tragen

chic, drive cars around   a fesche° Uniform, fahren so Wagerln umeinand°, und dabei können sie an den Briefmarken doch gar nix verdienen! A 10-Heller-Marke kostet genau

pennies, at cost price   10 Heller°! Alles zum Selbstkostenpreis°!" „Geh, Mucki," sagt Graf Bobby, 155 „das ist doch ganz einfach. Ein Brief mit einer 10-Heller-Marke zum Beispiel darf 25 Gramm wiegen. Wiegt aber net immer 25 Gramm. Wiegt meistens viel weniger. No, und an dem Unterschied, daran verdient die Post."

Soweit Bobby-Geschichten Sprachwitze sind, lebt die Pointe von der falschen

taking literally   Analyse eines Wortes oder vom Wörtlichnehmen° der Metaphern.   160

Graf Bobby langweilt sich in einer Abendgesellschaft, bei der die üblichen Gespräche über Kunst, Theater usw. geführt werden. Da schaut seine Tischnachbarin ihn an und fragt: „Lieben Sie Shakespeare, Herr Graf?" Bobby

dear lady, madame   überlegt und sagt dann: „No ja, Gnädigste°, eigentlich ist mir ein Pilsener lieber."   165

Graf Bobby sitzt in seiner Küche und schneidet Semmeln. Riesige Mengen. Alle Schüsseln sind schon voll, und auf dem Fußboden liegen die geschnittenen Semmeln auch schon kniehoch.

crazy   „Ja Bobby, bist du denn schon ganz deppert°?" fragt der Rudi. „Was machst du denn da?"   170

dumplings   „Ich koch mir Semmelknödel°."

„Um Himmelswillen, für wieviel Leut denn?"

„Für mich allein."

„Und da schneidest du gar so viele Semmeln?"

„Schau, ich geh streng nach dem Kochbuch vor." 175

Der Rudi schaut im Kochbuch nach. Dort steht: „Man schneide drei Tage alte Semmeln . . ."

Vorbereitung

Beenden Sie diese Sätze:

1. Humor spiegelt _____.
2. Der Leser lächelt, wenn _____.
3. Unter Witz versteht man _____.
4. Ein Witz will _____.
5. Die Menschen lachen _____.

Fragen zum Text

1. Welche Elemente gehören zu einem Witz?
2. Warum erfinden die Menschen sich Witze?
3. Können Witze auch gefährlich sein?
4. Was hat Goethe über den Berliner Humor gesagt? Welche Adjektive passen auf den Berliner Humor?
5. Wie heißt die bekannteste Figur des Hamburger Humors? Beschreiben Sie sie. Gibt es eine ähnliche Figur im Witz Ihres Landes?
6. Wer sind die populärsten Repräsentanten des Kölner Witzes, und woher kommen sie? Beschreiben Sie diese beiden Männer.
7. Wie unterscheiden sich Graf-Bobby-Witze von den Tünnes-und-Schäl-oder Klein-Erna-Witzen?

Themen zum Schreiben und zur Diskussion

1. Was sagt der Artikel über die sozialgeschichtliche Funktion des Witzes? Finden Sie das richtig, oder sehen Sie andere Gründe für das Erzählen von Witzen? Welche?
2. Können Sie ein paar Witze aus amerikanischen Großstädten erzählen? Vergleichen Sie die mit den deutschen Witzen aus diesem Text. Gibt es wichtige Unterschiede?
3. Was war Ihre Reaktion auf die Witze in diesem Text? Erklären Sie, ob Sie manche komisch fanden und manche nicht, und warum.

Aktivitäten

1. Versuchen Sie, ein paar deutsche Witze nachzuerzählen. Benützen Sie die folgenden Stichworte: Der Maler und der Chirurg (vermurksen = falsch machen, Museum); der Reisende und der Bahnhofsbeamte (den Zug bekommen, abfahren); der sterbende Gastwirt (sich ärgern über, Verwandte holen, leichter); der Milchtopf (kaputtmachen, lachen, borgen); der Papagei (schmutzig, waschen, auswringen); im Krankenhaus (Pyjamas, Blinddarmentzündung); in der Küche (drei Tage alte Semmeln schneiden).

2. Erzählen Sie einen von Ihren Lieblingswitzen auf deutsch. (Geht das leicht oder schwer? Was war die Reaktion der anderen Studenten, haben sie gelacht?)

3. Wählen Sie zwei oder drei Themen, dann arbeiten Sie in Gruppen: jede Gruppe soll Witze über ein Thema finden. (Für welche Themen finden Sie viele, für welche nur wenige Witze? Warum?)

ONKEL FRANZ

Neue Wörter

Verben

auf·passen (auf)	to pay attention to
aus·machen	to agree (up)on, arrange
erwischen	to catch
probieren	to try
treffen (i), a, o	to hit

Substantive

der **Band**, ¨e	volume
der **Dummkopf**, ¨e	blockhead, jerk
das **Erlebnis**, -se	adventure
der **Esel**, -	ass
das **Gedicht**, -e	poem
die **Kurzgeschichte**, -n	short story
das **Schauspiel**, -e	play

Andere Wörter

eifrig	eager
ordentlich	decent, respectable
zornig	angry

NEUE WÖRTER IM KONTEXT

1. Setzen Sie das passende Vokabularwort ein:

Wir gehen ins Theater, um ein _____ zu sehen. Hans versteht überhaupt nichts; er ist ein _____. Dieser Autor schrieb keine langen Romane, er schrieb _____. Mein Junge macht sich große Mühe, er ist so _____. In seinem Zimmer ist immer Ordnung, so ein _____ Junge!

2. Sagen Sie das mit anderen Worten:

Er ist wütend.
Ich werde dich schon fangen.
Du mußt besser auf die Kinder achten.

Dieser Mann ist ein Dummkopf.
Wollen wir das mal versuchen?

REDEWENDUNGEN AUS DEM TEXT

1. Er kann mich (nicht) leiden.   *He (doesn't) like me.*

2. Ich komm' dir.   *You be careful! (I'll do you in!)*

3. Er wurde rot.   *He blushed.*

Beenden Sie die Sätze mit der passenden *Redewendung*:

Paß nur auf, sonst _____. Findet er mich nett? Nein, _____.
Man konnte sehen, daß er sich schämte. _____.

Thoma, Ludwig   * 21.1.1867 in Oberammergau
† 26.8.1921 in München. Seine Romane, 13 Bände Kurzgeschichten, 14 Schauspiele und sechs Bände Lyrik malen das
Rascal Tales   Leben in bayerischen Kleinstädten. Die *Lausbubengeschichten°*
erzählen zum großen Teil Thomas eigene Jugenderlebnisse.
Er versteht die Jungen so gut wie die Älteren, und er zeich-
honesty   net die Menschen mit Humor und großer Ehrlichkeit°.

LUDWIG THOMA

Onkel Franz

retired D a bekam meine Mutter einen Brief von Onkel Franz, welcher ein pensio-
nierter° Major war. Und sie sagte, daß sie recht froh ist, weil der Onkel
schrieb, er will schon einen ordentlichen Menschen aus mir machen, und es
kostet achtzig Mark im Monat. Dann mußte ich in die Stadt, wo Onkel wohnte.
staircases, nothing but Das war sehr traurig. Es war über vier Stiegen°, und es waren lauter° hohe 5
Häuser herum und kein Garten. Ich durfte nie spielen, und es war überhaupt
nobody at all niemand° da. Bloß der Onkel Franz und die Tante Anna, welche den ganzen Tag
looked out herumgingen und achtgaben°, daß nichts passierte. Aber der Onkel war so streng
rascal zu mir und sagte immer, wenn er mich sah: „Warte nur, du Lausbub°, ich krieg
I'll catch you dich° schon noch.“ 10
spit down Vom Fenster aus konnte man auf die Straße hinunterspucken°, und es
splashed, missed klatschte° furchtbar, wenn es daneben ging°. Aber wenn man die Leute traf,
digustingly schauten sie zornig herum und schimpften abscheulich°. Da habe ich oft gelacht,
aber sonst war es gar nicht lustig.
stand Der Professor konnte mich nicht leiden°, weil er sagte, daß ich einen sehr 15
reputation schlechten Ruf° mitgebracht hatte. Es war aber nicht wahr, denn das schlechte
fizzy powder Zeugnis war bloß deswegen, weil ich der Frau Rektor ein Brausepulver° in den
chamber pot Nachthafen° getan hatte. Das war aber schon lang, und der Professor hätte mich
maltreat, torture nicht so schinden° brauchen. Der Onkel Franz hat ihn gut gekannt und ist oft
hingegangen zu ihm. Dann haben sie ausgemacht, wie sie mich alle zwei erwischen 20
können.
Wenn ich von der Schule heimkam, mußte ich mich gleich wieder hinsetzen
und die Aufgaben machen. Der Onkel schaute mir immer zu und sagte: „Machst
I'll get to you du es wieder recht dumm? Wart' nur, du Lausbub, ich komm' dir schon noch°.“
Einmal mußte ich eine Arithmetikaufgabe machen. Die brachte ich nicht zu- 25
solve, get together sammen°, und da fragte ich den Onkel, weil er zu meiner Mutter gesagt hatte,
daß er mir nachhelfen will. Und die Tante hat auch gesagt, daß der Onkel so
intelligent gescheit° ist, und daß ich viel lernen kann bei ihm. Deswegen habe ich ihn
gebeten, daß er mir hilft, und er hat sie dann gelesen und gesagt: „Kannst du
good-for-nothing schon wieder nichts, du nichtsnutziger° Lausbub? Das ist doch ganz leicht.“ 30
Und dann hat er sich hingesetzt und hat es probiert. Es ging aber gar nicht
schnell. Er rechnete den ganzen Nachmittag, und wie ich ihn fragte, ob er es

terribly, rude noch nicht fertig hat, schimpfte er mich fürchterlich° und war sehr grob°. Erst
vor dem Essen brachte er mir die Rechnungen und sagte: „Jetzt kannst du es
copy abschreiben°; es war doch ganz leicht, aber ich habe noch etwas anderes tun 35
müssen, du Dummkopf."

1 = A, 2 = B, 3 = C, Ich habe es abgeschrieben und dem Professor gegeben. Am Donnerstag kam
4 = D usw. die Aufgabe heraus, und ich meinte, daß ich einen Einser° kriege. Es war aber
wieder ein Vierer, und das ganze Blatt war rot, und der Professor sagte: „So eine
dumme Rechnung kann bloß ein Esel machen." 40

blushed, turned red in his face „Das war mein Onkel," sagte ich, „der hat es gemacht, und ich habe es bloß
abgeschrieben." Die ganze Klasse hat gelacht, und der Professor wurde aber rot°.
mean liar, penitentiary „Du bist ein gemeiner Lügner°," sagte er, „und du wirst noch im Zuchthaus°
sperrte . . .ein *locked up* enden." Dann sperrte er mich zwei Stunden ein°. Der Onkel wartete schon auf
gave a thrashing mich, weil er mich immer durchhaute°, wenn ich eingesperrt war. Ich schrie 45
aber gleich, daß er schuld ist, weil er die Rechnung so falsch gemacht hat, und
daß der Professor gesagt hat, so was kann bloß ein Esel machen.

even more Da haute er mich erst recht° durch, und dann ging er fort. Der Greither
Heinrich, mein Freund, hat ihn gesehen, wie er auf der Straße mit dem Professor
gegangen ist, und wie sie immer stehen blieben und der Onkel recht eifrig geredet 50
hat.

called on me Am nächsten Tag hat mich der Professor aufgerufen° und sagte: „Ich habe
deine Rechnung noch einmal durchgelesen; sie ist ganz richtig, aber nach einer
anderen Methode, welche es nicht mehr gibt. Es schadet dir aber nichts, daß du
deserve eingesperrt warst, weil du es eigentlich immer verdienst°, und weil du beim 55
Abschreiben Fehler gemacht hast."

Das haben sie miteinander ausgemacht, denn der Onkel sagte gleich, wie ich
heimkam: „Ich habe mit deinem Professor gesprochen. Die Rechnung war schon
gut, aber du hast beim Abschreiben nicht aufgepaßt, du Lausbub."

Ich habe schon aufgepaßt, es war nur ganz falsch. 60

Aber meine Mutter schrieb mir, daß ihr der Onkel geschrieben hat, daß er
mir nicht mehr nachhelfen kann, weil ich die einfachsten Rechnungen nicht
is put in an embarrassing position abschreiben kann, und weil er dadurch in Verlegenheit kommt°.
mean Das ist ein gemeiner° Mensch.

Fragen zum Text

1. Warum mußte der Junge in die Stadt? Mit Ihrer Antwort können Sie schon
   viel über den Jungen sagen.

2. Was wissen Sie über seinen Tageslauf? Wie findet er das Leben in der Stadt?
   Wiederholen Sie, was er darüber sagt, was er nett oder lustig findet und was
   nicht.

3. Erklären Sie, was der Onkel und der Professor über den Jungen denken, und
   warum, und beschreiben Sie, wie sie ihn behandeln.

4. Erzählen Sie die Episode mit der Arithmetikaufgabe.

5. Was bedeutet die Episode für den Onkel und für den Professor? Wie helfen
   Sie einander? Was bedeutet die Episode für den Jungen?

Themen zum Schreiben und zur Diskussion

1. Beschreiben Sie die Erzählmethode dieses Autors und die verschiedenen Mittel, mit denen er eine Reaktion beim Leser erreichen will. Welche Reaktion, an welchen Stellen?
2. Schreiben Sie den Brief, den die Mutter am Anfang an den Onkel geschrieben hat. Dann schreiben Sie den Brief, den der Onkel am Ende an die Mutter geschrieben hat.
3. Erklären Sie, wo Ihre Sympathie lag, als Sie die Geschichte lasen, und warum.

Aktivitäten

1. Spielen Sie das Gespräch zwischen dem Professor und Onkel Franz, als sie sich über die Arithmetikaufgabe unterhalten.
2. Spielen Sie eine Szene zwischen dem Neffen und seinem Freund, dem Greither Heinrich, in dem sie Pläne für Missetaten° machen.

misdeeds, pranks

Mühsam, Erich   * 6.4.1878 in Berlin, † 10.7.1934 in Oranienburg°. Er war nicht nur Satiriker, sondern auch politisch aktiv. 1919 war er Mitglied der Münchner Räteregierung°. 1933 wurde er ins KZ gebracht und dort ein Jahr später ermordet.

concentration camp
soviet (council) government

ERICH MÜHSAM

Der Revoluzzer   *(Der deutschen Sozialdemokratie gewidmet°)*

dedicated to

War einmal ein Revoluzzer,
Im Zivilstand Lampenputzer,
Ging im Revoluzzerschritt
Mit den Revoluzzern mit.

Und er schrie: „Ich revolüzze!"   5
Und die Revoluzzermütze°
Schob er auf das linke Ohr,
Kam sich höchst gefährlich vor°.

Doch die Revoluzzer schritten
Mitten in der Straßen Mitten,   10
Wo er sonsten° unverdutzt°
Alle Gaslaternen putzt.

revolutionary cap
kam sich . . . vor *considered himself*
usually, not perplexed

remove Sie vom Boden zu entfernen°,
Rupfte man die Gaslaternen
pavement, **rupfte ... aus** *tore out* Aus dem Straßenpflaster° aus°, 15
in order to build barricades Zwecks des Barikadenbaus°

Aber unser Revoluzzer
Schrie: „Ich bin der Lampenputzer
Dieses guten Leutelichts.
Bitte, bitte, tut ihm nichts! 20

switch off Wenn wir ihm das Licht ausdrehen°,
Kann der Bürger nichts mehr sehen,
Laßt die Lampen stehn, ich bitt!
Denn sonst spiel' ich nicht mehr mit!"

Doch die Revoluzzer lachten, 25
crashed Und die Gaslaternen krachten°,
Und der Lampenputzer schlich
slinked away Fort° und weinte bitterlich.

Dann ist er zu Haus geblieben
Und hat dort ein Buch geschrieben: 30
Nämlich, wie man revoluzzt
Und dabei die Lampen putzt.

Weiskopf, Franz Carl, * 3.4.1900 in Prag, †
14.9.1955 in Berlin. Der Autor war sowohl journalistisch
als politisch tätig. Am Ende seines Lebens war er zwei Jahre
ambassador Botschafter° der Tschechoslowakei in China.

F.C. WEISKOPF

Demokratie

posterior Es saß mit breitem Hinterteil°
Der Dicke auf dem Dünnen
Und sprach zu ihm: Jetzt können wir
Demokratisch zu reden beginnen.

Du weißt, ich hasse die Despotie 5
forces of revolt So, wie die Aufruhrgewalten°:
Es möge jeder seinen Platz
peace An der Sonne in Frieden° erhalten.

split up Drum bin ich dagegen, daß wir uns entzwei'n°,
fuses Ich hasse Kanonen und Lunten°. 10
Wir wollen gut pazifistisch sein,
Ich oben und du unten!

hereafter, **tauschen den Platz**	Im Jenseits° tauschen wir dann den Platz°
trade places	Dort will ich dich gerne tragen—
	So sind die Lasten° gleich verteilt°,
burdens, distributed evenly	Du kannst dich nicht beklagen.

15

meanwhile	Einstweilen° jedoch ist der status quo
guarantee for order	Die wichtigste Ordnungsstütze°:
splendid behind	Drum bleib' ich mit meinem Prachtpopo°
rightful	Auf angestammtem° Sitze.

20

Themen zum Schreiben und zur Diskussion

1. Das Ziel einer Satire ist, ein schlechtes Objekt lächerlich zu machen. Verstehen Sie das Gedicht „der Revoluzzer" als Satire? Erklären Sie, wer hier lächerlich gemacht wird und warum. Können Sie den Untertitel erklären?

2. Welche bessere Idee oder welches bessere Verhalten schlägt das Gedicht vor?

3. Er ist ganz klar, gegen wen der Angriff des zweiten Gedichts geht, sagen Sie es. Welches bessere Verhältnis zwischen den Menschen wird hier vorgeschlagen?

4. Beschreiben Sie die Wirkung des ersten und des zweiten Gedichts auf Sie. Haben Sie Sympathie mit dem Angreifer oder mit dem Objekt der Kritik? Warum?

5. Finden Sie an den Gedichten irgendetwas komisch? Wenn ja, was? Verbessert die Komik die Wirkung der Satire?

VII Partnerschaft

HEIRATSANZEIGEN

Neue Wörter

Verben

gern haben	to like
liebhaben	to love
streicheln	to caress, stroke
verwöhnen	to spoil
sich zanken	to quarrel

Substantive

die Eigenschaft, -en	characteristic, quality
die Einstellung, -en	attitude
die Geduld	patience
der Haß	hatred
die Laune, -n	mood
die Rücksicht, -en	consideration
Rücksicht nehmen	to be considerate
das Schicksal, -e	fate, destiny
der Trost (-es)	consolation

Adjektive

einsam	alone, lonely
geduldig	patient
gleichgültig	indifferent
gutmütig	good-natured
häuslich	domestic
leidenschaftlich	passionate
liebevoll	loving
schlank	slim
selbstsicher	self-assured
sparsam	frugal
verliebt	in love
wütend	furious
zärtlich	tender
zuverlässig	reliable
zu zweit	two together

NEUE WÖRTER IM KONTEXT

1. Nennen Sie ein Synonym:

die Haltung	aufeinander schimpfen
zornig	auf beiden Seiten
liebevoll	ärgerlich sein
Er hat viele gute Qualitäten.	allein

2. Sagen Sie das Gegenteil:

Sie ist dick.

Ich fühle nur Liebe.

Wir machen alles zu zweit.

Sie gibt viel zu viel Geld aus.

Meine Frau ist leidenschaftlich.

Er haßte sie.

3. Setzen Sie ein passendes Wort ein:

Mein Mann ist häuslich, sparsam und liebevoll. Was für gute _____! Wenn meine Frau etwas verspricht, hält sie das Versprechen; sie ist wirklich eine _____ Frau. Jon ist oft wütend und manchmal melancholisch; du kennst ja seine _____. Heute geht es mir nicht gut; bitte nimm _____ darauf! Sie hilft mir, auch wenn es viel Zeit braucht, denn sie hat viel _____.

REDEWENDUNGEN AUS DEM TEXT

1. Er ist zu haben dafür.   *He is ready for that.*

2. es macht Spaß   *it's fun*

3. ein weibliches Wesen   *a female (being)*

Schreiben Sie die Nummer der passenden *Redewendung:*

Das ist ein Vergnügen für uns. _____ Viele Männer sind allein nicht glücklich; sie brauchen _____. Er macht das gern. _____

VOKABULARARBEIT

Sprechen Sie über die Eigenschaften von guten Partnern oder Freunden mit den Adjektiven aus dem Vokabular:

1. Sie möchten einen interessanten Mann kennenlernen: Er soll _____ sein/haben; ich erwarte, daß er _____; ich ärgere mich, wenn er _____.

2. Sie suchen ein nettes weibliches Wesen: Ich interessiere mich für eine Frau, die _____; ich bin zu haben für _____ Frauen; ich kann Rücksicht nehmen, wenn sie _____.

Heiratsanzeigen°

personals

new beginning
boarding school

Wenn Sie schlanker, junggebliebener 50er (bis 55) sind, der Stil, Herz, Intelligenz, gutes Einkommen, Interesse für die Welt hat, nicht arrogant aber selbstsicher ist, und an einen Neubeginn° denken, dann möchte ich Sie gern kennenlernen. Bin aus Tirol, 41, schwarzes Haar. Viele Jahre Internat°, erfolgreich als Musikerin. Spreche Französisch und etwas Englisch; habe schon etwas von 5 der Welt gesehen. Ein angenehmes, gepflegtes Zuhause ist für mich genau so wichtig wie Reisen, Natur, Spazierengehen, Theater usw. Was ich nicht kann, Sie aber nicht stören sollte: ich kann nicht kochen und nicht autofahren. Wichtig für einen Neubeginn zu zweit ist die gleiche positive Einstellung zum Leben.

replies   Zuschriften° unter ZS 350676   10

female   Einsamer, sensibler junger Mann sucht nettes weibliches Wesen° für eine liebevolle, harmonische Partnerschaft. Bin 38, 80 kg, Nichtraucher, geschieden, *adventurous* zuverlässig, häuslich aber auch abenteuerlustig°, beruflich erfolgreich und sicher *stroll* nicht fehlerfrei. Immer zu haben für einen Bummel° durch Zürich, eine Wanderung in den Bergen, Skifahren, Biergarten, Reisen, gutes Essen, Kultur, also 15 alles, was zu zweit Spaß macht. Sie sollten zwischen 30 und 40 sein, schlank, *financially secure* liebevoll, Nichtraucherin, finanziell gut gestellt°, an allem in der Welt interessiert, *independent, master craftsman* und verstehen, daß ein selbständiger° Handwerksmeister° oft wenig Freizeit hat. Auf Ihre Zuschrift mit tel. no. freue ich mich sehr.

Zuschriften unter ZS 0972225   20

Fragen zum Text

1. Beschreiben Sie die Schreiberin der ersten Anzeige. Was ist an ihr attraktiv, was ist vielleicht schwierig?

2. Was findet sie an einer Partnerschaft wichtig? Was für einen Partner sucht sie?

3. Was sind die Eigenschaften des Mannes von der zweiten Anzeige? Was sind seine Hobbys? Was für eine Partnerin sucht er?

Themen zum Schreiben und zur Diskussion

1. Schreiben Sie auf jede Anzeige eine realistische Antwort.

2. Schreiben Sie eine Heiratsanzeige für sich selbst; versuchen Sie, ehrlich zu sein. (Sie könnten die Anzeige in einer Klassenzeitung veröffentlichen und sehen, wer antwortet!)

3. Sie sind neu an Ihrem College und suchen Freunde. Schreiben Sie, welche Erwartungen Sie von den Student(inn)en haben.

Aktivitäten

1. Sie telefonieren mit der Zeitung, denn Sie wollen eine Heiratsanzeige aufgeben. Beschreiben Sie, wer Sie sind, und was für einen Menschen Sie suchen.

2. Spielen Sie eine Szene mit Ihrer Tochter, (Ihrem Sohn), die (der) heiraten möchte. Diskutieren Sie, welche Eigenschaften für eine gute Ehe wichtig sind.

BERICHT AUS DER DDR: JUNGE EHELEUTE HEUTE

Neue Wörter

Verben

sich ärgern (über)	to get angry
auf·treten (i), a, e (+ sein)	to occur, to behave
erwarten	to expect
unterstützen	to support
verändern	to change
vor·bereiten	to plan, prepare

Substantive

die **Angelegenheit**, -en	matter
familiäre **Angelegenheit**	family matter
die **Erwartung**, -en	expectation
die **Forderung**, -en	demand
die **Gleichberechtigung**	equal rights
die **Pflicht**, -en	duty
die **Treue**	fidelity
der **Zusammenhang**, ⁻e	connection
im **Zusammenhang** mit	in connection with

Adjektive

gegenseitig	mutual
ungünstig	unfavorable
zufällig	by chance

NEUE WÖRTER IM KONTEXT

1. Nennen Sie ein Synonym:

die Sache	gleiche Rechte
in Verbindung mit	sich benehmen
anders machen	Hilfe geben
auf beiden Seiten	auftreten

2. Sagen Sie das Gegenteil:
Wir haben keine gleichen Rechte.
Sie haben eine schlechte Beziehung.
Wir lassen das, wie es ist.

3. Setzen Sie passende Wörter ein:
Wenn Mann und Frau die gleichen Pflichten und Rechte haben, dann ist das
_____. Die ganze Familie sollte über _____ _____ entscheiden. Wenn zwei
Partner einander unterstützen, können sie eine gute _____ bauen.

REDEWENDUNG AUS DEM TEXT

Das bringt (dir) Glück   *That'll mean good luck (for you)*

Bericht aus der DDR: Junge Eheleute heute

trustworthiness   Zuverlässigkeit°, Treue, beruflicher Erfolg und Klugheit sind die von jungen
Eheleuten in der DDR meistgewünschten Qualitäten für den Partner. Von
1 100 verheirateten jungen Leuten im Alter von 18 bis 28 Jahren, meistens
Arbeiter, erwarten nach einer soziologischen Umfrage des Zentralinstituts für
youth research   Jugendforschung° 98% von ihrem Partner Zuverlässigkeit. 95% finden, eine 5
faithfulness, loyalty   glückliche Ehe verlangt gegenseitige Treue°. Etwa 90% wünschen sich einen
intelligence   beruflich erfolgreichen und klugen Partner. Beruflicher Erfolg, Klugheit° und ein
order, domesticity   gutes Gehalt werden in dieser Reihenfolge° beim Ehemann, Häuslichkeit°, Wirt-
thrift   schaftlichkeit° und angenehmes Aussehen bei der Ehefrau erwartet. Sexuelle
harmony   Übereinstimmung° finden beide Partner wichtig, sie gewinnt jedoch erst nach 10
längerer Ehe größere Bedeutung. Neun von zehn jungen Ehepaaren in der DDR
sensible   finden die Weiterbildung nach der Heirat sinnvoll°. Männer wollen die Ausbil-
education; vice versa   dung° der Frauen so häufig wie umgekehrt° (88% und 89%). Etwa 27% der
Befragten waren zur Zeit der Umfrage in der Ausbildung, 40% davon ohne die
uninterrupted   Möglichkeit eines störungsfreien° Studiums. 75% aller jungen Frauen und Männer 15
relief   wollen den Partner durch die Entlastung° von häuslichen Pflichten und durch
andere Hilfe unterstützen.

employment   Die Einstellung zur Berufstätigkeit° der Frau hat sich auch bei jungen Leuten
in den letzten zehn Jahren deutlich verändert. Bei einer Umfrage unter mehreren
Tausend Jugendlichen meinten schon 1969 29% der Männer und 43% der 20
if possible   Mädchen und Frauen, die Frau soll möglichst° nicht immer arbeiten. Heute sind
entirely   6% der jungen Männer gegen die Berufstätigkeit der Frau überhaupt°, und 12%
part-time   sind für eine verkürzte° Arbeit. 19% der Männer und 11% der Frauen meinen
noch heute, die verheiratete Frau soll nur dann arbeiten gehen, wenn das Ein-
suffice   kommen des Mannes nicht ausreicht°. Das Zentralinstitut für Jugendforschung 25
findet diese Entwicklung, die im Zusammenhang mit der systematischen staat-
support, extremely   lichen Förderung° der Familie zu sehen ist, äußerst° positiv.

Die Zahl der arbeitenden jungen Frauen mit einem Kind (80%), zwei (76%)
und drei (69%) Kindern zeigt die veränderte Einstellung auch in der Praxis. Die
Tatsache, daß sich die meisten jungen Eheleute fast täglich oder mehrmals wöch- 30
entlich über berufliche und politische Probleme unterhalten, muß ebenfalls in
diesem Zusammenhang gesehen werden; die meisten Befragten besitzen eine
solid   gefestigte° politische Grundeinstellung. Sie zeigt sich praktisch, neben der Einstellung zur Arbeit und zur Weiterbildung, in der Haltung zur Gleichberechti-
equal rights, acquisitions   gung° in der Ehe. 98% aller jungen Eheleute bereiten größere Anschaffungen° 35
gemeinsam vor, etwa 65% wünschen die gemeinsame Entscheidung familiärer
in general, regularly   Angelegenheiten überhaupt°, und 69% der Männer helfen regelmäßig° oder oft
im Haushalt.

alcohol abuse   Als Hauptgrund für Konflikte in jungen Ehen nannten die Soziologen ungün- stige Wohnverhältnisse, Alkoholmißbrauch°, ein gestörtes Verhältnis zu den El- 40 tern, sexuelle Probleme und divergierende Meinungen über die Kindererziehung. Gleichzeitig zeigte sich, daß die Komplikationen wegen ungünstiger Wohnver-

allocation   hältnisse vom ersten bis zum vierten Ehejahr, meistens durch die Zuteilung° einer eigenen Wohnung, sehr zurückgehen. Mit der Realisierung des Wohnungsbau- programms der DDR sind auch für die jungen Ehen weniger Probleme zu er- 45 warten.

Gleichberechtigt und gemeinsam von der ersten Stunde an . . .

sawing up   Das Zersägen° eines Baumstammes soll Glück bringen. Viele junge Ehepaare

custom   folgen dem alten Brauch°, wohl wissend, daß es vor allem auf sie selbst ankommt. Konflikte im Leben treten auch, oder gerade, bei gleichberechtigter Partnerschaft auf. Die hohe Scheidungsquote in der DDR resultiert also nicht 50

inability, to solve   nur aus individuellem Unvermögen°, gemeinsam schwierige Probleme zu lösen°, sondern auch aus dem veränderten Charakter der Ehe, den höheren gegenseitigen Forderungen und Erwartungen. Aber leider gehen auch relativ viele junge Ehen

thoughtlessly   wieder auseinander, weil sie oft zu schnell und unüberlegt° geschlossen werden.

Vorbereitung

Beenden Sie diese Sätze mit Vokabularwörtern:

Die jungen Eheleute erwarten von Ihrem Partner _____. Sie haben große
_____ für eine glückliche Ehe. Ist es eine _____ der Männer, ihre Frauen zu
unterstützen? Ein Grund für Ehekonflikte sind zu hohe _____ an den Partner.

Fragen zum Text

1. Wieviele Personen haben in der Umfrage geantwortet? Wie alt sind sie, was
   sind sie von Beruf?
2. Welche Wünsche haben die jungen Männer von ihrer Partnerin? Die jungen
   Frauen vom Ehepartner?
3. Was ist die Situation von Frauen mit Kindern in der DDR? Wann gehen sie
   arbeiten, wer sorgt für die Kinder? Was denken die Familien über die Ausbildung der Frauen und über Frauen im Beruf?
4. Welche Rolle spielt die Politik in der Ehe? Erklären Sie, was in der DDR eine
   „gefestigte politische Grundeinstellung" ist.
5. Was sind die Ursachen für Ehekonflikte in der DDR? Welche Rolle spielt der
   Staat dort bei der Lösung?
6. Analysieren Sie den Text: Was wollte die Umfrage herausfinden?

Themen zum Schreiben und zur Diskussion

1. Finden Sie die Erwartungen der DDR Eheleute normal, richtig, traditionell,
   modern? Versuchen Sie, ein paar Heiratsanzeigen zu schreiben, die diese
   Wünsche und Erwartungen reflektieren.
2. Beim Schreiben bekommen Sie sicher eine Meinung, welche Erwartungen
   realistischer sind, die aus dem DDR-Bericht, oder die aus den Heiratsanzeigen
   aus Österreich und der Schweiz. Diskutieren Sie das.
3. Was für Erwartungen haben junge Amerikaner vom Ehepartner? Was scheinen
   Ihnen die wichtigsten Scheidungsgründe in den Vereinigten Staaten? Sind das
   die gleichen wie in der DDR?
4. Auf welche Weise helfen Heiratsanzeigen und soziologische Umfragen, gute
   Ehen zu machen?

Aktivität

Schreiben Sie selbst einen Fragebogen über wichtige Eigenschaften für zukünftige
Ehepartner; fragen Sie dann die Studenten in ihrer Klasse, und machen Sie Ihre
Statistik. Vergleichen Sie beide Statistiken.

Loriot

    D as Ehepaar sitzt am Frühstückstisch. Der Ehemann hat sein Ei geöffnet und beginnt nach einer längeren Denkpause das Gespräch.

ER: Berta!

SIE: Ja . . .

ER: Das Ei ist hart!   5

SIE: *(schweigt)*

ER: Das Ei ist hart!

SIE: Ich habe es gehört . . .

ER: Wie lange hat das Ei denn gekocht . . .

SIE: Zu viel Eier sind gar nicht gesund . . .   10

ER: Ich meine, wie lange dieses Ei gekocht hat . . .

SIE: Du willst es doch immer viereinhalb Minuten haben . . .

ER: Das weiß ich . . .

SIE: Was fragst du denn dann?

ER: Weil dieses Ei nicht viereinhalb Minuten gekocht haben kann!   15

SIE: Ich koche es aber jeden Morgen viereinhalb Minuten!

ER: Wieso ist es dann mal zu hart und mal zu weich?

SIE: Ich weiß es nicht . . . ich bin kein Huhn!

ER: Ach! . . . Und woher weißt du, wann das Ei gut ist?

SIE: Ich nehme es nach viereinhalb Minuten heraus, mein Gott!   20

ER: Nach der Uhr oder wie?

SIE: Nach Gefühl . . . eine Hausfrau hat das im Gefühl . . .

ER: Im Gefühl? . . . Was hast du im Gefühl?

SIE: Ich habe es im Gefühl, wann das Ei weich ist . . .

ER: Aber es ist hart . . . vielleicht stimmt da mit deinem Gefühl was 25
       nicht . . .

SIE: Mit meinem Gefühl stimmt was nicht? Ich stehe den ganzen Tag in der
       Küche, mache die Wäsche, bring deine Sachen in Ordnung, mache die
       Wohnung gemütlich, ärgere mich mit den Kindern rum, und du sagst,
       mit meinem Gefühl stimmt was nicht?   30

ER: Jaja . . . jaja . . . jaja . . . wenn ein Ei nach Gefühl kocht, dann kocht es
       eben nur zufällig genau viereinhalb Minuten!

egal . . . *make no difference*   SIE: Es kann dir doch ganz egal sein°, ob das Ei zufällig viereinhalb Minuten
       kocht . . . Hauptsache, es kocht viereinhalb Minuten!

ER: Ich hätte nur gern ein weiches Ei und nicht ein zufällig weiches Ei! Es ist 35
       mir egal, wie lange es kocht!

SIE: Aha! Das ist dir egal . . . es ist dir also egal, ob ich viereinhalb Minuten
slave   in der Küche schufte°!

ER: Nein-nein . . .

SIE: Aber es ist nicht egal . . . das Ei muß nämlich viereinhalb Minuten 40
       kochen . . .

ER: Das habe ich doch gesagt . . .

SIE: Aber eben hast du doch gesagt, es ist dir egal!

ER: Ich hätte nur gern ein weiches Ei . . .

SIE: Gott, was sind Männer primitiv!   45

kill   ER: *(düster vor sich hin)* Ich bringe sie um° . . . morgen bringe ich sie um . . .

EIN ALTER MANN STIRBT
Neue Wörter
Verben

atmen	to breathe
befehlen (ie), a, o	to order
begreifen, i, i	to grasp
erkältet sein (+ sein)	to have a cold
ertragen (ä), u, a	to endure, put up with
flüstern	to whisper
gießen, o, o	to pour
heizen	to heat

mit·teilen	to notify, tell
schade sein (um) (+ sein)	to be too bad (about)
schälen	to peel
schlucken	to swallow
seufzen	to sigh
spülen	to rinse, wash
starren (auf)	to stare (at)
wachen (bei)	to keep watch (at)

Substantive

die **Decke, -n**	blanket
das **Fieber (-s)**	fever
das **Gemüse, -**	vegetable
das **Geschirr (-s)**	dishes
der **Geschmack (-s)**	taste
der **Herd, -e**	stove
der **Kampf, ¨e**	struggle
der **Nagel, ¨**	nail
der **Schnupfen, -**	head cold
der **Sieger, -**	victor
der **Widerstand, ¨e**	resistance

Adjektive

ewig	eternal
kühl	cool
sachlich	objective
seltsam	strange
stumm	silent
ungerecht	unfair

NEUE WÖRTER IM KONTEXT

1. Nennen Sie ein passendes Vokabularwort:

Worauf kocht man? _____

Was sind Karotten? _____

Wenn Sie zu hohe Temperatur haben, dann haben Sie _____.

Um ein Bild aufzuhängen, brauchen Sie _____.

Wenn Sie erkältet sind, dann haben Sie _____.

Wenn Sie mit jemand streiten, dann ist das ein _____.

Wenn Sie gewinnen, dann sind Sie _____.

Sie haben gewonnen, wenn der andere den _____ aufgibt.

Wenn Sie die Suppe nicht mögen, dann liegt das am _____.

Wissen Sie ob der Mann noch lebt? Ja, er _____ noch.

2. Antworten Sie mit dem passenden Vokabularwort:

Ich glaube, Sie verstehen gar nichts. Doch, ich _____ alles.

Sagen Sie bitte nichts. Also gut, dann bleibe ich _____.

Ich glaube, das Kind schläft schon. Nein, bis jetzt _____ es.

Tun Sie etwas gegen diese Launen? Nein, ich muß sie _____.

3. Geben Sie die gleiche Information mit Vokabularwörtern:

objektiv   merkwürdig

schweigend   unfair

immer   Schnupfen haben

sehr leise sprechen   ihm ist alles gleich

REDEWENDUNGEN AUS DEM TEXT

1. Sie weiß sich nicht zu helfen.   *She doesn't know what to do.*
2. Dabei bleibt es.   *That's that.*
3. Was fehlt ihm?   *What's wrong with him?*
4. Er macht es nicht mehr lang.   *He won't last much longer.*
5. Es geht ihm schlecht.   *He's badly off.*
6. Es ist aus damit.   *That's all over.*

Schreiben Sie die Nummer der *Redewendung*, die etwa dasselbe sagt:

Ist er krank, ist etwas los mit ihm? _____ Seine Gesundheit/Lage ist nicht gut.

_____ Darüber reden wir nicht mehr! _____ Sie wußte sich keinen Rat. _____

Das geht jetzt nicht mehr. _____ Bald wird er tot sein. _____

Rinser, Luise * 30.4.1911 in Pitzling, Oberbayern. Nach dem Studium in München war sie 1934–39 Volks- *grade school teacher* schullehrerin°. Mit ihrem Mann gehörte sie zur Opposition gegen das Hitlerregime; er fiel 1943 in einer Strafkompanie in der USSR; sie durfte nicht mehr publizieren und mußte *traitor, jail* 1944 als „Hochverräterin°" ins Gefängnis°. Sie überlebte, heiratete 1945 den Komponisten Karl Orff und arbeitete seitdem als Literaturkritikerin. Sie lebt heute in Rom. Sie ist eine „linkskatholisch" engagierte Autorin, deren Romane in 21 Sprachen übersetzt wurden. Sie diskutieren mensch- liche Grundprobleme, vor allem den Kampf zwischen einer ewigen Ordnung und dem Nihilismus ihrer Zeit, sehr oft mit Frauen als Protagonisten; sie möchte den Menschen helfen, sich selbst „in Gott" zu finden.

LUISE RINSER
Ein alter Mann stirbt

to be determined, death certificate, old age
zuckte . . . *shrugged his shoulders*

Tante Emily starb ein Jahr nach ihrem Mann. Woran sie starb, war nicht festzustellen°. Der Arzt schrieb auf den Totenschein° „Altersschwäche"°, aber er zuckte die Achseln°, denn Tante Emily war kaum sechzig. Aber was sonst sollte er schreiben? Er kannte sie nicht. Aber ich kannte sie, und darum weiß ich, woran sie starb.   5

disconcerted

raw

besides

Onkel Gottfried, zehn Jahre älter als sie, war sein Leben lang nicht krank gewesen. Darum waren wir mehr erstaunt als bestürzt°, als uns Tante Emily auf einer Postkarte kurz mitteilte, daß er uns „noch einmal sehen möchte." Es war Ende Februar, naßkalt und rauh°, und ich erwartete unser erstes Kind.
„Du kannst unmöglich fahren," sagte mein Mann. „Und im übrigen° kennst 10 du Tante Emily. Wahrscheinlich ist Onkel Gottfried nur erkältet, und sie weiß sich nicht zu helfen."

uneasiness, sensed

Aber an der Unruhe°, die mich gepackt hatte, spürte° ich, daß „noch einmal sehen" wirklich hieß: „noch einmal, und dann niemals mehr." So fuhren wir denn ab.   15

allowed, wished
survived, the other way around

„Weißt du," sagte Peter, „ich hätte es Onkel Gottfried gegönnt°, daß er sie überlebte°. Umgekehrt° wäre es nicht in Ordnung. Es wäre ungerecht."

adored

negotiated, hammered in nails, sewed on buttons, in short
bored

Es war bitter ungerecht. Onkel Gottfried hatte Tante Emily geheiratet, als sie fast noch ein junges Mädchen war. Sie soll sehr hübsch gewesen sein, und er vergötterte° und verwöhnte sie. Er war es, der morgens aufstand, Feuer machte 20 und das Frühstück an ihr Bett brachte. Er kaufte Gemüse und Fleisch ein, er verhandelte° mit der Putzfrau, er schlug Nägel ein° und nähte° Knöpfe an, kurzum°: er tat alles. Sie fand es zuerst hübsch, dann selbstverständlich, und dann langweilte° er sie damit. Sie hatten keine Kinder, denn sie wollte keine, und er nahm Rücksicht darauf. So verging Jahr um Jahr, und schließlich lebten 25 sie nebeneinander wie fremde Leute. Sie lag tagelang im Bett und las und wurde dick. Er begann zu trinken und wurde ebenfalls dick. Sie zankten sich nie. Sie waren selbst dafür zu gleichgültig geworden, wie es schien. Einmal hatte ich Onkel Gottfried gefragt: „Warum laßt ihr euch nicht scheiden?" Er sah mich erstaunt an. „Scheiden? Weshalb?" Ich wurde verlegen°. „Ich meine nur so. Ich 30 denke, du bist nicht recht glücklich mit Tante Emily." Er sagte gelassen°: „So, meinst du? Darüber habe ich nie nachgedacht." Nach einer Pause fügte er hinzu°: „Wer A sagt, muß auch B sagen." „Mein Gott," rief ich, „man kann doch nicht zwanzig Jahre büßen° dafür, daß man einmal falsch gewählt hat." Er klopfte mir gutmütig auf die Schulter. „Doch," sagte er, „man kann das. Bis zum Ende, bis 35 zum Ende."

embarrassed
with composure
added

do penance

bloated, **flößte ein** *inspired*
predominated
during the day, scraped carrots
dullness
dignified silent sadness

Ich hatte ihn sehr lieb, den dicken alten Mann mit dem blauroten, aufgedunsenen° Gesicht. Er flößte mir Mitleid und Respekt zugleich ein°, und der Respekt überwog°. Das ist um so seltsamer, als Onkel Gottfried Abend für Abend betrunken nach Hause kam, tagsüber° Möhren schabte°, Kartoffeln schälte, Geschirr 40 spülte und Tante Emilys Launen mit einer Geduld ertrug, die wie Stumpfsinn° erschien. Aber die Gelassenheit und würdevolle stumme Schwermut°, mit der er

accepted, impressive, enigmatic   sein Leben hinnahm°, war imponierend°. Als ich das Wort „hintergründig°" zum erstenmal hörte, verband ich es augenblicklich mit dem Gedanken an Onkel Gottfried, und dabei blieb es.   45

together, hard of hearing and far-sighted   Nun waren die beiden mitsammen° schwerhörig und weitsichtig° und alt
sad   geworden nach einem Leben, das so trist° erschien wie ein langer Regensonntag,
allowed   und es sollte Onkel Gottfried nicht mehr vergönnt° sein, noch ein paar ruhige
tough burden   Jahre zu erleben ohne diese zähe Last°, die seine Frau für ihn war. Was für eine
ultimate   Gerechtigkeit war das, die Tante Emily zum endgültigen° Sieger machte?   50

Als Tante Emily öffnete, fiel ihr erster Blick auf mich. Sie schlug die Hände über dem Kopf zusammen. „Ach du lieber Gott," schrie sie, „das auch noch."

shoved her aside   Peter schob sie beiseite°. „Was fehlt Onkel Gottfried?"
distractedly, body   „Dem," sagte sie abwesend°, noch immer auf meinen Leib° starrend, „dem
geht's schlecht. Der stirbt." Sie sagte es ganz sachlich, so etwa, als erzählte sie,   55
pneumonia   daß das Essen fertig sei. „Lungenentzündung° fügte sie hinzu, dann öffnete sie
die Tür zum Schlafzimmer. „Da," rief sie, „da seht ihr selbst. Der macht es nicht
mehr lang."

horrified   „Still," flüsterte ich entsetzt°, „sei doch still." Sie sah mich erstaunt an.
unconscious   „Warum denn? Er ist bewußtlos°, er hört nichts mehr." Ich streichelte Onkel   60
Gottfrieds Hand. Er lag mit weit offenen Augen und blickte zur Decke, aber ich
spürte, daß er mich erkannt hatte, wenn auch vielleicht nur für einen Augenblick.

„Spricht er nicht mehr?" fragte ich leise. Aber ich hatte Tante Emilys Schwer-
hörigkeit vergessen. „Was meinst du?" schrie sie, die Hand am Ohr.

„Gehen wir hinaus," sagte ich.   65

„Warum hinaus? Ich habe nirgendwo sonst geheizt. Wir machen uns einen
plaintively   Kaffee." Kläglich° fügte sie hinzu: „Aber zu essen habe ich nichts im Haus.
Eingekauft hat doch immer er. Ich verstehe davon nichts."

canned cream   Peter ging fort, um einzukaufen, und ich schlug die Büchsensahne°, die ich
whipped cream   mitgebracht hatte, zu Schlagrahm°. Tante Emily kochte Kaffee, und sie redete 70
persistently   laut und beharrlich°. „Es ist der neunte Tag. Die Krisis. Der Arzt meint, er
könnte durchkommen. Aber der Arzt ist ein Dummkopf. Das kann man doch
sehen, daß da keine Widerstandskraft mehr ist; er hat ja auch zuviel getrunken
in seinem Leben. Damit ist es jetzt aus."

sieve   Sie goß den Kaffee durchs Sieb°.   75

„Hat er nach mir gefragt?" sagte ich.

„Ja, gleich am ersten Abend, als er Fieber bekam."

„Warum hast du dann nicht sofort geschrieben?" Ich war zornig.

What use would that have been?   Sie hob erstaunt die Schultern. „Was hätte das genützt°?"

„Mein Gott, vielleicht wäre es ein Trost für ihn gewesen."   80
unmoved   „Meinst du?" fragte sie ungerührt°. „Er hat ja mich."
suppressed, little bowl   Ich unterdrückte°, was mir auf der Zunge lag, nahm das Schälchen° mit
Schlagsahne und ging zu Onkel Gottfried. Er lag noch genauso wie vorher. Ich
chapped, brittle   strich ihm ein wenig Rahm auf die Lippen, die spröde° und brüchig° waren wie
parched   angesengtes° Holz. Er hatte Schlagrahm fast ebenso geliebt wie seinen Wein. Jetzt 85
corners of the mouth   aber konnte er ihn nicht mehr schlucken. Er lief ihm aus den Mundwinkeln°
über das unrasierte Kinn.

„Was tust du denn da?" rief Tante Emily, als sie mit der Kaffeekanne herein-
kam. „Schade um den Rahm. Du siehst doch: er behält° nichts mehr."

retains

Aber ich hörte nicht auf, den kühlen Rahm in den ausgedörrten° Mund zu 90
streichen, und winzige Schluckbewegungen zeigten mir, daß doch ein wenig davon
in den armen, verbrannten° Hals gelangte.

dried out

scorched

Endlich kam Peter mit Brot und Butter. Gierig° begann Tante Emily zu schlin-
gen°. „Ich habe nämlich zwei Tage nichts gegessen," erklärte sie kauend°. „Er
hat ja immer für acht Tage Vorrat° heimgebracht, und heute ist schon der zehnte 95
Tag."

greedily

gobble, chewing

supplies

„Wie kam es denn," fragte Peter, „daß er so krank wurde?"

Sie zuckte die Achseln. „Es hätte nicht sein müssen," sagte sie. „Aber er ist
ja so eigensinnig°. Er hat Schnupfen gehabt. Bleib daheim bei dem Wetter, sagte
ich. Aber er wollte durchaus einkaufen gehen. Und da ist er mit Fieber heim- 100
gekommen."

stubborn

Peter konnte sich nicht enthalten° zu sagen: „Warum zum Teufel° hast du ihn
gehen lassen, wenn er erkältet war? Konntest du nicht auch einmal gehen?"

refrain from, why the devil

Sie warf ihm einen gekränkten° Blick zu. „Ich?" fragte sie gedehnt°. „Wieso
auf einmal ich, wenn er's doch vierzig Jahre lang getan hat?" 105

offended, slowly

Peter seufzte.

„Jedenfalls seid ihr jetzt da," sagte Tante Emily, „und ihr bleibt doch gleich
bis zur Beerdigung°, nicht wahr?"

funeral

„Tante," sagte Peter wütend, „jetzt ist's aber genug. Sollen wir denken, daß
du es nicht mehr erwarten kannst, bis er unterm Boden ist?" 110

Sie sah ihn seltsam an. „Denkt, was ihr wollt," murmelte° sie schließlich und
ging hinaus. Sie kam erst wieder herein, als es dämmerte°. „Atmet er noch?"
sagte sie. Niemand gab ihr Antwort. Es wurde Nacht. „Geht zu Bett," sagte Peter,
„ich wache." Aber wir blieben alle angekleidet sitzen. Stunde um Stunde verging.
Schließlich waren Peter und Tante Emily eingeschlafen. Ich setzte mich an Onkel 115
Gottfrieds Bett.

mumbled

grew dark

„Onkel Gottfried," sagte ich dicht° an seinem Ohr. Er schlug die Augen auf°
und sah mich an. Sein Blick war so klar, daß ich erschrak. Er versuchte zu
lächeln, sein altes, schwermütiges°, resigniertes Lächeln. Plötzlich begannen seine
Augen umherzuirren°. Mühsam° sagte er: „Emily?" 120

*close, **schlug auf** opened*

melancholy

roll, with difficulty

„Sie ist da, sie schläft."

„Laß sie," flüsterte er. „Und verlaßt sie nicht." Ganz leise und zärtlich fügte
er hinzu, „Sie ist so ein Kind."

Plötzlich sank er wieder zurück° in die Bewußtlosigkeit°.

*__sank zurück__ relapsed,
unconsciousness*

„Mit wem redest du?" fragte Peter, der aufgewacht war. 125

„Still," sagte ich, „schlaf weiter." Dann war ich wieder ganz allein mit Onkel
Gottfried, und ich fühlte, daß er begann fortzugehen. Obwohl mir die Angst fast
die Kehle zuschnürte°, hätte ich um keinen Preis einen der beiden geweckt. Der
Todeskampf war kaum ein Kampf, sondern eher ein eigensinniges Verzögern der
letzten Einwilligung°. Stunde um Stunde ging hin. 130

choked

*__eigensinniges . . .__ obstinate
delay of the last consent, dawn*

Im Morgengrauen° wachte Tante Emily auf.

„Lebt er noch?" fragte sie laut. Sie beugte sich über den Sterbenden und

touched	befühlte° seine Beine. „Bald," murmelte sie, „bald." Sie ließ die Decke wieder
shuffled	fallen. Dann schlurfte° sie hinaus. Ich hörte sie mit Herdringen und Töpfen
handle	hantieren°. 135
richtete . . . seinen Blick	Plötzlich richtete° Onkel Gottfried seinen Blick auf mich und sagte erstaunlich°
directed his glance at, surprisingly	laut und fest: „Seid gut zu Emily."
	Das waren seine letzten Worte. Einige Augenblicke später, noch ehe ich Tante
	Emily hatte rufen können, war er gestorben. Der Ausdruck geduldiger Schwer-
melancholy, remained	mut° war ihm verblieben°. Ich rief nach Peter und Tante Emily. 140
terror	„Tot?" fragte sie, und plötzlich stand in ihren Augen ein wildes Entsetzen°.
uncontrollably, clung	Dann begann sie zu weinen. Sie weinte haltlos° und klammerte sich° abwechselnd
	an Peter und mich. Plötzlich aber rief sie: „Und er hat mich einfach allein gelassen.
trump (card), perish	Das war sein Trumpf°: Einfach fortzugehen. Mag ich umkommen°, ihm ist's
it's the same to him	gleich°. Er ist fort, ihn kümmert's nicht mehr." 145
	Peter schob sie aus der Tür und führte sie in die Küche. Dort ließ er sie laut
	weiterweinen. Dann ging er fort, den Arzt zu holen. Ich blieb mit dem Toten
	allein.
arranged, mortuary	Gegen Mittag war alles geregelt°. Onkel Gottfried lag im Leichenhaus°, und
dared	Tante Emily blieb in der Küche sitzen und starrte vor sich hin. Wir wagten° 150
	nicht, sie allein zu lassen.
	Bei der Beerdigung regnete es in Strömen, aber das Wetter hatte nicht ver-
succeeded in, deter	mocht°, die Leute abzuschrecken°. Die halbe Stadt war gekommen, und viele
resembled	weinten, auch Männer, als über ein Schicksal, das dem ihren glich°: sie alle fühlten
buried	sich betrogen vom Leben, und als sie den alten Mann begruben°, dessen Schicksal 155
	sie kannten, da waren sie alle selbst dieser alte Mann, dem das Leben soviel
owed, clods	schuldig geblieben° war, und auf den sie nun schwere Brocken° nasser Erde
	warfen.
in full regalia, black veils	Tante Emily, in vollem Staat°, mit langen dichten Trauerschleiern°, weinte
motionless, casket	nicht. Sie starrte regungslos° auf den Sarg°. 160
	Als wir wieder daheim waren, warf sie den Hut mit dem Schleier ab, blickte
flashing	mit funkelnden° Augen um sich und rief: „So, jetzt werde ich die Zimmer neu
wallpaper, upholster	tapezieren° lassen, in Blau, alles in Blau, auch die Möbel lasse ich neu beziehen°."
somber	Mit einem düstern° und bösen Lachen fügte sie hinzu: „Blau hat er nicht leiden
tolerate	können." Dann holte sie einen Fahrplan aus dem Schrank. „Zeigt mir, wie man 165
astonished	Züge liest," befahl sie. „Ich verreise." Peter begann verwundert°, es ihr zu er-
	klären. Plötzlich rief sie: „Aber er fährt ja nicht mit." Und sie begann zu weinen,
pitifully, incessantly, helpless	so leidenschaftlich und jammervoll° und so unaufhaltsam°, daß wir völlig ratlos°
	wurden. Dieses Weinen dauerte Stunde um Stunde, es glich einem Naturereignis
	an sich. 170
the next day, calmed down	Wir fuhren erst tags darauf° ab, als sie beruhigt° und sogar unternehmungs-
enterprising	lustig° aussah und bereits den Tapezierer bestellt hatte.
	Einige Tage darauf hatten wir einen Sohn, und wir nannten ihn Gottfried. Ein
	paar Wochen später schrieben wir an Tante Emily, ob sie nicht zu uns kommen
	wollte. Aber sie kam nicht. Sie schrieb lakonische Karten, aus denen nicht zu 175
to be gathered	entnehmen° war, wie es ihr ging.
	Ein halbes Jahr nach Onkel Gottfrieds Tod besuchten wir sie. Klein und völlig
emaciated, easy chair	abgemagert° saß sie in einem blauen Lehnstuhl° am Fenster, trotz der Sonnen-

wrapped wärme in eine dicke Decke gehüllt°. Das ganze Zimmer war blaugrün wie ein
Aquarium.   180

"Ah," rief Peter aus, "jetzt hast du dir dein Leben nach deinem Geschmack
arranged, defensively eingerichtet°." Sie hob abwehrend° die Hände.
unrelentingly "Bist du jetzt zufrieden?" fuhr er unerbittlich° weiter.

"Was verstehst denn du," sagte sie müde.

"Aber du kannst doch jetzt tun, was du willst," sagte Peter.   185

nudged Sie gab ihm keine Antwort. Ich stieß Peter an°, daß er schweigen sollte, dann
sagte ich: "Das Blau ist schön."

"So," sagte sie, "schön. Schön sagst du." Ihre Stimme wurde laut und scharf.
"Seht es euch nur genau an, das schöne Blau. Habt ihr's gesehen?"

faded and spotted Es war bereits vom Licht ausgebleicht und fleckig°.   190

"Versteht ihr? Er hat Blau nie leiden können." Dann sah sie uns mit ihren
dim trüb° gewordenen Augen so scharf wie möglich an und rief: "Ihr denkt natürlich,
ich bin verrückt. Ich bin so klar wie ihr. Aber ihr versteht nicht."

Sie zuckte die Achseln. "Meinetwegen," murmelte sie. Dann zog sie eine
Flasche Rotwein hinter dem Sessel hervor und hob sie gegen das Licht. "Leer," 195
sagte sie. "Es war die letzte. Ich habe sie alle ausgetrunken."

"Du? Aber du hast doch Wein nie leiden können!"

"Richtig," sagte sie. "Vielleicht ist jetzt Frieden. Er wollte immer, daß ich
auch trinke."

wrapped herself, shawl, dismissed Sie wickelte sich° fester in ihren Schal°, und wir fühlten uns verabschiedet°. 200
sank into, access Sie versank° in einer Welt, zu der wir keinen Zugang° hatten. Wir waren zu
jung. Einige Wochen später war sie tot. Sie war keine Stunde krank gewesen.
Eines Abends hatte sie sich schlafen gelegt wie immer, und am Morgen fand die
Putzfrau sie tot.

"Altersschwäche," schrieb der Arzt auf den Totenschein. Ich aber begriff, 205
shuddered woran sie gestorben war, und mich schauderte° davor, zu sehen, was für un-
sinister heimliche° Formen die Liebe annehmen kann.

Fragen zum Text

1. Sagen Sie alles, was Sie aus dem Text über die Erzählerin der Geschichte
   wissen.

2. Warum war das junge Ehepaar über Tante Emilys Postkarte erstaunt? Warum
   wollten sie, daß Onkel Gottfried seine Frau überlebt?

3. Welche Pflichten hatte jeder Partner in dieser Ehe? Warum? Was waren die
   Folgen?

4. Wie lange ist Onkel Gottfried schon krank? Warum ist er krank geworden?
   Was sagt seine Frau über die Krankheit? Wie reagiert das junge Ehepaar auf
   ihre Haltung dem Kranken gegenüber?

5. Beschreiben Sie die Nacht im Krankenzimmer, besonders die beiden kurzen
   Szenen zwischen der jungen Frau und ihrem Onkel.

6. Was ist Tante Emilys Reaktion auf Gottfrieds Tod?

7. Wie erklärt die Erzählerin, daß soviele Menschen bei der Beerdigung weinten?

8. Was sind Tante Emilys Pläne für ihr Leben allein? Was passiert bis zum nächsten Besuch des jungen Paares nach sechs Monaten?

9. Was meint die Tante, wenn sie sagt, „Ihr versteht nicht"?

Themen zum Schreiben und zur Diskussion

1. Lesen Sie noch einmal alle Beschreibungen von Tante Emily und Onkel Gottfried und fassen Sie dann zusammen, was für eine Person jeder Partner ist, und welche Fehler jeder Partner gemacht hat. Wo liegt Ihre Sympathie? Warum?

2. Was denkt die junge Erzählerin über diese Ehe? Als junger Mensch, können Sie sich vorstellen, daß Sie in einer solchen Ehe leben? Was würden Sie dann machen? Kennen Sie vielleicht solche Ehen?

3. Was für eine Frau wünschen Sie für Onkel Gottfried? Was für einen Mann für Tante Emily?

4. Alle Texte in diesem Kapitel geben verschiedene Bilder der Ehe; welche scheinen Ihnen realistisch, welche nicht, und warum? Für welche der Ehen sehen die Texte eine positive Zukunft?

5. Denken Sie, die Ehe ist noch heute eine lebendige Institution? Welche anderen Möglichkeiten gibt es für die Menschen zusammenzuleben?

Aktivitäten

1. Debatte: „In einer Ehe gibt es Rollen für den Mann und für die Frau. Wenn Sie die Rollen verwechseln, wird die Ehe nicht gut gehen."

2. Tante Emily und Onkel Gottfried sind bei einer Eheberaterin; beide wollen wissen, wie sie bessere Eheleute werden können.

3. Fragen Sie Ihre Freunde, was die wichtigsten Eigenschaften für (a) eine gute Partnerschaft (b) die Ehe sind und machen Sie eine Liste.

Grass, Günter   * 16.10.1927 in Danzig. Er kommt aus einem deutsch-polnischen Elternhaus und wuchs in *lower middle class* Danzig-Langfuhr in kleinbürgerlichen° Verhältnissen auf. Gegen Ende des Krieges wurde er Soldat und kam in ame- *captivity* rikanische Gefangenschaft°. Später arbeitete er auf dem *mine* Land und in einem Bergwerk°, begann 1947 eine Steinbild-

apprenticeship as a sculptor | hauer-Lehre° studierte an der Kunstakademie und war Mit-
glied einer Jazzband. 1954 heiratete er eine Schweizerin. Er
confirmed occasional poet | nennt sich einen „eingefleischten Gelegenheitslyriker°",
denn seine eigentliche Stärke ist sein Prosawerk, das in viele
Sprachen übersetzt wurde. Von vielen Kritikern wird er als
einer der großen Meister der deutschen Sprache unserer
Zeit angesehen.

GÜNTER GRASS

Ehe

	Wir haben Kinder, das zählt bis zwei.	
	Meistens gehen wir in verschiedene Filme.	
growing apart	Vom Auseinanderleben° sprechen die Freunde	
	Doch meine und Deine Interessen	
	berühren sich immer noch	5
	an immer den gleichen Stellen.	
cuff links	Nicht nur die Frage nach den Manschettenknöpfen°.	
	Auch Dienstleistungen:	
	Halt mal den Spiegel	
change light bulbs	Glühbirnen auswechseln°.	10
	Etwas abholen.	
	Oder Gespräche, bis alles besprochen ist.	
	Zwei Sender, die manchmal gleichzeitig	
	auf Empfang gestellt sind.	
switch off	Soll ich abschalten?°	15
exhaustion	Erschöpfung° lügt Harmonie.	
	Was sind wir uns schuldig? Das.	
toilet	Ich mag das nicht: Deine Haare im Klo°.	
	Aber nach elf Jahren noch Spaß an der Sache.	
fluctuating	Ein Fleisch sein bei schwankenden° Preisen.	20
	Wir denken sparsam in Kleingeld.	
	Im Dunkeln glaubst Du mir alles.	
unravel and knit new	Aufribbeln und Neustricken°.	
extended caution	Gedehnte Vorsicht.°	
	Dankeschönsagen.	25
pull yourself together	Nimm Dich zusammen°.	
	Dein Rasen vor unserem Haus.	
	Jetzt bist Du wieder ironisch.	
	Lach doch darüber.	
beat it	Hau doch ab°, wenn Du kannst.	30
weatherproof	Unser Haß ist witterungsbeständig°.	
distracted	Doch manchmal, zerstreut°, sind wir zärtlich.	

Die Zeugnisse der Kinder
signed   müssen unterschrieben° werden.
deduct our tax exemptions   Wir setzen uns von der Steuer ab°.   35
Erst übermorgen ist Schluß.
Du. Ja Du. Rauch nicht so viel.

WILHELM BUSCH

Kritik des Herzens

likewise   S ie hat nichts und du desgleichen°;
Dennoch wollt ihr, wie ich sehe,
Zu dem Bund der heil'gen Ehe
join   Euch bereits die Hände reichen°.

in your right mind   Kinder, seid ihr denn bei Sinnen°,   5
überlegt euch das Kapitel!
necessary means   Ohne die gehör'gen Mittel°
Soll man keinen Krieg beginnen.

VIII
Krieg und Frieden

DER ZWEITE WELTKRIEG

Neue Wörter

Verben

an·greifen, i, i	to attack
besetzen	to occupy
betreffen (i), a, o	to concern, affect
bilden	to form
entsprechen (i), a, o	to correspond to
entwickeln	to develop
herrschen (über)	to rule (over)
scheitern (an) (+ sein)	to fail
übernehmen (i), a, o	to take over
vernichten	to annihilate
verwalten	to administer

Substantive

die **Absicht, -en**	intention
der **Angriff, -e**	attack
die **Behandlung, -en**	treatment
die **Einheit, -en**	unity, unit
das **Ereignis, -se**	event
das **Ergebnis, -se**	result
der **Feind, -e**	enemy
der **Flüchtling, -e**	refugee
das **Gebiet, -e**	territory
die **Lösung, -en**	solution
die **Macht, ¨e**	power
die **Niederlage, -n**	defeat
der **Sieg, -e**	victory
der **Überfall, ¨e**	invasion, attack
das **Urteil, -e**	judgment, verdict
die **Verhandlung, -en**	negotiation
die **Verfassung, -en**	constitution
der **Widerspruch, ¨e**	contradiction
der **Zusammenbruch, ¨e**	collapse

Adjektive

bedingungslos	unconditional
gesamt	total
günstig	favorable
verantwortlich	responsible
wirtschaftlich	economic

NEUE WÖRTER IM KONTEXT

1. Nennen Sie ein Synonym:

die Absicht   das Resultat
der Angriff   zerstören
nicht gelingen   befehlen (über)

2. Nennen Sie ein Antonym:

der Sieg   der Freund
günstig   gelingen

REDEWENDUNGEN AUS DEM TEXT

1. sie waren sich einig in   *they agreed on*
2. Es entspricht dem Konzept.   *That corresponds to the plan*
3. Sie übernahmen die Macht.   *They assumed power*
4. es stand im Zeichen   *it was under the auspices (of)*
5. unter diesen Umständen   *under these circumstances*
6. seinem Charakter nach   *in its character*
7. sie kapitulierten vor   *they capitulated to*

Ersetzen Sie den unterstrichenen Satzteil mit einer *Redewendung*:

So wie er war, war der Krieg ungerecht. _____
Er stand unter dem Einfluß seiner Zeit. _____
Sie hatten die gleichen Absichten. _____
Aus diesen Gründen scheiterte der Angriff. _____
Sie begannen ihre Herrschaft. _____
Es ist so, wie der Plan es vorschreibt. _____
Sie gaben auf.

VOKABULARARBEIT

Sagen sie das auf Deutsch:
1. German units attacked Poland.
2. The attack upon Poland corresponded to his intentions.
3. The war became a world war.
4. The enemy was destroyed.
5. They were agreed on the treatment of Germany.
6. The economic negotiations failed.
7. In its character this was a capitalist war.
8. The Germans surrendered to the Allies.
9. After the defeat the Allies administered the country.

Der zweite Weltkrieg (Bundesrepublik Deutschland)

living space

assumption of power
military leadership
ideas

trug ... vor *presented*
announced, German Parliament

"lightning war"

Eastern campaign
eliminate
Jews

Die Absicht, den deutschen „Lebensraum°" zu vergrößern, hatte Hitler schon in seinem Buch *Mein Kampf* formuliert und in Propagandareden immerzu wiederholt. Schon vier Tage nach der Machtergreifung° entwickelte er vor der Reichswehrführung° in einer Geheimsitzung seine politischen und militärischen Vorstellungen° Und vier Jahre danach, im November 1937, sah er für die „Lösung 5 der deutschen Frage" nur den „Weg der Gewalt", der „niemals risikolos" sein könne, und trug der militärischen Führung seine Ideen über den günstigsten Zeitpunkt eines Angriffes vor°.

Am 1.9.1939 verkündete° er vor dem Reichstag° und vor der Öffentlichkeit den Beginn des Krieges. Die Überfälle auf Polen, Dänemark, Norwegen, Frank- 10 reich und Jugoslawien entsprachen dem Blitzkrieg°-Konzept Hitlers. Sie führten 1939–40 auch zu schnellen Siegen. Aber mit dem Angriff auf die Sowjetunion und dem Kriegseintritt der USA nach dem Überfall Japans auf Pearl Harbor 1941 bekam der Krieg eine ganz neue Dimension: er wurde wirklich zum Welt- krieg ... Mit dem „Ostfeldzug°" begann nicht nur der Versuch, die Rote Armee 15 militärisch auszuschalten°, sondern auch eine systematische Vernichtung der ost- europäischen Juden°.

Schon im Januar 1943 forderten die Alliierten die bedingungslose Kapitulation Deutschlands. Wenig später markierte die deutsche Niederlage bei Stalingrad die Wende° des Krieges. Propagandaminister Goebbels proklamierte den „totalen 20 Krieg"; die Westmächte antworteten mit Verschärfung° des Luftkrieges, auch gegen die Zivilbevölkerung°. Mit der Invasion der Westalliierten im Juni 1944 begann die letzte Phase des Kampfes. Zur gleichen Zeit warfen die Sowjets die deutschen Truppen im Osten bis fast an die deutsche Grenze zurück. Am Ende stand im Mai 1945 der totale Zusammenbruch und die bedingungslose Kapitu- 25 lation Deutschlands.

Nach der Niederlage der deutschen Wehrmacht am 8. Mai 1945, existierte in Deutschland keine staatliche Gewalt mehr. Die vier Siegermächte hatten das Land besetzt und die volle Regierungsmacht übernommen. Sie waren sich einig° in dem Ziel, eine von Deutschland ausgehende Kriegsgefahr in Zukunft unmöglich 30 zu machen. Es gab jedoch Differenzen über die Nachkriegsordnung und die Prinzipien, auf denen diese basieren sollte ... Die unterschiedliche° Interpretation einzelner Punkte der Potsdamer Beschlüsse° zeigte bald, daß die Siegermächte verschiedene politische und soziale Ordnungsvorstellungen hatten. Deutschland wurde nun zum Kampffeld ihrer ideologischen und politischen Konflikte. 35

Es gab nur eine gemeinsame Kommission: den Alliierten Kontrollrat°, denn die Bildung einer deutschen Zentralgewalt° war am Veto Frankreichs gescheitert. Die wirtschaftliche Einheit wurde von dem Prinzip zerstört, daß die Besatzungsmächte Reparationen jeweils° aus ihren Zonen herausholen sollten.

Die Besatzungsmächte richteten die wirtschaftliche, gesellschaftliche und po- 40 litische Entwicklung nach dem Vorbild° ihres eigenen Systems aus°. In der sowjetischen Zone wurden die politischen Parteien zu einem „Antifaschistischen Block" zusammengeschlossen°, der bald unter dem Einfluß der KPD (Kommunistische Partei Deutschlands) stand ... Die sowjetische Zone wurde zentral verwaltet, die Wirtschaft durch Kollektivierung° von Grund und Boden° und Vergesell- 45 schaftung° von Banken und Industrie auf ein sozialistisches Planwirtschaftssystem° umgestellt°.

Die Westmächte hatten anfangs keine einheitliche Vorstellung über die Behandlung Deutschlands. In den Westzonen wurden politische Parteien nur zögernd zugelassen°. Demokratie sollte von oben entstehen. Länder wurden zuerst 50 in der amerikanischen, zuletzt in der französischen Zone gebildet. Die USA waren die stärkste Macht, die England und Frankreich auf den neuen Kurs einer „Eindämmung° des Kommunismus" zwingen konnten. Der Marshall-Plan sollte ein wirtschaftliches Hilfsprogramm für ganz Europa sein; er wurde aber von den östlichen Staaten nicht akzeptiert und kam nur Westeuropa, einschließlich° der 55 westlichen Zonen Deutschlands zugute°. Dort wurde das privatkapitalistische System wiederhergestellt°. Im Juni 1948 wurden in den Westzonen und in der Ostzone getrennte Währungsreformen° durchgeführt und damit der Prozeß der wirtschaftlichen Spaltung° Deutschlands abgeschlossen. Der Höhepunkt° dieses „Kalten Krieges" zwischen den USA und der UdSSR war die Blockade der 60 Westsektoren Berlins von Juni 1948 bis Mai 1949, die von den Westmächten mit Hilfe der Luftbrücke gebrochen wurde.

under these circumstances Unter diesen Umständen° ließen sich Versuche, alle Zonen zu einem einheit-
meetings of the foreign ministers lichen Staat zusammenzuschließen, nicht mehr realisieren. Nachdem mehrere
(Secretaries of State) Außenministerkonferenzen° der Siegermächte ohne Ergebnis geblieben und auch 65
deutsche Versuche, die Einheit zu erhalten, gescheitert waren, gaben die West-
mächte den Ministerpräsidenten der Länder den Auftrag, eine parlamentarisch-
demokratische und föderalistische Verfassung für den westdeutschen Staat aus-
interim (document) zuarbeiten, als Provisorium° bis zum Moment einer Wiedervereinigung ganz
parliamentary elections Deutschlands. Die ersten Bundestagswahlen° im Herbst 1949 demonstrierten den 70
Willen der großen Mehrheit der Bevölkerung zu einer liberalen Demokratie nach
example westlichem Vorbild°.
establishment Kurze Zeit später folgte die Sowjetunion mit der Gründung° der Deutschen
Demokratischen Republik dem westlichen Beispiel. Die Sozialistische Einheitspartei Deutschlands (SED) hatte 1947 und 1948 „Volkskongresse für Einheit und 75
convened gerechten Frieden" einberufen°. Doch außer der KPD hatten keine politischen
Parteien und Organisationen aus den Westzonen teilgenommen. Die Volkskongresse hatten gefordert, eine „antifaschistische Demokratie in einer einheit-
lichen Republik" zu schaffen. Der Kongreß wählte einen Volksrat, der sich die
representation legale Vertretung° des deutschen Volkes nannte und eine Verfassung ausarbeitete. 80
Am 5. Oktober 1949 wurde auf einer gemeinsamen Versammlung des Volksrates
und des Blocks der antifaschistischen Parteien der Volksrat mit der Regierungs-
charged, declared bildung beauftragt. Zwei Tage später erklärte° er sich zur provisorischen Volks-
provisional People's Chamber, kammer° der DDR und setzte in dieser Eigenschaft° die Verfassung in Kraft°.
capacity, put in effect

Fragen zum Text

1. 1933 wurde Adolf Hitler der deutsche Führer. Was war seine wichtigste Absicht? Wer wußte davon?
2. Wie wollte er vier Jahre später die „deutsche Frage" lösen?
3. Wann und wie begann der zweite Weltkrieg? Welche Länder griff Hitler zuerst an, welche später?
4. Wann und durch welche Ereignisse wurde der europäische Krieg zum Weltkrieg?
5. Was wollte Hitler mit dem Ostfeldzug erreichen?
6. Nennen Sie zwei wichtige Ereignisse im Jahre 1943.
7. Was heißt „totaler Krieg"? Wie reagierten die Alliierten im Osten und Westen darauf?
8. Wann und wie endete der Krieg in Europa?
9. Was waren die Ziele der Alliierten für Deutschland nach dem Krieg?
10. Beschreiben Sie die Konflikte zwischen den Siegermächten.
11. Wo arbeiteten die Alliierten zusammen? Warum konnten sie keine zentrale Verwaltung für Deutschland bilden?
12. Beschreiben Sie die politische Entwicklung in der sowjetischen Besatzungszone.
13. Was war der Marshall-Plan? Wo funktionierte er? Wie ging die wirtschaftliche Entwicklung der Westzonen weiter?
14. Nennen Sie einen Höhepunkt des Kalten Krieges in Europa. Was war das Resultat?
15. Was wollten die Außenministerkonferenzen?
16. Wer schrieb die Verfassung für die Westzonen? Wie trat diese Verfassung in Kraft? Wie heißt der neugebildete Staat?
17. Wer wählte den Volksrat?
18. Der Volksrat wurde die „legale Vertretung des deutschen Volkes" genannt. Was war seine Aufgabe?
19. Wie trat die Verfassung der Deutschen Demokratischen Republik in Kraft?

Der zweite Weltkrieg (DDR)

Der zweite Weltkrieg entstand aus den antagonistischen Widersprüchen des imperialistischen Systems. Hauptaggressor in Europa war der faschistische deutsche Imperialismus und Militarismus. Der Antisowjetismus der herrschenden *contributed* Kreise der Westmächte hatte entscheidend dazu beigetragen°, daß das Deutsche Reich wieder den Weg der Aggression gehen konnte. Verantwortlich für den 5

Die Volkskammer der DDR

Krieg waren in erster Linie das deutsche Finanzkapital und der deutsche Mili-
individual tarismus. Weder Adolf Hitler als Einzelperson°, noch eine Gruppe hoher Führer
der faschistischen Partei und des Staates hätten, wie eine Hauptthese der im-
historiography perialistischen Geschichtsschreibung° heißt, allein den Krieg vorbereiten und ent-
unleash fesseln° können.   10
stage Der zweite Weltkrieg leitete eine neue Etappe° der allgemeinen Krise des
leitete ... ein initiated, clash kapitalistischen Systems ein°. Er begann als Zusammenstoß° zwischen dem Block
der faschistischen Staaten unter Führung des deutschen Imperialismus und einer
Gruppe imperialistischer Staaten unter Führung herrschender Monopolkreise und
Politiker Frankreichs und Großbritanniens. Diese militärische Auseinanderset- 15
conflict zung° zwischen zwei imperialistischen Koalitionen war ihrem Charakter nach ein
mutually beiderseits° ungerechter, imperialistischer Krieg.
Der vom faschistischen deutschen Imperialismus entfesselte zweite Weltkrieg
left, disabled forderte fast 55 Millionen Tote und hinterließ° 35 Millionen Kriegsversehrte°. 72
Staaten waren direkt oder indirekt in die kriegerischen Handlungen involviert; 20
vier Fünftel der gesamten Weltbevölkerung wurden vom Kriegsgeschehen be-
involved, untold troffen. Der Krieg brachte allen beteiligten° Völkern unermeßliche° Leiden und
irreplaceable, goods zerstörte unersetzliche° materielle Güter.

Am 8. Mai 1945 kapitulierte das faschistische Deutschland bedingungslos vor den Siegermächten der Antihitlerkoalition. Der Krieg in Europa war damit zu 25 Ende. Die Truppen der vier Siegermächte besetzten das ganze Land und übernahmen in ihren Besatzungszonen die oberste Gewalt.

Fragen zum Text

excerpt 1. Dieser kurze Ausschnitt° steht in einem neuen Geschichtsbuch aus der DDR. Wer ist dieser Interpretation nach der Aggressor im zweiten Weltkrieg?

2. Wer war diesem Text nach für den Krieg verantwortlich?

3. Der Text spricht von einem Zusammenstoß von zwei Blöcken. Wer ist gemeint?

4. Der zweite Weltkrieg wird hier ein ungerechter, imperialistischer Krieg genannt. Warum?

5. Nennen Sie die Resultate des Krieges. Kannten Sie diese Zahlen schon vorher?

6. Der Artikel spricht nicht von den „Alliierten", sondern von der „Antihitlerkoalition". Ist das ein besserer Name?

Themen zum Schreiben und zur Diskussion

1. Aus den beiden Texten können Sie sehen, daß die ostdeutschen und die westdeutschen Historiker über den zweiten Weltkrieg verschieden denken. Diskutieren Sie die Unterschiede.

2. Haben Sie schon einmal die Geschichte des zweiten Weltkriegs studiert, so daß Sie eine Meinung über die verschiedenen Interpretationen haben? Erklären Sie die.

3. Nennen Sie die Ereignisse, die die Bildung von zwei deutschen Staaten veranlaßten. Was ist Ihre Reaktion auf diese Entwicklung in Mitteleuropa?

4. Ist es wichtig für junge Amerikaner, die Gründe und Folgen des zweiten Weltkriegs zu verstehen?

Aktivitäten

1. Geben Sie Ihre Version über den Zweiten Weltkrieg (in Ihren eigenen Worten oder mit diesem Vokabular):
entstehen aus; Hauptaggressor; entscheidend beitragen zu; verantwortlich für; weder Hitler noch seine faschistischen Parteiführer; Zusammenstoß zwischen; unter Führung von; Tote fordern; Staaten direkt oder indirekt involviert; vier Fünftel der Weltbevölkerung; zerstören; bedingslos kapitulieren vor; Land besetzen; oberste Gewalt

Österreich nach dem zweiten Weltkrieg

Seit 1807, dem Ende des Heiligen Römischen Reiches Deutscher Nation, existierten Österreich und Deutschland als selbständige deutschsprachige Länder. 1918, nach dem ersten Weltkrieg wurde die österreichische Monarchie zur Ersten Republik. Sie fand zwanzig Jahre später durch den sogenannten Anschluß° ein Ende, als am 15. März 1938 deutsche Truppen einmarschierten, und 5 Österreich als „Ostmark"° ein Teil Deutschlands wurde. Zu der Zeit schien Österreichs Schicksal von den Österreichern selbst akzeptiert und von der Weltöffentlichkeit anerkannt°.

Nachdem aber Großbritannien, die Sowjetunion und die Vereinigten Staaten Alliierte im Kampf gegen Hitler geworden waren, änderten sie ihre Ansicht über 10 die Österreichfrage, indem sie im Dezember 1941 die Selbstständigkeit Österreichs zu einem Kriegsziel machten. Die Moskauer Deklaration von 1943 erklärte den Anschluß als null und nichtig°, erinnerte aber das Land daran, „daß es für die Teilnahme am Kriege an der Seite Hitler-Deutschlands eine Verantwortung trägt." 15

In den Verhandlungen von Yalta 1945 wurde Österreich widersprüchlich gesehen: einmal als das erste Opfer der verbrecherischen Nazis, aber zur gleichen Zeit als ihr Mitkämpfer. Das Protokoll bestimmte die Beseitigung° aller faschistischen Einrichtungen und die Besatzung Österreichs durch alliierte Truppen, aber auch Hilfeleistungen bei der politischen und wirtschaftlichen Rekonstruktion 20 des Landes.

Drei neugegründete Parteien (die Österreichische Volkspartei, die Sozialistische Partei und die Kommunistische Partei) proklamierten am 27. April 1945 Österreichs Unabhängigkeit° und bildeten gemeinsam eine zuerst nur von der Sowjetunion anerkannte provisorische Regierung. Diese Zentralregierung wurde von 25 allen österreichischen Ländern anerkannt; damit war von österreichischer Seite eine Ausgangsposition geschaffen, die eine Teilung des Landes verhindern konnte. In freien Wahlen Ende 1945 wurden die demokratischen Verhältnisse wiederhergestellt; die Volkspartei und die Sozialisten bildeten die Regierungskoalition.

Es folgten schwierige Verhandlungen der Alliierten über die Zukunft des be- 30 setzten Landes, besonders über die wirtschaftlichen Forderungen der Sowjetunion, über territoriale Fragen (Kärnten, Südtirol), über Österreichs Position zwischen Osten und Westen, (d.h. die Verhinderung° einer Integration in einen der beiden Machtblöcke); und die Berliner Konferenz von 1954 scheiterte. Am 15. Mai 1955 endlich gab der Staatsvertrag Österreich seine volle Souveränität 35 wieder. Nachdem die alliierten Soldaten das Land verlassen hatten, trat am 26. Oktober die Neutralitätsklausel° in Kraft°:

> Zum Zwecke der dauernden Behauptung° seiner Unabhängigkeit nach außen und zum Zwecke der Unverletzlichkeit° seines Gebietes erklärt Österreich aus freien Stücken° seine immerwährende Neutralität. 40

Die Zweite Republik wurde am 15. Dezember 1955 Mitglied der Vereinten Nationen (UN).

Margin glosses:
annexation
Eastern Borderland
acknowledged
null and void
elimination
independence
prevention
Neutrality Clause, **trat . . . in Kraft** became law
lasting maintenance
inviolability
freely

Hitler in Österreich, 1938

Zerstörtes Wien, 1945

Unterzeichnung des Staatsvertrags, 1955

Fragen zum Text

1. Wann wurde Österreich eine Republik? Wann und wie endete diese Republik? Wie wurde das Land dann genannt?
2. Was war die Reaktion der Weltöffentlichkeit auf den Anschluß?
3. Seit wann interessierten sich die Alliierten für das Schicksal Österreichs? Was sagt die Moskauer Deklaration?
4. Erklären Sie, was die Alliierten in Ialta über Österreich dachten, und was sie über das Land bestimmten.
5. Was war die erste Handlung der drei neugegründeten österreichischen Parteien? Hatte sie Erfolg?
6. Die Berliner Konferenz von 1954 scheiterte. Was waren die Probleme in den Verhandlungen über Österreichs Zukunft?
7. Nennen Sie einen wichtigen Paragraphen in der Österreichischen Verfassung.

Themen zum Schreiben und zur Diskussion

1. In Österreich wird Deutsch gesprochen. Verstehen Sie, warum? Erzählen Sie, was Sie über Österreichs Geschichte wissen.
2. Nach dem zweiten Weltkrieg wurde Österreich, wie Deutschland, von den Siegern Besetzt und verwaltet. Erklären Sie, warum Österreich, im Gegensatz zu Deutschland, heute ein ungeteiltes Land ist.
3. Was denken Sie über die Situation Österreichs zwischen den beiden großen Machtblöcken, jetzt und in der Zukunft?

UNTERGETAUCHT

Neue Wörter

Verben

bewundern	to admire
hamstern	to hoard (food)
recht haben	to be right
schleichen, i, i (+ sein)	to sneak
schneien	to snow
unter·tauchen (+ sein)	to go underground
vernehmen (i), a, o	to interrogate
verstecken	to hide

Substantive

die **Aufregung, -en**	excitement
der **Beamte, -n**	official

die **Behauptung, -en**	assertion
das **Netz, -e**	net, net-bag
die **Siedlung, -en**	settlement
der **Unsinn (-s)**	nonsense
der **Vorort, -e**	suburb
die **Wette, -n**	bet
der **Zuhörer, -**	listener

Andere Wörter

aufgeregt	excited
höchstens	at most
nämlich	namely, that is
rasch	quickly
schließlich	after all, at last
schrecklich	fearful
ungeschickt	clumsy
verzweifelt	desperate
vollkommen	complete
zugleich	at the same time

NEUE WÖRTER IM KONTEXT

1. Geben Sie ein Antonym:

Sinn	Stadtzentrum
sich irren	ruhig
langsam	geschickt
zum Teil	

2. Erklären Sie diese Wörter auf Deutsch:

ein Beamter	eine Siedlung
eine Wette	ein Zuhörer
untertauchen	hamstern
schleichen	vernehmen
schneien	verstecken

REDEWENDUNGEN AUS DEM TEXT

1. Es blieb keine andere Wahl. — *There was no choice*
2. Der Erste ist der Dumme. — *The first is left holding the bag.*
3. wie sie ging und stand — *as she was*
4. alles was recht ist — *fair is fair (but that's too much)*
5. Sie gab sich Mühe. — *She tried hard*
6. in Gedanken — *absentminded*
7. Abends sind alle Katzen grau. — *In the dark all cats are grey.*

8. Ich gehe jede Wette mit dir ein.   *I'll bet you anything.*
9. Ich hatte nichts andres im Sinn.   *I could think of nothing else.*
10. Sagen Sie mal!   *What do you say!*
11. Hol es der Teufel!   *Darn it all!*

Schreiben Sie die Nummer der *Redewendung,* die etwa dasselbe sagt:
Wir konnten nichts anderes tun. ____ Verdammt noch einmal! ____
Sie hat versucht, alles gut zu machen. ____ Um fair zu sein. ____
Ich mußte immerzu daran denken. ____ Na so was! ____

Reagieren Sie mit einer passenden *Redewendung*:
Ich habe Sie im Dunklen gar nicht erkannt. ____ Konnte sie sich vorbereiten?
Nein, sie kam ____. Es ist gefährlich, etwas anzufangen. Ja, denn ____.

Langgässer, Elisabeth   * 23.2.1899 in Alzey, †
25.7.1950 in Rheinzabern. Sie verbrachte die ersten dreißig
Jahre ihres Lebens am Rhein, die nächsten zwanzig in Berlin. Sie war Halbjüdin und durfte deswegen ab 1936 nicht
mehr publizieren, wurde zur Zwangsarbeit° verurteilt, und *(forced labor)*
ihre Tochter wurde ins Konzentrationslager Auschwitz ver-
schleppt. Die Autorin sieht die Welt aus der katholischen
Perspektive; zuerst hatten noch Naturkräfte° eine Rolle in *(forces of nature)*
ihren Werken gespielt, aber ihre späteren Erzählungen, Ro-
mane und Gedichte sehen den Menschen im Kampf
zwischen Gott und Satan und beschreiben menschliche
Situationen realistisch und oft als schrecklich.

ELISABETH LANGGÄSSER

Untergetaucht

„Ich war ja schließlich auch nur ein Mensch," wiederholte die stattliche° *(portly)*
Frau immer wieder, die in der Bierschwemme° an dem Bahnhof der kleinen *(tavern)*
Vorortsiedlung mit ihrer Freundin saß, und schob ihr das Möhrenkraut° über die *(carrot leaves)*
Pflaumen, damit nicht jeder gleich merken sollte: die hatte sich was gegen Gum-
miband° oder Strickwolle° aus ihrem Garten geholt, und dem Mann ging das 5
nachher ab°. Ich spitzte natürlich sofort die Ohren°, denn obwohl ich eigentlich
nur da hockte°, um den ‚Kartoffelexpress', wie die Leute den großen Hamsterzug[1]
nennen, der um diese Zeit hier durch die Station fährt, vorüberklackern° zu

(in exchange for elastic, knitting wool / ging das ... ab had to do without, ich spitzte ... die Ohren perked up my ears / sat / chug by)

[1] "hoarding" train carrying hungry city people to the countryside to forage for food

lassen—er ist nämlich so zum Brechen voll°, daß ein Mann, der müd von der
Arbeit kommt, sich nicht mehr hineinboxen kann—also, obwohl ich im Grund 10
nur hier saß, um vor mich hinzudösen°, fühlte ich doch: da bahnte sich eine
Geschichte an°, die ich unbedingt° hören mußte; und Geschichten wie die: nichts
Besonderes und je dämlicher°, um so schöner, habe ich für mein Leben gern—
man fühlt sich dann nicht so allein.   15

„Am schlimmsten war aber der Papagei°," sagte die stattliche Frau. „Nicht die
grüne Lora, die wir jetzt haben, sondern der lausige Jakob, der sofort alles
nachplappern° konnte. ‚Entweder dreh' ich dem Vieh den Hals um°, oder ich
schmeiße die Elsie hinaus°,' sagte mein Mann, und er hatte ja recht—es blieb
keine andere Wahl."

„Wie lange," fragte die Freundin (die mit dem Netz voll Karotten), „war sie 20
eigentlich bei euch untergetaucht? Ich dachte damals, ihr wechselt ab°—mal
diese Bekannte, mal jene; aber im Grund keine länger als höchstens für eine
Nacht."

„Naja. Aber wie das immer so geht, wenn man mit mehreren Leuten zugleich
etwas verabredet° hat: hernach° ist der Erste ja doch der Dumme, an dem es 25
hängen bleibt°; und die Anderen springen aus°, wenn sie merken, daß das Ding
nicht so einfach ist."

„Der Dumme?" fragte die Freundin zweifelnd und stützte den Ellbogen auf°
„Das kannst du doch jetzt nicht mehr sagen, Frieda, wo du damals durch diese
Elsie fast ins Kittchen° gekommen bist. Schließlich muß man ja heute bedenken, 30
daß dein Mann gerade war in die Partei frisch aufgenommen worden° und Ob-
erpostsekretär°. Was glaubst du, wie wir dich alle im Stillen° bewundert haben,
daß du die Elsie versteckt hast, zu sowas gehört doch Mut!"

„Mut? Na, ich weiß nicht. Was sollte ich machen, als sie plötzlich vor meiner
Tür stand, die Handtasche über dem Stern²? Es schneite und regnete durch- 35
einander, sie war ganz naß und dazu ohne Hut; sie mußte, wie sie so ging und
stand, davongelaufen sein. ‚Frieda,' sagte sie, ‚laß mich herein—nur für eine einzige
Nacht. Am nächsten Morgen, ich schwöre° es dir, gehe ich ganz bestimmt fort.'
Sie war so aufgeregt, lieber Himmel, und von weitem hörte ich schon meinen
Mann mit dem Holzbein° die Straße herunterklappern°—,aber nur für eine einzige 40
Nacht,' sagte ich ganz mechanisch, ‚weil wir schon in der Schule zusammenge-
wesen sind.' Natürlich wußte ich genau, daß sie nicht gehen würde; mein Karl,
dieser seelensgute Mensch°, sagte es schon am gleichen Abend, als er mir das
Korsett aufhakte° und dabei die letzte Fischbeinstange° vor Aufregung zerbrach°;
es machte knack, und er sagte; ‚Die geht nicht wieder fort.' "   45

Beide Frauen, wie auf Verabredung°, setzten ihr Bierglas an°, bliesen den
Schaum ab° und tranken einen Schluck; hierauf°, in einem einzigen Zug, das
halbe Bierglas herunter, ich muß sagen, sie tranken nicht schlecht.

„Es war aber doch wohl recht gefährlich in eurer kleinen verklatschten° Siedlung, wo jeder den anderen kennt," meinte die Freundin mit den Karotten. „Und 50
dazu noch der Papagei."

² During World War II Jews were required to wear a yellow star for identification.

Marginal glosses (left column):

overloaded
bahnte sich . . . an *was in the making, absolutely*
to doze
more stupid
parrot
repeat, **dreh'** . . . *strangle the beast*
throw out
take turns
agree, afterwards
ist der Erste . . . *is left holding the bag, back out*
stützte *propped up her elbow*
slammer
had been admitted
postal official, silently
swear
wooden leg, clatter down
soul of a man
unhooked, corset stay, broke
by agreement, **setzten . . . an** *lifted*
blew off foam, then
gossipy

in itself „Aber nein. An sich° war das gar nicht gefährlich. Wenn einer erst in der
cottage Laube° drin war, kam keiner auf den Gedanken, daß sich da jemand versteckte,
belong der nicht dazugehörte°. Wer uns besuchte, der kam bloß bis zur Küche und
small room, the rest höchstens noch in die Kammer° dahinter; alles übrige° war erst angebaut wor- 55
had been added, second floor, den°—die Veranda, das Waschhaus, der erste Stock° mit den zwei schrägen°
slanted Kammern, das ganze Gewinkel schön schummrig und eng°, überall stieß man an
the whole corner dark and close irgendwas an°: an die Schnüre mit den Zwiebeln° zum Beispiel, die zum Trocknen
stieß . . . *one bumped against* aufgehängt waren, und an die Wäscheleine. Auch mit der Verpflegung° war es
something, strings with onions nicht schlimm, ich hatte Eingemachtes° genug, der Garten gab soviel her°. Nur 60
food der Papagei: ,Elsie' und wieder ,Elsie'—das ging so den ganzen Tag. Wenn es
preserved food, produced so much schellte°, warf ich ein Tischtuch über den albernen° Vogel, dann war er augen-
bell rang, silly blicks° still. Mein Mann, das brauche ich nicht zu sagen, ist wirklich seelensgut.
immediately Aber schließlich wurde er doch ganz verrückt, wenn der Papagei immerfort°
continually ,Elsie' sagte: er lernte eben im Handumdrehen°, was er irgendwo aufgeschnappt° 65
in a flash, picked up hatte. Die Elsie, alles was recht ist, gab sich wirklich die größte Mühe°; uns
took the greatest trouble beiden gefällig zu sein°—sie schälte Kartoffeln, machte den Abwasch° und ging
to please, did the dishes nicht an die Tür. Aber einmal, ich hatte das Licht in Gedanken schon angeknipst°,
turned on ehe der Laden vorgelegt worden war°, muß die Frau des Blockwarts°, diese
der Laden . . . *shutter had* Bestie°, sie von draußen gesehen haben. ,Ach,' sagte ich ganz verdattert° vor 70
been closed, block warden Schrecken, als sie mich fragte, ob ich Besuch in meiner Wohnküche hätte, ,das
beast, flabbergasted wird wohl meine Cousine aus Potsdam gewesen sein.' ,So? Aber dann hat sie sich
sehr verändert,' sagt sie und sieht mich durchdringend° an. ,Ja, es verändern sich
piercingly viele jetzt in dieser schweren Zeit, Frau Geheinke.' sage ich wieder. ,Und abends
sind alle Katzen grau.' " 75

blown away „Von da ab war meine Ruhe fort; ganz fort wie weggeblasen°. Immer sah ich
die Elsie an, und je mehr ich die Elsie betrachtete, desto jüdischer kam sie mir
vor. Eigentlich war das natürlich ein Unsinn, denn die Elsie war schlank und
delicate, ruler zierlich° gewachsen, braunblonde Haare, die Nase gerade, wie mit dem Lineal°
gezogen, nur vorne etwas dick. Trotzdem, ich kann mir nicht helfen—es war 80
maddening wirklich ganz wie verhext°. Sie merkte das auch. Sie merkte alles und fragte
replied mich: ,Sehe ich eigentlich „so" aus?' ,Wie so?' entgegnete° ich wie ein Kind, das
caught beim Lügen ertappt° worden ist. ,Du weißt doch—meine Nase zum Beispiel?'
,Nö. Deine Nase nicht.' ,Und die Haare?' ,Die auch nicht. So glatt wie sie sind.'
little curl ,Ja, aber das Löckchen° hinter dem Ohr,' sagt die Elsie und sieht mich verzweifelt 85
crazed an, verzweifelt und böse und irr° zugleich; ich glaube, hätte sie damals ein Messer
stabbed, enraged zur Hand gehabt, sie hätte sich und mich niedergestochen°, so schrecklich rabiat°
war sie. Schließlich, ich fühlte es immer mehr, hatte ich nicht nur ein Unter-
submarine (pun on going seeboot°, sondern auch eine Irre im Haus, die sich ständig° betrachtete. Als ich
underground), continually ihr endlich den Spiegel fortnahm, veränderte sich ihre Art zu gehen und nachher 90
ihre Sprache; sie stieß mit der Zunge an, lispelte° und wurde so ungeschickt, wie
had a lisp ich noch nie einen Menschen gesehen habe: kein Glas war sicher in ihren Händen,
jede Tasse schwappte° beim Eingießen über, das Tischtuch° war an dem Platz,
spilled, tablecloth wo sie saß, von Flecken übersät°. Ich wäre sie gerne losgewesen°, aber so wie
covered with spots, rid of her ihre Verfassung° war, hätt' ich sie niemand mehr anbieten können—der Hilde 95
condition nicht und der Trude nicht und erst recht nicht der Erika, welche sagte, sie könne

auch ohne Stern und Sara[3] jeden Menschen auf seine Urgroßmutter[4] im Dunkeln abtaxieren°. ‚Ja?' fragte die Elsie. ‚Ganz ohne Stern? Jede Wette gehe ich mit dir ein, daß man dich auch für „so eine" hält, wenn du mit Stern auf die Straße marschierst—so dick und schwarz, wie du bist.' Von diesem Tag an haßten wir 100 uns. Wir haßten uns, wenn wir am Kochherd° ohne Absicht zusammenstießen°, und haßten uns, wenn wir zu gleicher Zeit nach dem Löffel im Suppentopf griffen. Selbst der Papagei merkte, wie wir uns haßten und machte sich ein Vergnügen daraus, die Elsie in den Finger zu knappern°, wenn sie ihn fütterte°. Endlich wurde es selbst meinem Mann, diesem seelensguten Menschen, zu viel, 105 und er sagte, sie müsse jetzt aus dem Haus—das war an demselben Tag, als die Stapo° etwas gemerkt haben mußte. Es schellte, ein Beamter stand draußen und fragte, ob sich hier eine Jüdin, namens Goldmann, versteckt hätte. In diesem Augenblick trat sie vor° und sagte mit vollkommen kalter Stimme: Jawohl, sie habe sich durch den Garten und die Hintertür in das Haus geschlichen, weil sie 110 glaubte, das Haus stünde leer. Man nahm sie dann natürlich gleich mit, und auch ich wurde noch ein paarmal vernommen, ohne daß etwas dabei herauskam°, denn die Elsie hielt vollkommen dicht°. Aber das Tollste war doch die Geschichte mit dem Papagei, sage ich dir."

„Wieso mit dem Papagei?" fragte die Freundin, ohne begriffen zu haben. 115

„Na, mit dem Papagei, sage ich dir. Die Elsie nämlich, bevor sie sich stellte°, hatte rasch noch das Tischtuch auf ihn geworfen, damit er nicht sprechen konnte. Denn hätte er ‚Elsie' gerufen: na, weißt du—dann wären wir alle verratzt°."

„Hättest du selber daran gedacht?" fragte die Freundin gespannt.

„Ich? Ich bin schließlich auch nur ein Mensch und hätte nichts andres im Sinn 120 gehabt, als meinen Kopf zu retten. Aber Elsie—das war nicht die Elsie mehr, die ich versteckt hatte und gehaßt und am liebsten fortgejagt° hätte. Das war ein Erzengel° aus der Bibel, und, wenn sie gesagt hätte: ‚Die da ist es, diese Dicke, Schwarze da!'—Gott im Himmel, ich wäre mitgegangen!"

Na, solch'ne Behauptung, sagen Sie mal, kann selbst einem harmlosen Zuhörer 125 schließlich über die Hutschnur gehen°. „Und der Jakob?" frage ich, trinke mein Bier aus und setze den Rucksack auf. „Lebt er noch, dieses verfluchte° Vieh?"

„Nein," sagte die dicke Frau ganz verblüfft°, und faßte° von neuem nach den Karotten, um die Pflaumen mit den Karotten ringsherum abzudecken°. „Dem hat ein Russe wie einem Huhn die Kehle° durchgeschnitten, als er ihn füttern 130 wollte, und der Jakob nach seiner lausigen Art° ihm in den Finger knappte°."

„Böse Sache," sagte ich, „liebe Frau. Wo ist jetzt noch jemand, der Ihren Mann vor der Spruchkammer[5] (eigentlich wollte ich sagen: ‚entlastet°, doch hol es der Teufel, ich sagte, wie immer:) entlaust°?"

---

[3] Sara was the Nazi name for all Jewish women.

[4] Germans had to prove Aryan background back to the great-grandparents.

[5] Denazification Board. In the U.S. zone of occupation all adult Germans had to be classified by that board with regard to their Nazi activities.

Marginal glosses:

size up the great-grandmother.

stove, bumped into each other

bite, fed

State Police

stepped forward

came of it
kept her mouth shut

gave herself up

croaked

chased away
archangel

über die Hutschnur gehen
can be too much
to swallow
damned

startled, reached for
to cover all around
throat
lousy way, pecked

exonerates
delouses

Fragen zum Text

1. Hier ist eine Erzählung in einer Erzählung. Wann spielt die „äußere Erzählung?" Wo? Wer erzählt sie? Erzählen Sie die „äußere Geschichte", nämlich, was im Bahnhof passiert; und sagen Sie alles, was Sie über die heutige Situation der dicken Frau und ihrer Freundin wissen.

2. Wann und wo spielt die „innere Geschichte"? Wer erzählt die? Wer ist Elsie, und warum ist sie zu Frieda gekommen? Was ist wohl später mit ihr passiert? Steht das im Text? oder woher wissen Sie das?

3. Was wissen Sie über Friedas Mann? Ist er „herzensgut"? Finden Sie Stellen im Text, die sein Verhalten zeigen.

4. In der äußeren Erzählung sagt die Freundin, Frieda habe Mut gehabt, und die Situation sei gefährlich gewesen. Was meint sie? Erklären Sie genau, was Frieda gemacht hat.

5. Beschreiben Sie das Haus der dicken Frau. War es ziemlich sicher für Elsie? Was für Gefahren gab es?

6. Warum ändert sich die Situation, und was ist der Effekt auf Elsie? Auf Frieda?

7. Wer ist die Stapo? Warum suchen sie Elsie?

8. Erzählen Sie die Höhepunktsszene. Was ist daran so besonders? Die Freundin stellt die richtige Frage, welche?

9. Was ist mit dem Papagei passiert?

10. Warum kann der Tod des Papageis für Friedas Mann eine „böse Sache" sein? (Dazu müssen Sie wissen, was eine Spruchkammer ist, und was „entlasten" bedeutet.)

Themen zum Schreiben und zur Diskussion

1. Spielt in dieser Geschichte der Unterschied zwischen Krieg und Frieden eine Rolle? Erklären Sie, wie.

2. Die dicke Frau sagt immer wieder, sie sei ja „auch nur ein Mensch". Was soll dieser Satz heißen? In welcher Szene haben Sie seine Bedeutung verstanden? Glauben Sie, es gab viele Leute wie die dicke Frau während der Nazizeit?

3. Hat der Papagei eine tiefere Bedeutung? Erklären Sie, wieso. Hätten Sie in dem Moment einen klaren Kopf behalten, wie Elsie?

4. Was ist das Hauptthema dieser Erzählung?

Aktivitäten

1. Da Sie so gut wie nichts über die Nazizeit wissen, machen Sie eine Liste von Fragen über die innenpolitische Situation in Deutschland. Fragen Sie Ihre Klassenkameraden und Ihren Professor.

2. Nachdem Sie etwas über die Situation während der Nazizeit erfahren haben, spielen Sie einen Journalisten und interviewen Sie die dicke Frau.

Kunert, Günter *6.3.1929 in Berlin. Als Schriftsteller, Zeichner und Maler in Ost-Berlin schrieb er zuerst über die nationalsozialistische Vergangenheit und den Krieg; *conditions* später didaktisch und warnend über die Zustände° und Widersprüche seiner Zeit. Sein Werk ist vielseitig: Gedichte, satirische Romane, ironische Kurzgeschichten, Parabeln und Märchen, auch Hör- und Fernsehspiele. Er war mehrere male Gastprofessor an amerikanischen Universitäten und lebt und arbeitet seit 1979 in der Bundesrepublik.

GÜNTER KUNERT
Über einige Davongekommene

$\qquad$ Als der Mensch
ruins $\qquad$ Unter den Trümmern°
Seines
Bombardierten Hauses
Hervorgezogen wurde, 5
he shook himself Schüttelte er sich°
Und sagte:
Nie wieder.

Jedenfalls nicht gleich.

Auf der Schwelle° des Hauses

threshold
dunes $\qquad$ In den Dünen° sitzen. Nichts sehen
Als Sonne. Nichts fühlen als
Wärme. Nichts hören
surf Als Brandung°. Zwischen zwei 5
Herzschlägen glauben: Nun
Ist Frieden.

Biermann, Wolf   * 15.11.1936 in Hamburg. Sein Vater war 1943 als Kommunist im Konzentrationslager ermordet worden; der Sohn ging mit 17 Jahren in die DDR. Er studierte in Berlin, arbeitete beim Berliner Ensemble und wurde der beliebteste Bänkelsänger° in der DDR. Wegen seiner Kritik an den Fehlern des Systems wurde er 1963 aus der Sozialistischen Einheitspartei ausgeschlossen und durfte seit 1965 nicht mehr publizieren; 1976 verließ er die DDR. Seitdem arbeitet er in Westdeutschland als marxistischer Kritiker des gesellschaftlichen Systems.

ballad singer

WOLF BIERMANN

Kleiner Friede

Kinder, die aufwachen
Frauen, die Morgenwäsche machen
Männer, die ein Gedicht schreiben über:
Kinder
    die aufwachen
Frauen
    die Morgenwäsche machen   5
Männer
    die ein Gedicht schreiben

Themen zum Schreiben und zur Diskussion

1. Adolf Hitler und das Dritte Reich sind bald fünfzig Jahre tot. Welche Folgen hat ihre Existenz heute noch?

2. Verstehen Sie, warum in Deutschland die Diskussion über Krieg und Frieden so viel intensiver ist als in den Vereinigten Staaten? Geben Sie soviele Gründe wie möglich.

3. Haben Sie eine Meinung über die Zukunft der Deutschen, d.h. was sie tun müssen, um in Frieden leben zu können? Sagen die Gedichte und die Erzählung etwas darüber?

 # Stadt und Land

KLEINSTADT—GROßSTADT

Neue Wörter

Verben

ernähren	to feed
gründen	to found, organize
mähen	to mow
radfahren (ä), u, a (+ sein)	to bicycle

Substantive

der **Bürgermeister**, -	mayor
das **Denkmal**, ¨er	monument
die **Ernte**, -n	harvest
das **Gefühl**, -e	feeling
das **Huhn**, ¨er	chicken
die **Kuh**, ¨e	cow
die **Lebensmittel** (pl.)	groceries
das **Pferd**, -e	horse
der **Pflug**, ¨e	plow
die **Sache**, -n	matter
die **Schürze**, -n	apron
der **Stall**, ¨e	barn, stable
die **Stille**	silence
die **Wiese**, -n	meadow

Adjektive

herrlich	magnificent
ländlich	rural

NEUE WÖRTER IM KONTEXT

1. Nennen Sie ein Vokabularwort, das auf die Beschreibung paßt:
Hier arbeiten der Bauer und die Bäuerin.
Wo die Pferde und Kühe wohnen.
Hiermit gräbt das Pferd den Boden auf.
Vom ihm bekommen Sie Eier.
Das schützt die Kleider vor Schmutz.
Dort wächst das Gras.
Es wurde gebaut, um uns an etwas zu erinnern.
Er sorgt für die Einwohner seiner Stadt oder seines Dorfes.

REDEWENDUNGEN AUS DEM TEXT

1. mitten in	*in the middle of*
2. Ich bin auf die Idee gekommen.	*I hit upon the idea.*
3. mit dem Fahrrad unterwegs	*traveling by bike*

4. Sie sind unter sich.

5. Er wird geduzt.

6. was die Arbeit angeht

They are among themselves.

He's called du.

as far as work is concerned

Antworten Sie mit einer *Redewendung*, die paßt:
Ich wohne im Zentrum. Wirklich, _____ der Stadt? Sind die paar Frauen allein?
Ja, _____. Sagt man du zu ihm? Ja, _____. Wenn man von der Arbeit spricht,
_____. Haben die Kinder das Auto genommen? Nein, sie sind _____.

VOKABULARARBEIT

1. Sagen Sie Ihre Meinung über das Leben in der Stadt oder auf dem Land, mit den Adjektiven:
herrlich, laut, ländlich, still, langweilig, interessant, schrecklich, hell, dunkel, ruhig, idyllisch, romantisch, grün, gefährlich, frei, modern, schön, gesund, krank, persönlich, anonym, sympathisch, kritisiert, klar, kompliziert, arm, reich, freundlich, gemütlich, einsam

2. Sagen Sie, wer was auf dem Land und in der Stadt tut, mit diesen Wörtern:
mähen, Schreibmaschine, Bücherei, Kino, Ernte, Stille, radfahren, erhalten, Landwirtschaft, Pflug, Eier, ernähren, Bus, pendeln, Büro, Wiese, Beton, Hochhaus, Park, Rücksicht, Freiheit, ein Uhr nachts, sechster Stock

Kleinstadt

umbraust . . . amid the traffic roar, cemented in

um Luft . . . to get some fresh air, unimaginable

soundproof windows

citizen group

Mitten in einer großen Stadt wohnen? Umbraust vom Autoverkehr°, einbetoniert°, kein Grün vorm Haus, Fußmarsch in den öffentlichen Park, um Luft zu schnappen° und Bäume, Rasen oder Blumen zu sehen? Unvorstellbar°!

Ich wohne in einer Kleinstadt, ein paar Kilometer draußen, und ich wohne gern dort. Denn hier draußen ist noch niemand auf die Idee gekommen, Schallschutzfenster° in seine Wohnung einzubauen, damit der Lärm wenigstens ein bißchen draußen bleibt. In meiner Kleinstadt kann ich meine Kinder zu Fuß gehen lassen, ohne um ihre Sicherheit fürchten zu müssen. Wenn Sie mit dem Fahrrad unterwegs sind, kann ihnen natürlich auch in der Kleinstadt etwas passieren. Nur: Hier können sie noch radfahren. 10

Draußen, in meiner Kleinstadt, ist es auch noch niemandem eingefallen, eine Bürgerinitiative° für einen Kinderspielplatz zu gründen. Die Plätze sind da, Felder und Wiesen nicht weit, die Natur gehört zum täglichen Leben. Es gibt noch Bauernhöfe. Meine Kinder wissen, wie ein Pferd oder eine Kuh oder ein Huhn aussieht—und zwar nicht aus Bilderbüchern, sondern vom Erleben. 15

     Draußen, in meiner Kleinstadt, gibt es moderne Supermärkte und Kaufhäuser und Boutiquen wie in der Großstadt. Aber es gibt auch noch den Tante-Emma-Laden, bei dem es niemanden stört, wenn ich mal „hinten rein°" gehe und um ein Brot bitte, weil's meine Frau vergessen hat. Ein Restaurant mit drei Sternen haben wir zwar nicht, aber wenn der Wirt mir die Hand gibt, wenn ich zum 20 Essen komme—das ist ein schönes Gefühl.

     Meine Kleinstadt da draußen ist nicht nur heile° Welt. Auch sie hat ihre Konflikte und ihre Probleme. Sie hat sogar ihre Schandflecke° und Häßlichkeiten°. Doch diese Kleinstadt gibt mir das Gefühl der Geborgenheit°. Sie ist überschaubar°, persönlich. Persönlich: das ist das richtige Wort für all das Undefinierbare° 25 was diese Kleinstadt so sympathisch und so heimelig° macht.

through the back door

undamaged
stains, uglinesses
safety
visible at a glance, indefinable
homey

Großstadt

a person cemented in
to get fresh air

strangely enough

safety, supposedly

     Ich bin ein Einbetonierter°. Kein Grün vorm Haus, Fußmarsch in den öffentlichen Park, um Luft zu schnappen° und Bäume (oder Blumen) zu sehen. Umbraust vom Autoverkehr, an den ich mich schon längst gewöhnt habe.

     Ich bin ein Einbetonierter und fühle mich merkwürdigerweise° wohl dabei. Weil ich frei bin in meiner Großstadt. Frei vor allem davon, was die Kleinstadt 5 mit ihrer „Geborgenheit°", ihrem „Persönlichen" angeblich° so sympathisch und

vapors   heimelig macht. Ich fühle mich geborgen, aber eben nicht im Dunst° der Kleinstadt, wo jeder jeden kennt und jeder von jedem beobachtet wird. Ich fühle mich
geborgen in der vielkritisierten Anonymität der Großstadt, wo ich leben kann,
wie ich will—und nicht muß, aus Rücksicht auf die Leute. Stadtluft macht frei. 10

Ich bin ein Einbetonierter, mit der Freiheit, unter 20 Kinos auswählen zu
drama theater   können. Mit der Freiheit, mich zwischen Oper, Schauspielhaus° oder Kellerthea-
ter zu entscheiden. Mit der Freiheit, chinesisch, türkisch, italienisch oder auch
einfach deutsch essen zu gehen, auch wenn mir die Wirte nicht die Hand geben.
Mit der Freiheit, auch nach ein Uhr nachts noch nach Hause fahren zu können. 15
Im Bus, der dann in meiner Großstadt noch nicht im Depot steht.

Ich bin ein Einbetonierter, mit einer Wohnung im sechsten Stock, fast am
Hauptbahnhof, herrliche Lage mit Blick auf die City und nur fünf Minuten von
ihr entfernt.

Ich bin ein Einbetonierter, mit der Möglichkeit, meine Kinder in die Schulen 20
zu schicken, die für sie die besten sind. Zwar nicht mit dem Fahrrad, aber in
meiner Großstadt gibt's Schulbusse. Und Straßenbahnen, die alle zehn Minuten
fahren.

Ich bin ein Einbetonierter. Ohne Wiesen, Kühe, Pferde und Tante-Emma-
seclusion   Laden. Ohne ländliche Stille, Abgeschiedenheit° und Idylle. Wenn ich die erleben 25
will, bleibt mir immer noch die Fahrt aufs Land, der Besuch in der Kleinstadt.

Ich bin ein Einbetonierter, aber ich lebe mittendrin. Und bin hinter schall-
sound-absorbing   schluckenden° Fenstern freier als der Kleinstädter bei offener Tür.

Fragen zum Text

1. Beide Texte beginnen mit einer Definition der Großstadt; wiederholen Sie die. Welche anderen Worte passen auf die Großstadt?
2. Warum lebt der erste Autor gern in der Kleinstadt? (Wie wissen Sie, daß hier ein Mann schreibt?)
3. Auf welche Weise ist eine Großstadt so viel freier?
4. Was erfahren Sie aus den Texten über die Autoren und ihre Situation? Was braucht man, um in der Großstadt so zu leben?

Themen zum Schreiben und zur Diskussion

1. Was meint jeder Text mit „Geborgenheit"? Welche Erklärung finden Sie besser? Oder kann man das nicht sagen, weil alles eine Sache des Gefühls oder des Geschmacks ist?
2. Welche Adjektive finden Sie gut in der Charakterisierung der Groß- und der Kleinstadt? Wählen Sie, wo Sie wohnen würden, und gebrauchen Sie ähnliche Wörter.

Aktivität

Machen Sie eine Liste: Vor- und Nachteile der Kleinstadt, Vor- und Nachteile der Großstadt, und füllen Sie die aus nach den Texten Gruppendiskussion: Welche Punkte finden Sie wichtig, welche vielleicht nett, aber nicht so wichtig, welche falsch?

Impressionen aus einem Dorf

Gibt's noch die dörfliche Idylle?

Das Dorf, in dem ich jedes Jahr den Sommer verbringe, hat fünfhundert Einwohner, vier Gasthäuser und ein Kriegerdenkmal. Die schmalen Straßen *[incline, new development, uphill]* in der Dorfmitte sind ohne Steigung°, während das Neubauviertel° hügelauf° geht, dem Waldrand zu. Die Häuser dort sind breite, flache Kästen mit überhängenden Dächern und großen Kellern, die für seltene Feste eingerichtet sind. 5 Vor jedem Haus eine Terrasse, und durch die überdimensionalen Wohnzimmer- *[plain]* fenster kann man bei klarer Luft über die Ebene° die Berge sehen.

Das Dorf ist voll von neuen, starken Traktoren und komplizierten Erntemaschinen. Trotzdem sind nur noch drei Männer den ganzen Tag mit Landwirtschaft *[commute]* beschäftigt. Die anderen müssen pendeln°. Arbeitsplätze im Dorf gibt es nicht. 10 Die beiden Läden, Lebensmittel & Geschenkartikel, Lebensmittel & Textilien, *[offer, livelihood]* bieten° nicht einmal allen Familienmitgliedern der Besitzer ein Auskommen°. Das *[the trades, carpenter, shoemaker]* Handwerk° ernährt gerade seine Meister: den Tischler°, den Schuhmacher°, den *[plumber, painter, on working days]* Installateur° und den Weißbinder°. So kommt werktags° halb fünf der Firmenbus

und fährt Männer und Frauen über sechzig Kilometer Landstraße und Autobahn 15
zur Arbeit in die Großstadt. Anderthalb Stunden später verläßt der Rest der
working population Erwerbstätigen° das Dorf im Auto nach allen Seiten. Nun sind die Frauen unter
sich; die jüngeren teilen ihre Zeit ein zwischen Haushalt, Kindern und Landwirtschaft, die älteren sagen: Hoffentlich brennt es nicht, denn wer soll dann
extinguish the fire löschen°? 20

Seitdem das Dorf zur nächsten Kleinstadt gehört, seitdem alle Kinder dort zur
Schule gehen, gibt es im Dorf weder Bürgermeister noch Lehrer. Der Pfarrer
library wohnte schon immer im Nachbardorf. Es gibt auch keine Bücherei°, keine Tanz-
movies, **uns** . . . *left to* abende, keine Filmvorführungen° mehr. Wir sind uns selbst überlassen°, auch
ourselves gut, kann man hören. 25
next door Nebenan° ist ein Bauernhof. Die Besitzer, sie Mitte fünfzig, er Anfang bis Mitte
sechzig, werden, wie es hier unter den alten Einwohnern beinahe die Regel ist,
including, addressed with „du" vom ganzen Dorf einschließlich° der Kinder geduzt°; sie heißen Erna und Rudolf.
rubber boots Meist tragen die beiden Gummistiefel°, blaue Jacken und lange Schürzen. Sie
1 Hectare = 2.47 acres, leased bearbeiten zwölf Hektar° eigenes und neun Hektar gepachtetes° Land. Obwohl 30
low, fallow land die Pachten niedrig° sind, gibt es viel Brachland° um das Dorf. So manche Wiese,
besonders zwischen Obstbäumen, wird nicht mehr gemäht, immer mehr abge-
remote legene° Äcker vergißt der Pflug.

Was die Arbeit angeht, gibt es zwischen Bauer und Bäuerin keinen Unterschied. Sie stehen beide morgens um fünf auf und arbeiten bis gegen acht am 35
Abend, in der Ernte auch länger. Im Stall stehen zwanzig Kühe, Kälber, Schweine,

auch zwei oder drei Ochsen. Keine Zeit zum Fernsehen. Die Frau geht sonntags manchmal in die Kirche, sie hat eine schöne Singstimme. Der Bauer zeigt sich selten in dem Gasthaus. Keine Zeit auch zur Gartenarbeit.

Unser anderes Nachbarhaus wird nur am Wochenende bewohnt. Dann stehen 40 Autos aus der Großstadt auf dem Hof. Die jungen Leute haben irgendetwas mit der Universität zu tun. Was genau, ist nicht bekannt. Sie grüßen so freundlich. *flea market* Der Tischler hat ihnen die Treppe repariert. Alles vom Flohmarkt°, erzählt er im Gasthaus. Aber irgendwie doch gemütlich, sagt er, und alle hören ihm zu, *eyewitness* weil er der einzige Augenzeuge° ist.   45

Fragen zum Text

1. Beschreiben Sie das Dorf; wo liegt es?
2. Erzählen Sie vom beruflichen Leben der Dorfbewohner. Was machen die Männer, die Frauen?
3. Was gibt es im Dorf nicht? Ist das wichtig?
4. Beschreiben Sie die Leute in den beiden Nachbarhäusern. Sind das typische Dorfbewohner? Erklären Sie die Kontraste.
5. Geben Sie ein paar Adjektive, ganz schnell, die Ihnen für dieses Dorf in den Kopf kommen.
6. Ist der Autor selbst ein Dorfbewohner? Wie gut kennt er (sie) das Dorf? Wie findet er (sie) das Leben dort?

Themen zum Schreiben und zur Diskussion

1. Wie hatten Sie sich ein deutsches Dorf vorgestellt? Was denken Sie über das Leben auf dem Lande? Denken Sie „idyllisch" oder „romantisch", wenn Sie die Worte „Dorf" oder „ländlich" hören? Denken andere Leute das? Wer? Warum?
2. Könnten Sie sich vorstellen, daß Sie in diesem Dorf wohnten, aber nicht nur im Sommer? Gibt es in den USA solche Dörfer? Kennen Sie eins? Wie ist das Leben dort?

GUT WOHNEN IN ALTEN HÄUSERN
Neue Wörter
Verben

bauen	to build
bestimmen	to determine
erhalten (ä), ie, a	to preserve, maintain
erwähnen	to mention

Substantive

der **Gelehrte, -n**	scholar
das **Gewerbe, -**	trade
das **Opfer, -**	victim

NEUE WÖRTER IM KONTEXT

1. Nennen Sie ein Vokabularwort, das auf die Beschreibung paßt:

Dieser Mann forscht und denkt.

Ein Beruf oder Handel.

Wer von anderen Menschen etwas ertragen mußte.

REDEWENDUNGEN AUS DEM TEXT

1.	Es macht ihnen Sorgen.	*It worries them.*
2.	Es fehlte an Geld.	*Money is lacking.*
3.	Sie machen dem ein Ende.	*They finish it off.*

Schreiben Sie die Nummer der passenden *Redewendung*:

Sie haben nicht genug Geld. _____

Sie haben Probleme damit. _____

Sie beenden das. _____

Gut wohnen in alten Häusern

monuments E twa 50 000 bauliche Zeugnisse° der Geschichte und Kultur in der Deutschen Demokratischen Republik werden vom Staat erhalten und gepflegt: Natio-
places of commemoration nale Gedenkstätten° für die Opfer des Faschismus, Gedenkstätten der klassischen deutschen Literatur, Museen für Dichter, Musiker und Gelehrte, Gedenkstätten der deutschen und internationalen Arbeiterbewegung, und auch 22 Stadtkerne° 5
city centers
historic neighborhoods, medieval historischer Altstädte°. Mittelalterliche° Städte sind Touristenattraktionen, die
pleases Altstadt von Görlitz auch. Doch was die Besucher erfreut°, macht der Stadtver-
waltung und den Einwohnern nicht wenige Sorgen. Denn Gebäude aus früheren
lacked Epochen verlangen Pflege. Jahrzehntelang hatte es daran gefehlt°. Der Krieg, mit
invaded, enormous sums dem der deutsche Imperialismus die Völker überzog°, kostete Unsummen°. Als 10
die Armeen der Antihitlerkoalition 1945 dem Hitlerfaschismus ein Ende gemacht
hatten, waren in den folgenden Jahren oft andere Sachen wichtig.

Doch seit längerer Zeit widmet man der Rekonstruktion historischer Stadt-
widmet . . . gives increased zentren in der DDR verstärkte Aufmerksamkeit°. Nicht nur der Touristen wegen.
attention to Einerseit° haben solche Altstädte einen baulichen Grundfons° von großem Wert. 15
on the one hand, structural basis
protected as historic sites Hinter denkmalgeschützten° Mauern gutes Wohnen möglich zu machen, gehört
neben dem Neubau zu dem großen Wohnungsbauprogramm, mit dem in der

DDR bis zum Jahre 1990 die Wohnungsfrage als soziales Problem gelöst werden

gelöst . . .   is to be solved   soll.° Andererseits sind solche alten Stadtteile lebende Zeugnisse sozialer Entwick-
halten . . . wach   keep alive   lungen und historischer Ereignisse. Sie halten progressive Traditionen wach° und 20
verbinden die Einwohner mit ihrer Stadt. Das gilt auch für Görlitz.

document   1071 ist die Stadt zum ersten Mal als Siedlung in einer Urkunde° erwähnt.
cloth manufacture   Besonders im 15. und 16. Jahrhundert war die Tuchherstellung° das dominierende
district town   Gewerbe. Heute ist die 87 000 Einwohner große Kreisstadt° an der Grenze zur
Volksrepublik Polen auch ein wichtiges Industriezentrum. Von ihrer 900 jährigen 25
attest, splendid   Vergangenheit künden° prächtige° Gebäude der Spätgotik, der Renaissance und
des Barocks.

East Saxon, restoration   Was in dieser ostsächsischen° Stadt für die Sanierung° der Altstadt getan
wurde, fand internationale Anerkennung. Rekonstruiert sind die früheren Wohn-
councilmen and merchants   häuser der Görlitzer Rats- und Handelsherren° um den mittelalterlichen Unter- 30
Lower Market, external   markt°. Wie überall in unserem Lande ist das nicht „Fassadenkosmetik". Die
beautification   dahinterliegenden Wohnräume erfüllen alle Forderungen an ein modernes, kul-
turvolles Wohnen und Leben. Doch nicht nur schöne Wohnungen entstanden.
Rekonstruierte Gasthäuser und Geschäfte bestimmen die charakteristische At-
patrician houses   mosphäre mit. So wurde in einem der alten Patrizierhäuser° die Gaststätte „Gol- 35
renovated, town chronicle   dener Baum" erneuert°. Dieses Gasthaus ist in der Stadtchronik° schon im
brewery   16. Jahrhundert als Brauhof° erwähnt. Heute ist es mit Bierkeller, Eßräumen,
einer Tanzdiele und zwei Weinstuben eine gastronomische Attraktion. Der
youth hostel   „Schönhof", ein Renaissancebau aus dem Jahr 1625, ist eine vielbesuchte Jugend-
herberge°.

Fragen zum Text

1. Welche Art Denkmäler werden in der DDR geschützt? Was heißt in diesem
   Kontext „geschützt"?

2. Warum werden die Gedenkstätten gepflegt, wer pflegt sie, und wer bezahlt dafür? Warum interessiert sich der DDR Staat erst seit wenigen Jahren für die Rekonstruktion?

3. Der Text erklärt, wo Görlitz liegt. Suchen Sie die Stadt auf einer Landkarte und erzählen Sie, was Sie darüber wissen.

4. Gibt es dort alte Gebäude? Was ist ihre Funktion heute?

5. Warum macht der Staat Gelder frei für die teure Rekonstruktion alter Häuser?

Thema zum Schreiben und zur Diskussion

Im Text steht, die Wohnungsfrage ist ein soziales Problem, das der Staat lösen muß. Gibt es in amerikanischen Städten auch ein Wohnungsproblem, und wie versucht man, es zu lösen? Organisieren Sie eine Diskussion über beide Methoden?

IM TROCADERO

Neue Wörter

Verben

ab·nehmen (i), a, o	to remove
an·sprechen (i), a, o	to approach, address
an·stoßen (ö), ie, o	to nudge
auf·passen	to pay attention, mind
auf·setzen	to put on
besorgen	to take care of
bluten	to bleed
ein·sehen (ie), a, e	to realize
Feuer an·machen	to light a fire
heilen	to heal
los·lassen (ä), ie, a	to let go
sich lustig machen (über)	to make fun of
schießen, o, o	to shoot
stammen aus	to come from
sich trennen (von)	to separate (from)
übrig sein (+ sein)	to be left
um·fallen (ä), ie, a (+ sein)	to fall over
sich um·sehen (ie), a, e	to look around
verbieten, o, o	to forbid
weg·nehmen (i), a, o	to take away

Substantive

der **Bauch**, ¨e	belly
das **Fell**, -e	fleece
das **Frühjahr**, -e	spring

der **Geruch**, ¨-e	smell
die **Grube**, -n	ditch
das **Heer**, -e	army
das **Kinn**, -e	chin
die **Mütze**, -n	cap
das **Schaf**, -e	sheep
die **Stirn**, -en	forehead
der **Versuch**, -e	attempt

Andere Wörter

hauptsächlich	mainly
mager	skinny
unmittelbar	direct
vernünftig	reasonable
zäh	tough

NEUE WÖRTER IM KONTEXT

Nennen Sie das deutsche Vokabularwort:

Diese Person kann klar denken, sie ist _____.

Sie gibt nie auf, sie ist sehr _____.

Er ißt nicht genug, deshalb ist er so _____.

Die Jahreszeit, wenn alles blüht und wächst, heißt _____.

Hier riecht es nicht gut; was für ein schrecklicher _____.

Der untere Teil des Gesichts heißt _____ , und der obere _____.

Vom _____ bekommen wir die Wolle.

Was tragen Sie denn auf dem Kopf? Meine _____.

Wenn man eine offene Wunde hat, dann _____ man.

Wenn es kalt ist, dann muß man _____.

Ein Arzt _____ kranke Menschen.

Was machen Sie mit der Pistole? Ich _____.

REDEWENDUNGEN AUS DEM TEXT

1. Der Zug war weg.	*The train was gone.*
2. Er war im Recht.	*He was right.*
3. Sie hat es geschafft.	*She made it.*
4. Er brachte sie zur Raison.	*He talked sense into them.*
5. Sie waren verrückt danach.	*They were crazy for it.*
6. Sie kam nicht mehr raus.	*She couldn't stop.*
7. Sie war in Fahrt.	*She was in full swing.*
8. es hieß, daß	*it was said that*

Geben Sie die Nummer der *Redewendung*, die dasselbe sagt:
Es ist ihr gelungen. _____ Er hatte recht. _____ Sie wollten das schrecklich gern. _____ Der Zug war schon abgefahren. _____ Sie konnte nicht aufhören. _____ Man sagte, daß _____. Er machte sie wieder vernünftig. _____ Sie war mitten drin. _____

Schnurre, Wolfdietrich * 22.8.1920 in Frankfurt am Main. Er wuchs in Berlin auf, war „sechseinhalb sinnlose Jahre" Soldat. Nach dem Krieg gründete er mit anderen jungen Schriftstellern die „Gruppe 47"[1]. Sein Leben war von nun an „eigentlich nur noch Schreiben." Er veröffentlichte mehr als vierzig Bücher, in denen er streng realistisch und kritisch, in Lyrik und Prosa, das „verunstaltete° Menschenbild" unserer Zeit zeigt. Dazu gebraucht er die Mittel° der messerscharfen Satire, der unbekümmerten° Parodie und des Scherzes° sowie der mitleidenden Skepsis, der versöhnlichen° Ironie und des schnurrigen° Humors. Mit vielen Literaturpreisen ausgezeichnet°, gehört er zu den besten deutschen Erzählern.

deformed
means
playful
jest
conciliatory, scurrilous
honored

WOLFDIETRICH SCHNURRE

Im Trocadero

threw
die Kühle ... the coolness of the pavement felt good pressed against it
intended
denen ... sock it to them
just now
broth, floor wax
chassis, glitters
early edition
got lost
construction site
headlights, thermos, empty, mason's togs

Und dann rissen sie die Tür auf und warfen° mich raus. Ich fiel hin und blieb einen Augenblick liegen, denn die Kühle des Pflasters tat gut°, wenn man die Stirne draufdrückte°. Dann stand ich auf und ging langsam zum Bahnhof. Der letzte Zug war aber schon weg; da setzte ich mich ins Bistro und aß eine Wurst. Ich hatte vor°, ins Trocadero zurückzugehen; nicht, weil ich denen noch 5 eine reinhauen° wollte, ich wollte nur sehen, was mit Wittigkeit war. Aber ich war zu betrunken; ich schlief ein und bin eben° erst aufgewacht. Es ist Morgen, die Stühle stehen auf den Tischen, es riecht nach Fleischbrühe°, Bohnerwachs° und nach Kaffee, auf den Karosserien° der Autos tänzelt° die Sonne, und man hört den Zeitungsverkäufer die Frühblätter° ausrufen. 10

Ich muß immer noch an Wittigkeit denken. Es war idiotisch von mir, daß ich ihn ansprach. Aber was soll man machen, Wittigkeit ist so was wie ein Stück Jugend gewesen, und ich dachte doch immer, das wäre alles flöten gegangen° im Krieg; und da sehe ich ihn nun gestern nacht an dieser Baustelle° im Scheinwerferlicht° stehen und seine Blechflasche° auskippen°. Nur die Maurerkluft° 15 störte ein bißchen, sonst sah er genau so aus wie damals, als er vor seinen achthundert Schafen herging, alle halbe Stunde einen Schritt, und Augen, so

[1] a literary group, founded in 1947 by Hans Werner Richter and others, which functioned in the late '60s.

*absent-minded, **nichts** . . .*
nothing seemed to catch his eye
predicted
was going to burn down, was due
to, set fire to

poached, bothered
avenges
wooden clogs, exchanged
jacket

abwesend°, daß nichts in ihren Blicken hängenzubleiben schien°. Im Dorf sagten sie immer, er hätte das zweite Gesicht; aber daß er vorausgesagt° hatte, das Forsthaus brennt ab°, das lag daran°, er ist es selber gewesen, der es angesteckt° 20 hat; er mochte dem Förster den Tod seines Hundes nicht verzeihen. Dabei war der Förster im Recht, denn Ajax hatte gewildert°; doch das kümmerte° Wittigkeit nicht; er hat in Ajax seinen Bruder gesehen, und einen Brudermord rächt° man. Ich wartete, bis er die Klotzpantinen° mit den Schuhen vertauscht° hatte und sich seine Joppe° anzog und die Mütze aufsetzte, „Tag, Wittigkeit," sagte ich 25 dann.

Auch er erkannte mich gleich; doch nichts in seinem Gesicht bewegte sich;
expressionless alles blieb ausdruckslos°, glatt und verschlossen.

„Wie geht es dir?" fragte ich.

„Nu—"sagte er, „wie schon." 30

Wir liefen ein Stück zusammen und redeten von den Wäldern bei Deutsch
Krone und dem Dorf Stibbe, Kreis Schneidemühl[2], wo Wittigkeit her war. Nach
dared den Schafen allerdings getraute° ich mich nicht zu fragen, es war was in seinem
Gesicht, das es einem verbot.

Nach einer Weile kamen uns die anderen entgegen, ich hatte sie völlig ver- 35
gessen; seit ich an der Baustelle stehengeblieben war, hatte ich nur noch den
Geruch von Wittigkeits Schafherde im Kopf und das hechelnde Belfern der
hechelnde . . . *panting barking* Hütehunde° und den Ton der Holunderflöte°, mit der er sich die Zeit vertrieb°.
of the watchdogs, elderwood flute,
whiled away

„Was ist'n los?" fragte Leo, „willste nicht mehr?"

„Ich habe 'n Bekannten getroffen," sagte ich. 40

„Ah—" machte Budd und sah Wittigkeit an.

cleared his throat, moved Wittigkeit räusperte sich° und rückte an° seiner Mütze.

„Das ist Herr Wittigkeit," sagte ich; „ich kenn ihn von früher."

Sie gaben ihm alle die Hand.

winked „Sie kommen doch mit, Herr Wittigkeit?" fragte Vinka. Sie blinzelte° zu Budd 45
grinned hin, und Budd griente° und sagte, „Leo hier, der hat sich nämlich von Astrid
getrennt, wissen Sie, und das feiern wir heute."

neon signs, Red Kiss (lipstick) Wittigkeit stand zwischen ihnen, die Leuchtreklame° vom Rouge baiser° und
brand of fountain pen, flooded gegenüber die vom Pelikanfüller° überzogen° sein ausdrucksloses Gesicht mal mit
Rot, mal mit Blau; er räusperte sich, man merkte, er wollte gern weg, und ich 50
hakten . . . unter *took his* wollte auch, daß er ginge, aber da hakten ihn Budd und Leo schon unter°, Vinka
arm klopfte ihm lachend auf die Schulter, und sie zogen ihn mit.

shorn Jedes Frühjahr wurden die Schafe immer geschoren°, und die Wolle wurde
manor house, greasy in Säcke gepackt und ins Gutshaus° gebracht. Die Wolle war fettig° und mit
mit Staub . . . *clotted with* Staub, Laub und mit Kot verklebt°, man mußte sie erst tagelang waschen, ehe 55
leaves and droppings sie gebleicht° werden konnte. Die Schafe waren während dieser Zeit in zwei
bleached
pens, locked up Buchten° gesperrt°. In der einen Bucht waren die ungeschorenen, in der anderen
clumsy die geschorenen Tiere. Die Ungeschorenen sahen dick und schwerfällig° aus. Die
Geschorenen waren mager und sprangen herum, sie freuten sich, daß sie auf
einmal so leicht waren. Dann war noch eine kleinere Bucht da, in die wurden 60
die Tiere gesperrt, die kastriert werden sollten. Das besorgte Wittigkeit selbst;
helper er brauchte nicht mal einen Gehilfen° dazu, und er war berühmt für die Art,
heap wie er es machte. Die kastrierten Schafe standen alle auf einem Haufen°; sie
stir ließen die Köpfe hängen und rührten° sich nicht; es dauerte oft Wochen, bis sie
wieder Freude hatten am Leben. 65

dance floor Leo hatte im Trocadero einen Tisch bestellt; er stand dicht an der Tanzfläche°,
wir hatten Mühe, uns durch die Paare hindurch zu ihm hinzuarbeiten.

couldn't be persuaded Wittigkeit war nicht zu bewegen gewesen°, Joppe und Mütze abzugeben, und
er hatte . . . drunter *he wore* er hatte ja wohl auch noch seine Maurerkluft drunter°. Jetzt hatte er die Hände
. . . underneath
slanted, inspected in die schrägen° Taschen der Joppe geschoben und besah° sich mit seinem aus- 70

[2] A town, a village and a district in northeast Pomerania, since 1945 belonging to Poland.

drucksloses Gesicht das Lokal°; die Mütze hatte er über sein Knie gestülpt°, er saß genau so da, wie er im Winter immer in der Dorfkneipe° in Stibbe gesessen hatte, nur der Schafgeruch fehlte.

Es waren eine Menge Bekannte von uns da. Rechts saß Vistral, der Catcher°; neben ihm saßen Lore und Giska, die Schauspielerinnen hatten werden wollen, 75 aber Nutten° geworden waren. Dahinter saß Herbert, der Eintänzer°, mit seinen Jungen; und dann war noch Mäxi, der Dichter, da mit einem Haufen Verehrerinnen° um sich herum, alles Backfische und Akademiedohlen°; und auch Rachmiel, der desertierte Russe, war da und noch ein paar.

Sonst waren hauptsächlich junge Männer mit bleichen Stirnen und großen 80 Brillen da und Mädchen mit glänzenden° Nasen, sie sahen aus wie ungelüftete° Betten. Alle tanzten mit ernsten Gesichtern, denn es standen nur Cocaflaschen mit Strohhalmen° drin auf den Tischen; die Sekttrinker° hatten sich ins Dunkle verkrochen°, sie wollten nicht, daß man sie sähe.

Die Kapelle° war gut, besonders der Schlagzeuger°. Er war dünn und bestand 85 fast nur aus Röhrenhosen° und Rhythmus, und hätte man ihm das Schlagzeug° weggenommen, er hätte noch tagelang weitergezuckt und -gezappelt°, dann wäre er hingestürzt° und gestorben. Wir fingen mit Beaujolais an, dann gingen wir über° zu Mosel, und dazwischen wurde Pernod, Whisky und Wodka getrunken. Wittigkeit wollte erst nicht; aber schließlich schaffte° Vinka es doch, ihn rumzu- 90 kriegen°, und er nahm seine Hand aus der Tasche und prostete° uns zu und hielt mit°.

Am aufregendsten° war es immer gewesen, wenn die Schafe im März das erste Mal wieder rauskamen. Sie sprangen und rannten dann wie die Wahnsinnigen°, keines dachte an Fressen, sie zogen los°, als wollten sie alle Weideplätze° der 95 Welt erobern° und legten ein Tempo vor°, daß manchmal sogar die Hütehunde abgehängt wurden°. Es dauerte Wochen, ehe Wittigkeit sie so weit zur Raison gebracht hatte, daß sie sich Zeit nahmen beim Äsen° und einsahen, der Sinn ihres Lebens lag nicht im Rennen, er lag in der Ruhe. Meist ließ Wittigkeit sie um den Großen Böthiensee[3] herum weiden°. [Da gab es den Seeadler noch; die 100 Wasserfläche wurde rings vom Land angefressen, und nur im Vorfrühling, wenn die Schneeschmelze ihn stärkte, konnte der See einen Gegenschlag wagen; doch nicht lange, und seine Schlenken wurden wieder zum Rückzug gezwungen und Erlen, Schilffelder und Heere von Binsenkubben stießen nach und schoben sich immer weiter in den Seespiegel vor.[4]] Das Gras hier war pelzig und zart°, es 105 schmeckte wie Sahnebonbons°, wenn man draufkaute°, und die Schafe waren noch verrückter nach ihm als nach Salz.

Je mehr Wittigkeit trank, desto redseliger° wurde er. Das war neu an ihm; in der Dorfkneipe früher hatte er nur in sein Bierglas gestarrt und geschwiegen. Er

---

[3] a lake in northeast Pomerania

[4] White-tailed eagles still nested there; the water's expanse was invaded by land from all sides, and only in early spring when replenished by melting snow could the lake try a counter-attack; but not for long, for then its excursions were forced back again and the alders, reeds and armies of reed belts pushed ahead and moved forward into the water.

Glossar (Randspalte):

restaurant, tucked
village pub
wrestler
prostitutes, professional dancing partner
fans, teenagers and art-school types
shiny, unmade
straws, champagne drinkers
hid
band, percussionist
tight pants, drums
weitergezuckt°... *continued*
to twitch and to wriggle
would have fallen down
changed to
succeeded
to win over, toasted
joined in
the most exciting
lunatics
set out, pastures
conquer, set a pace
were left behind
grazing
graze
furry and tender
caramel candy, chewed on
talkative

construction business erzählte vom Bau°, und was er vorher gemacht hatte. Er hatte Teppiche geklopft, 110
coal barges, unloaded Kohlenkähne° entladen°, „und einmal," sagte er, „hab ich bei 'ner Ingenieursfrau
tiled, woodshed gewohnt und ich hab ihr 's Badezimmer gekachelt° und ihr 'n Holzschuppen°
gebaut."

fond of innovations, smirked „ ‚ne neuerungssüchtige° Dame," feixte° Vinka.

„Sie war gut," sagte Wittigkeit; „und sie stammte aus Schneidemühl, wissen 115
Sie."

back of his hand Alle lachten, und Wittigkeit fuhr sich mit dem Handrücken° über den Mund
und erzählte weiter, was er so alles gemacht hatte. Er sprach immer lauter; von
den anderen Tischen sahen sie schon zu uns rüber und stießen sich an und
machten sich über Wittigkeit lustig. Auch Leo und Budd amüsierten sich sehr, 120
hypocritical und Vinka kam aus der scheinheiligen° Fragerei gar nicht mehr raus; sie war so
nudged in Fahrt, daß sie nicht mal merkte, wie ich sie anstieß.°

intended Ich betrank mich schneller, als ich es mir vorgenommen hatte;° ich war wütend
auf sie; sie hatten kein Recht, sich über Wittigkeit lustig zu machen, niemand
shepherd of the estate hatte dazu ein Recht. Wittigkeit war zwanzig Jahre lang Gutsschäfer° gewesen, 125
rams und zuletzt hatte seine Herde über achthundert Köpfe gezählt. Er konnte Böcke°
assist with the lambing kastrieren und Muttertieren Geburtshilfe leisten°. Er konnte aus dem nassesten
flight of the snipes, quality Holz Feuer anmachen und aus dem Schnepfenstrich° die Beschaffenheit° des
splint kommenden Sommers ablesen. Er konnte ein gebrochenes Schafbein schienen°,
daß es in zwei Wochen wieder zusammengewachsen war, und er verstand Flöten 130
to whittle flutes, man . . . you zu schnitzen°, mit denen man den Pirol und den Wiedehopf anlocken konnte°.
could lure the oriole and the Niemand hatte ein Recht, sich über ihn lustig zu machen; hier nicht und nir-
hoopoe gendwo.

Aber sie taten es alle, das ganze Lokal amüsierte sich jetzt über ihn. Er merkte
covered with cement dust es nicht. Er saß da in seiner mörtelstaubgepuderten° Joppe, seinem schmuddeligen 135
grubby rayon scarf Kunstseidenschal°, die Mütze über dem Knie, in der einen Hand das Glas, die
andere hatte er Vinka auf die Schulter gelegt, und redete und redete, und trank
und redete.

„Und zuletzt," sagte er, „da haben sie die ganze Herde zusammengeschossen;
sie sollte den Russen nicht in die Hände fallen, hieß es. Sie stellten MGs um den 140
pen, aimed in between Kral° auf und hielten dazwischen°, zuerst fielen bloß immer ein paar um, aber
dann, als sie nicht mehr ganz so dicht standen, wurden es mehr. Sie brachen
brachen . . . zusammen immer erst in den Vorderbeinen zusammen°, die Hinterbeine blieben noch stehen.
collapsed Dann legten sie den Kopf auf die Seite, und dann fiel auch das Hinterteil° um.
rear end Schließlich war bloß noch der Leithammel° übrig. Er hatte schon x-mal was 145
lead ram abgekriegt° und ganz rote Augen bekommen davon, und Blutbäche° verloren sich
got hurt, rivulets of blood in seinem Fell. Er war zu zäh, sie mußten ihm erst eine Extrasalve bewilligen°,
give him an extra burst ehe auch er in die Knie ging."

Wittigkeit sah durch Vinka hindurch. Die räusperte sich, ihre Unterlippe
zitterte. 150

irritated „Warum tanzt eigenlich keiner mit mir?" fragte sie plötzlich gereizt°.
red-light district in London „Lieber Himmel, ja—!" Budd stand auf. „Komm, du Blume von Soho°."
filled his glass „Tja, denn," sagte Leo unsicher und schenkte Wittigkeit ein°.
scarf Wittigkeit nahm das Glas und stand auf. Sein Halstuch° war ihm aus der Joppe
slipped, rope gerutscht°, es hing ihm lang und dünn fast wie ein Strick°, vor dem Bauch; er 155

swayed, swept   schwankte° und sah sich im Raum um. „Nichts—" sagte er auf einmal und fegte° langsam die Gläser und die Flaschen vom Tisch: „nichts. Außer dir," sagte er und ging mit seinem Glas schwankend zu Vistral hinüber.

brach . . . *stopped in the middle*
ließ . . . *let the wire-brush softly vibrate on the drum craned their necks*

Gleich brach die Kapelle mittendrin ab°, nur der Schlagzeuger ließ den Draht-besen noch sanft auf der Trommel vibrieren°; keiner sprach; sie erhoben sich 160 schweigend von den Tischen und reckten die Hälse°; und auch die Tanzpaare ließen sich jetzt los und sahen zu Wittigkeit rüber. Denn jeder wußte, daß Vistral am Abend gegen Tschapczik verloren hatte, und jeder wußte aber auch, daß Vistral alles, selbst eine Niederlage, ertrug, nur eins nicht: nach einer Niederlage angesprochen zu werden. 165

put them in splints

Einmal hatten die Hunde nicht aufgepaßt, und ein Lamm war verlorengegan-gen. Wittigkeit suchte es die ganze Nacht. Am Morgen fand er es, es war in eine Grube gestürzt und hatte sich beide Vorderbeine gebrochen. Er schiente sie ihm° und trug das Tier vier Wochen mit sich herum und nährte es mit der Flasche. Eines Tages aber stellte er es wieder auf die Erde, und da stand es und zitterte, 170 und zwei Tage später nahm er ihm die Schienen ab und stützte es unter dem Bauch und machte die ersten Gehversuche mit ihm, und nicht lange, und es lief wieder wie sonst, und seine Beine waren geheilt.

lifted his large bear-head, blinking

Wittigkeit stand jetzt unmittelbar vor Vistral. Der hatte seinen gelockten Bärenkopf angehoben° und sah blinzelnd° zu ihm auf. 175

„Du erinnerst mich an unsern Inspektor," sage Wittigkeit zu ihm. „Hat eine Menge von Schafen verstanden und ist auch sonst sehr vernünftig gewesen. Stoß mit mir an."

hit while seated
backward
burrow through, got up

Vistral stand gar nicht erst auf, er schlug aus dem Sitz°. Wittigkeit fiel hin-tenüber° und riß zwei Tische mit um. Ich sprang auf und half ihm, sich aus den 180 Tischtüchern zu wühlen°. Als wir uns aufrichteten°, stand ein Kreis von Lachern um uns herum. Wittigkeit schien wieder nüchtern geworden zu sein. Er blutete am Kinn; auch seine Hand war blutig, er hielt noch den Stiel des abgebrochenen Weinglases fest, mit der anderen tastete° er über sein Kinn. Ausgerechnet da fiel

felt
diese . . . *would never have suffered this humiliation*
intact
bis . . . *beaten to unconsciousness*
blindly, with large-framed glasses
bekam . . . etwas ab *got something*
series of uppercuts

mir ein, daß Wittigkeit diese Erniedrigung nie widerfahren wäre°, hätte ich ihn 185 an der Baustelle nicht angesprochen. Aber wer kann das: ein Stück unversehrter° Vergangenheit sehen und dran vorbeigehen. Ich hatte plötzlich den Wunsch, bis zur Besinnungslosigkeit verhauen° zu werden. Ich sah mich gar nicht erst um, ich schlug blindlings° in so bleiches, großrandig bebrilltes° Jünglingsgesicht rein, und dann in ein zweites und drittes, und Budd bekam auch noch was ab°. Dann 190 erst kriegten sie mich. Ich bekam eine Kinnhakenserie°, sie schlugen mich mit dem Kopf auf den Tisch, ich fiel hin, sie traten nach mir, sie packten mich; und

yanked

dann rissen° sie die Tür auf und warfen mich raus.

Fragen zum Text

1. Was ist ein „Trocadero"? Wo findet man so ein Lokal?
2. Erzählen Sie, wo der Erzähler am Anfang der Geschichte ist, und wie er dahin gekommen ist.

3. Erklären Sie ganz kurz, woher Wittigkeit kommt, was er in den letzten Jahren gemacht hat, und wo er jetzt arbeitet. Was war Wittigkeits Beruf früher?

4. Was bedeutet „Das zweite Gesicht"? Hat Wittigkeit „das zweite Gesicht"? Erklären Sie die Episode mit dem Hund.

5. Wieso weiß der Erzähler soviel über Wittigkeit? Kann man aus seiner Erzählung erkennen, was er über Wittigkeit denkt, und was Wittigkeit für ihn bedeutet?

6. Beschreiben Sie die Freunde des Erzählers, die Leute im Trocadero und, im Kontrast dazu, wie Wittigkeit aussieht. Zeigt der Erzähler die Szene realistisch?

7. Der Erzähler unterbricht seinen Bericht immer wieder, weil er an die Schafe denken muß. Erzählen Sie die verschiedenen erinnerten Episoden. Welche Funktion haben sie?

8. Was denken die Gäste im Lokal über Wittigkeits Benehmen? Wie reagiert der Erzähler auf die anderen Gäste?

9. Wer hat die Schafe erschossen, und warum? Erzählen Sie, wie die verschiedenen Freunde auf diese Geschichte reagieren.

10. Was bedeutet Wittigkeits Geste (er fegt die Gläser vom Tisch) und sein Versuch, mit Vistral zu trinken? Woran muß der Erzähler in diesem Moment denken?

11. Wie reagiert der Catcher? Beschreiben Sie die Szene.

12. Erklären Sie, warum der Erzähler „bis zur Besinnungslosigkeit verhauen werden" will. Wann wußten Sie, daß die Erzählung so enden mußte?

Themem zum Schreiben und zur Diskussion

1. Der Erzähler erzählt zwei verschiedene Geschichten: seine eigene und Wittigkeits Vergangenheit (wann war das?), und die jetzige Situation von beiden (welches Jahr ungefähr?). Was ist seine Methode? Wie reagieren Sie auf die wechselnden Perspektiven?

2. Der Autor gibt verschiedene Beispiele aus der Vergangenheit, z. B. die Episode mit dem Hund. Was intendiert er wohl mit dieser Methode? Hat er bei Ihnen Erfolg, d. h., haben Sie die gewünschte Meinung über früher und heute? Welche?

3. Wußten Sie, daß Wittigkeits Erzählung von seinen Schafen so (oder ähnlich) enden würde? Was waren Ihre Gedanken, als Sie das gelesen haben? Der Autor will etwas ganz Bestimmtes damit sagen. Was?

4. Was ist das Thema der Geschichte? Welche Nebenthemen können Sie erkennen?

5. Der Stadt–Land Gegensatz scheint in der deutschen Literatur wichtig zu sein. Verstehen Sie, warum? Gibt es auch in den Vereinigten Staaten Interesse dafür? Erklären Sie.

Aktivitäten

1. Suchen Sie auf einer Landkarte den Ort Schneidemühl, und erklären Sie vor der Klasse, was die Geographie mit dem Thema zu tun hat.
2. Ein Schafhirte und ein Maurer diskutieren ihren Beruf: auf dem Land, in der Stadt.

 # Geteiltes Deutschland

DEUTSCHE ÜBER DEUTSCHE

Neue Wörter

Verben

betonen	to emphasize, to stress
schätzen	to estimate
teilen	to divide
trennen	to separate
untergehen, i, a (+ sein)	to perish
zusammen·fassen	to summarize

Substantive

die **Flucht**	escape
die **Konkurrenz**	competition
die **Quelle, -n**	source
die **Rakete, -n**	rocket
die **Trennung, -en**	separation
die **Unterdrückung, -en**	oppression
das **Visum, Visa**	visa
die **Wiedervereinigung, -en**	reunification

NEUE WÖRTER IM KONTEXT

Nennen Sie das Vokabularwort, das zur Definition paßt:

Wenn Sie von etwas weglaufen, ist das ＿＿＿.

Sie geben einem Wort den Akzent, sie ＿＿＿ es.

Wenn eine Regierung die Bevölkerung zwingt, dann ist das ＿＿＿.

Wenn Sie in die DDR reisen wollen, brauchen Sie ein ＿＿＿.

Viele Deutsche hassen die Trennung; sie hoffen auf die ＿＿＿.

REDEWENDUNGEN AUS DEM TEXT

1. er bekommt Ärger mit   *he's in trouble with*

2. viele haben Angst vor   *many are afraid of*

3. Mir wäre das nicht recht.   *That wouldn't be all right with me.*

4. im gleichen Alter   *of the same age*

5. nach drüben gehen   *to go over there*

Nennen Sie die Nummer der *Redewendung*, die dasselbe sagt:

Er ist so alt wie ich. ＿＿＿ in den anderen Teilen Deutschlands gehen ＿＿＿
viele fürchten ＿＿＿ er hat Schwierigkeiten mit ＿＿＿. Das würde mir nicht
gefallen. ＿＿＿

Deutsche über Deutsche

M itten durch Deutschland geht eine Grenze. Sie trennt nicht nur die Bundesrepublik Deutschland und die Deutsche Demokratische Republik, sondern auch die beiden großen politischen Machtblöcke: Osten und Westen. Aber auf beiden Seiten leben Deutsche. Die Älteren erinnern sich noch an die Zeit, als man von einem Teil Deutschlands in den anderen reisen konnte. Heute können 5 die DDR-Bürger erst als Rentner in den Westen fahren. Bürger der Bundesrepublik dürfen in den Osten fahren, aber man braucht dafür ein Visum und Geld.

Welche Folgen hat diese Trennung? Schüler der neunten Klasse eines Gymnasiums° in Westdeutschland machten eine Umfrage: „Was wißt ihr über die DDR?" Die meisten wußten sehr wenig, nur Klischees, negative Bilder 10 vom anderen Deutschland: Mauer, Unfreiheit, Unterdrückung, Flucht, Todesstreifen[1] . . .

„Die DDR, das ist das Deutschland der 50er Jahre." „Ich habe eine Abscheu° vor diesem Land." „Die Grenze ist unmenschlich, die Grenzbeamten° sind richtige Roboter." „Die Menschen leben wie in einem Gefängnis." Positive Meinungen 15 sind: „sehr gute Sportler", „schöne Landschaften", „interessante Kulturstätten°", „keine Arbeitslosigkeit", „erste Zeichen einer Friedensbewegung."

Vor allem die Friedensbewegung in der DDR mit dem Motto „Schwerter zu Pflugscharen°," ein Wort aus der Bibel, interessiert viele Jugendliche im Westen. In der DDR ist es der Staat, der „Friedensdemonstrationen" gegen den „Impe- 20 rialismus" des Westens macht; aber Leute, die auch gegen Ost-Raketen demonstrieren, bekommen Ärger mit der Staatspolizei.

Etwa 85% der Schüler zeichnen ein dunkles Bild von der DDR. Der Alltag der Menschen dort ist ihnen fast unbekannt. Nur 10% kennen die DDR von Besuchen bei Verwandten und betonen die menschliche Verbundenheit° und 25 dieselbe Nationalität der Deutschen in West und Ost. Bei vielen anderen ist das Interesse für die DDR sehr klein. Auf die Frage „Würdest du gerne in die DDR reisen?" antwortet jeder Dritte mit "nein". Viele haben Angst vor dem Staat, „weil ich dort nicht Mensch sein darf." Auch als Touristen fühlen sie sich nicht wohl: „Mir wäre es auch nicht recht, wenn ich in der DDR leben würde, und 30 die ganzen ‚Westler' kämen, um mich anzusehen wie im Zoo."

Aber zwei Drittel würden gern einmal in den Osten fahren, „um die Leute dort kennenzulernen und mit ihnen zu reden, um Städte und kulturhistorische Plätze zu besuchen," oder um zu sehen, „ob die Horrorgeschichten wahr sind." Sie möchten „Vorurteile abbauen°," „mit Jugendlichen im gleichen Alter über 35 Staat und Gesellschaft reden." Etwa 61% wünschen sich die ‚Wiedervereinigung', einen gemeinsamen deutschen Staat, „weil auch DDR-Bürger Menschen sind," „weil es genug Ärger auf der Welt gibt und wenigstens die Deutschen Frieden schließen sollten," und „weil viele DDR-Bürger Verwandte in der BRD haben." „Die Deutschen sind eine Nation und sollten eine Regierung (und zwar eine 40 demokratische) haben"; 55% halten eine Wiedervereinigung für „unmöglich"

high school (line 9)

abhorrence (line 13)
border guards (line 14)

historic sites (line 16)

swords into plowshares (line 19)

bond (line 25)

dismantle prejudices (line 35)

[1] death-strip = the fortified strip on the GDR side of the German-German border

grown apart oder „utopisch". „Die Systeme haben sich auseinanderentwickelt°; ein Krieg kann Deutschland wiedervereinigen, aber dieser Preis wäre zu hoch."

Tausende von westdeutschen Touristen, also keine Besucher von Verwandten, reisen jedes Jahr in die DDR; dazu Jugendliche in Studiengruppen, die von der 45 Bundesregierung in Bonn finanziell unterstützt werden. Aber die meisten Leute, etwa 3 Millionen im Jahr, reisen privat und besuchen Verwandte. Weil seit dem Bau der Mauer nur noch ältere Leute in den Westen dürfen (Frauen ab 60, Männer ab 65 Jahre) sind Besucher aus der Bundesrepublik besonders willkommen als wichtige Informationsquelle. 50

Der größte Teil der Jugend in Ost und West bekommt Informationen aus den Medien. Aber Radio und Fernsehen, Zeitungen und Zeitschriften sind in West und Ost sehr verschieden. In der Bundesrepublik wie in allen westlichen Ländern

Basic Law (constitution) verkaufen die Zeitungen Nachrichten. Jeder darf alles lesen, und das Grundgesetz° garantiert die Meinungsfreiheit und die Pressefreiheit. Das heißt aber auch: Die 55 Konkurrenz auf dem Nachrichtenmarkt ist groß. Wer gut verkaufen will, braucht Sensationen. Die Medien in der Bundesrepublik berichten immer wieder über die DDR. Aber viele Sensationen gibt es dort nicht. Die Bundesbürger lesen über den Alltag der DDR wie einen Bericht vom anderen Ende der Welt. Die Medien

directed in der DDR werden, wie der ganze Staat, zentral gesteuert°. Die SED (Soziali- 60 stische Einheitspartei Deutschlands) hat in Berlin (Ost) eine „Agitationskommission", die bestimmt, was die Zeitungen schreiben müssen, und was das Fernsehen senden darf. Die meisten Zeitungen und Magazine aus dem Westen dürfen nicht in die DDR importiert werden.

Aber etwa 80% der 17 Millionen Deutschen in der DDR machen abends 65 westdeutsche Sender an. Sie sehen Nachrichten und Filme aus der ganzen Welt— und über die DDR; sie erfahren Tatsachen, die man nicht im DDR-Fernsehen sehen kann. Es scheint kurios, aber die DDR-Bürger bekommen viele Informationen über die DDR aus dem Westen. Auch in der BRD kann man in einigen Gebieten das DDR-Fernsehen empfangen; aber das ist für die meisten zu lang- 70 weilig. Höchstens der Sport ist interessant.

Fragen zum Text

1. Seit wann existieren zwei deutsche Staaten? Wie heißen sie?

2. Was denken die jungen Leute in der Bundesrepublik über die DDR? Warum wissen sie so wenig über Ostdeutschland?

3. Beschreiben Sie den Reiseverkehr von einem deutschen Staat in den anderen. Wer darf reisen, wer nicht?

4. Vergleichen Sie das westliche und das östliche Nachrichtensystem. Was sind die respektiven Vor- und Nachteile?

Themen zum Schreiben und zur Diskussion

1. Fassen Sie zusammen, was Sie aus dem Text über die Unterschiede zwischen West- und Ostdeutschland wissen.

2. Der Text gibt westdeutsche Meinungen über die DDR. Versuchen Sie zu schreiben, was die Ostdeutschen über die Bundesrepublik sagen würden.

Aktivitäten

1. Diskussion: In welchem Deutschland möchten Sie leben, arbeiten, Ihre Kinder erziehen?
2. Debatte: „Das östliche/das westliche Nachrichtensystem ist besser, denn . . .“

BERLIN, 13. AUGUST 1961

Neue Wörter

Verben

ab·sperren	to close off
auf·reißen, i, i	to tear open
betreten (i), a, e	to enter
ein·führen	to introduce, to establish
gestatten	to permit
vor·legen	to present

Substantive

der **Befehl**, -e	order, command
die **Bewachung**	surveillance
die **Genehmigung**, -en	permission
der **Graben**, ¨	ditch, trench
die **Maßnahme**, -n	measure
die **Ordnung**, -en	order, rule
der **Personalausweis**, -e	identification card
der **Posten**, -	guard
der **Stacheldraht**, ¨e	barbed wire
die **Übergangsstelle**, -n	crossing point
der **Vertrag**, ¨e	treaty

NEUE WÖRTER IM KONTEXT

1. Nennen Sie das Vokabularwort, das zur Definition paßt:

Jemand sagt Ihnen, was Sie tun müssen. Er gibt _____.
Zwei Parteien sind sich einig und schließen _____.
Sie gehen in ein Zimmer, Sie _____ es.
Sie dürfen etwas tun; man hat es Ihnen _____.
Die Soldaten, die auf Wache stehen, heißen _____.
Der Punkt, wo Sie von einer Seite auf die andere gehen: _____.

2. Nennen Sie ein Synonym:

Erlaubnis   ein Kommando
erlauben   Paß

REDEWENDUNGEN AUS DEM TEXT

1. Was wurde aus ihm?   *What became of him?*
2. Wie ist das gekommen?   *How did it happen?*
3. im einzelnen   *in detail*

Nennen Sie die Nummer der *Redewendung*, die etwa dasselbe sagt:
Was war sein Schicksal? _____ Punkt für Punkt. _____ Wie ist das passiert?
_____

Berlin, 13. August 1961

13 August: In den frühen Morgenstunden des Sonntags (nachts 2 Uhr) sperren Einheiten° der Volkspolizei und Nationalen Volksarmee die Sektorengrenze zwischen dem Sowjetsektor und West-Berlin ab. Panzerformationen° und schwerbewaffnete° Polizei- und Truppeneinheiten beziehen an der Sektorengrenze Stellung°, sie werden von Betriebskampfgruppen verstärkt°. Das „Regierungs- 5 viertel" wird hermetisch abgesperrt. Ost-Berlin wird eine Stadt im Belagerungszustand°.

units
tanks
heavily armed
beziehen . . . Stellung *move into position, reinforced by factory combat units*
state of siege

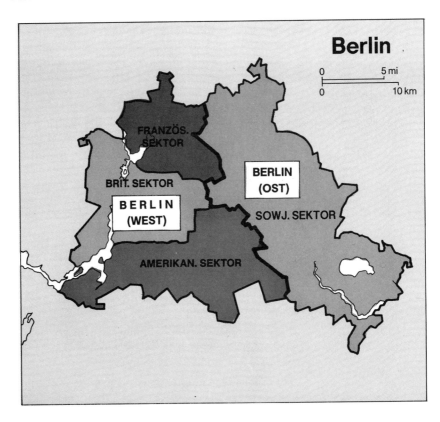

reliable, is guaranteed

Auf Befehl der kommunistischen Regierung wird allen Bewohnern der Sowjetzone und Ost-Berlins das Betreten West-Berlins verboten. Diese Maßnahmen 10
gehen auf einen Befehl der Warschauer Vertragsstaaten zurück, „ . . . an der
West-Berliner Grenze eine solche Ordnung einzuführen, durch die eine verläß-
liche° Bewachung und eine wirkliche Kontrolle gewährleistet wird°."
Im einzelnen wird folgendes befohlen:

compulsory showing of permit

1. Für alle Bewohner des Sowjetsektors und der Sowjetzone ist Passierschein-
zwang° beim Betreten von West-Berlin.

former
2. Außer 13 werden die bisherigen° Übergangsstellen (etwa 80) geschlossen. 15

border crossers
3. Den „Grenzgängern°" wird die weitere Arbeit in West-Berlin verboten. Sie
müssen sich entweder bei ihrem letzten Arbeitsplatz im Sowjetsektor zur

appropriate
Wiederaufnahme der Arbeit oder bei dem zuständigen° Registrierbüro melden.

suspended
4. Der direkte S-Bahn-Verkehr zwischen beiden Teilen der Stadt und aus den
Randgebieten der Zone nach West-Berlin wird eingestellt°; die in Ost-West- 20
Richtung fahrenden S-Bahnzüge enden auf dem Bahnhof Friedrichstraße.

presentation, further
5. Bewohnern von West-Berlin ist das Betreten des Sowjetsektors nach Vor-
zeigen° des Personalausweises weiterhin° gestattet.

6. West-Berliner Wagen dürfen nicht in den Sowjetsektor fahren.

one-day permits
7. Bürger der Bundesrepublik können an vier Ausgabestellen nach Vorzeigen 25
der Personaldokumente wie bisher Tages-Aufenthaltsgenehmigungen° zum Betreten des Sowjetsektors bekommen.

Schon in den frühen Morgenstunden beginnen die Truppen und die Polizei, das
Straßenpflaster aufzureißen, und die Sektorengrenze mit Stacheldraht, Gräben

barriers
und Hindernissen° von den Westsektoren abzusperren.   30

Der erste Tag

violation

D ieses Kind will hinüber. Der Posten hat Befehl, niemand durchzulassen.
Trotzdem öffnet er den Stacheldraht. In diesem Augenblick sieht es der
Offizier. Wegen seines Vergehens° wurde der Posten sogleich abkommandiert.
Niemand weiß, was aus ihm wurde.

Fragen zum Text

1. Wann und von wem wurde die Sektorengrenze in Berlin gesperrt? Was bedeutet „abriegeln"?

2. Welche legale Basis geben die kommunistischen Machthaber für diese Aktion?
Was meinen sie mit der „verläßlichen Bewachung" und „wirklichen Kontrolle"
an dieser Grenze?

3. Wiederholen Sie die Anordnungen 1 bis 7.

4. Beschreiben Sie, wie in den nächsten Tagen die Blockierung der Grenze wei-
terging.

5. Erzählen Sie die Episode mit dem Kind.

Themen zum Schreiben und zur Diskussion

1. Erklären Sie, was in Berlin ein „Sektor" ist. Welche Sektoren gibt es, und seit wann? Wo läuft die Sektorengrenze?
2. Wie reagieren Sie auf die Anordnungen für die Kontrolle der Sektorengrenze? Wie hätten Sie reagiert, wenn Sie (als Amerikaner, als Deutscher) im August 1961 in Berlin gewohnt hätten?

Aktivität

Suchen Sie Berlin auf einer deutschen Landkarte. Beschreiben Sie genau, wo es liegt. Erklären Sie, wie das gekommen ist. Früher war Berlin die deutsche Hauptstadt. Was ist es heute?

25 JAHRE MAUER

Neue Wörter

Verben
fliehen, o, o (+ sein)	to flee
sichern	to safeguard
töten	to kill
zielen	to aim
zwingen, a, u	to force

Substantive
die **Erkenntnis**, -se	insight
die **Herrschaft**	rule, reign

Andere Wörter
bereit	ready, prepared
künstlich	artificial

NEUE WÖRTER IM KONTEXT

Nennen Sie das Vokabularwort, das zur Definition paßt:
etwas wirklich verstehen. _____ gewinnen.
Sie laufen vor etwas weg. Sie _____.
über ein Land regieren. _____ haben.
um zu treffen, muß man _____.

REDEWENDUNGEN AUS DEM TEXT

1. Jahr für Jahr	*year after year*
2. weiter nichts	*nothing but*
3. hin und wieder	*now and again*
4. zu tun haben mit	*to have on one's hands*

Schreiben Sie Sie die Nummer der *Redewendung*, die etwa dasselbe sagt:
Ich beschäftige mich nicht damit. _____ Nur das _____ jedes Jahr _____ manchmal _____ .

25 Jahre Mauer

A m 13. August 1986 gab es einen traurigen Erinnerungstag in der jüngsten deutschen Geschichte: vor 25 Jahren wurde von der DDR die Mauer in Berlin gebaut, die den Ost- und Westteil der Stadt trennt. Vor diesem Tag im Jahr 1961 hatten Jahr für Jahr Hunderttausende die DDR verlassen, vor allem über West-Berlin. Um diesen Strom von Flüchtlingen zu stoppen, ließ der da- 5
consent malige DDR Regierungschef, Walter Ulbricht, mit dem Einverständnis° der UdSSR die Sperrmauer bauen.

Die Mauer teilt Berlin, die frühere deutsche Hauptstadt, in zwei Teile; sie geht mitten durch die Stadt—durch Straßen, Plätze, Flüsse und Häuser. Und sie trennt Familien. Bus, U-Bahn und viele Straßen enden an der Mauer. Der Sohn im 10 Ostteil der Stadt kann seine Eltern im Westteil Berlins nicht mehr besuchen.
one-way Besuche sind nur im Einbahn°-System möglich: von West nach Ost, mit Tages- oder Besucher-Visum.

Der Preis war hoch. Bezahlen mußten ihn 17 Millionen Deutsche in Ostdeutschland sowie eine Stadt, die früher ein politisches und kulturelles Zentrum 15
Mitteleuropas war. Mit dem Leben bezahlen mußten Hunderte von Menschen,
die bei Fluchtversuchen aus der DDR getötet wurden. An der „Friedensgrenze"
wurde geschossen, meistens ganz gezielt: auf Menschen, die weiter nichts wollten,
als ihr Land verlassen. Rund 200 000 Menschen gelang trotz des extremen Risikos
in den letzten 20 Jahren die Flucht aus der DDR.   20

survival   Wie muß ein Staat sein, der sein Überleben° nicht anders zu sichern weiß, als
mit Stacheldraht und Mauer? Die Antwort ist einfach. Diesem Staat fehlt das
notwendige Minimum an Loyalität zwischen Bürgern und Staat, das in allen
anderen Staaten des europäischen Ostens zu existieren scheint.

Aber die DDR kann nicht gezwungen werden, die Bedingungen ihres Über-   25
lebens zu ändern. Aus dieser Erkenntnis entwickelte Bonn eine andere Politik:
mit dem gleichen Ziel zwar, nämlich mehr Freiheit und Recht in Deutschland,
with more patience aber mit sehr langem Atem°. Es gelang wirklich, die Mauer von Westen nach
penetrable   Osten durchlässiger° zu machen, so daß jährlich mehr als hunderttausend Leute
aus der Bundesrepublik—mit Visum—in den anderen Teil Deutschlands reisen 30
konnten.

hopeless   Die Regierung in Ost-Berlin hat es mit einem aussichtslosen° Paradox zu tun:
die Mauer trennt nämlich nicht nur, sie verbindet auch. Solange sie steht, wird
indignation, arouse sie Empörung° und Protest gegen jene auslösen°, die sie gebaut haben, und solange
als . . . *feel they belong together* werden sich die Deutschen hier und drüben als zusammengehörig fühlen°.   35

Fragen zum Text

1. Warum ließ Walter Ulbricht die Mauer bauen? Mußte er das tun?

2. Was meint der Artikel mit „Preis" für die Mauer?

3. Wer schießt auf wen an der „Friedensgrenze"? Warum?

4. Was scheint das Problem der DDR zu sein (ein Problem, das die anderen
   Ostblockstaaten nicht haben)?

5. Was ist die Politik der Bundesrepublik in Antwort auf die Mauer?

6. Im Artikel steht, die Mauer verbindet auch. Stimmt das?

Themen zum Schreiben und zur Diskussion

1. Was ist Ihre Reaktion, wenn Sie lesen, daß in den letzten zwanzig Jahren,
   nach Bau der Mauer, trotz der großen Gefahr 200 000 Menschen aus der
   DDR geflohen sind?

2. Was denken Sie über die Möglichkeit, daß die beiden deutschen Staaten
   wiedervereinigt werden? Scheint die Zeit dafür oder dagegen zu arbeiten?

3. Als Studenten in den USA haben Sie mehr Distanz zu der „deutschen Frage".
   Formulieren Sie ein paar Sätze über die internationale Bedeutung dieser Frage.

Aktivität

Halten Sie einen Vortrag, in dem Sie alles sagen, was Sie über die Berliner Mauer wissen, mit Ihren eigenen Worten und mit diesem Vokabular:

13. August 1961, DDR-Regierung, Jahr für Jahr, Hunderttausende, fliehen, Flucht stoppen, zwei Teile, mitten durch die Stadt, trennen, Besuchervisum, Übergangsstellen, Stacheldraht, Posten, schießen, zielen, sein Überleben sichern, andere Ostblockstaaten, Bevölkerung zwingen, verbinden und trennen

FRIEDENSKINDER

Neue Wörter

Verben

sich beherrschen	to control oneself
sich erhängen	to hang oneself
erschießen, o, o	to shoot dead
gestehen a, a	to confess
saugen	to suck
statt·finden, a, u	to take place

Substantive

die **Gabel**, -n	fork
der **Hauptmann**, -leute	captain
die **Träne**, -n	tear
die **Unterhose**, -n	underpants

Adjektiv

unruhig	nervous

NEUE WÖRTER IM KONTEXT

1. Nennen Sie ein Vokabularwort, das zur Definition paßt:

damit essen Sie _____
ein Offizier, höher als Leutnant _____
was aus den Augen kommt, wenn Sie weinen _____
was Sie unter der Hose tragen _____

2. Nennen Sie ein Synonym:

totschießen	nicht die Kontrolle verlieren
geschehen	nervös

> **Kunze, Reiner**   *16.8.1933 in Ölsnitz. Der Sohn eines
> *miner* Bergmanns°, studierte Philosophie und Journalistik und war
> vier Jahre Universitätslehrer. Als Zeichen seiner Kritik an
> den politischen Ansichten der Universitätskreise wurde er
> *locksmith* 1959 für drei Jahre Schlosser°; seitdem arbeitet er als freier
> Schriftsteller. Wegen seiner Kritik am ostdeutschen System
> wurde er 1976 aus dem Schriftstellerbund ausgeschlossen
> und mußte 1977 die DDR verlassen. Seitdem lebt er in der
> Bundesrepublik. Er ist besonders als Lyriker bekannt,
> schreibt aber auch Erzählungen.

REINER KUNZE

Friedenskinder

Sechsjähriger

pierces, pins Er durchbohrt° Spielzeugsoldaten mit Stecknadeln°. Er stößt sie ihnen in den Bauch, bis die Spitze aus dem Rücken tritt. Sie fallen.
„Und warum gerade diese?"
„Das sind doch die andern."

Siebenjähriger

In jeder Hand hält er einen Revolver, vor der Brust hat er eine Spielzeugma-   5
schinenpistole hängen.
„Was sagt denn deine Mutter zu diesen Waffen?"
„Die hat sie mir doch gekauft."
„Und wozu?"
„Gegen die Bösen."   10
„Und wer ist gut?"
„Lenin."
„Lenin? Wer ist das?"
hard Er denkt angestrengt° nach, weiß aber nicht zu antworten.
„Du weißt nicht, wer Lenin ist?"   15
„Der Hauptmann."

Achtjähriger

tent site „Sie waren aus P., und wir bekamen den Zeltplatz° neben ihnen zugewie-
assigned sen°", sagte der Mann aus W. „Wir brauchtes uns nur zu zeigen—schon
wurden wir von dem Jungen im Nachbarzelt mit einer Spielzeugpistole beschos-
fired upon, confronted sen°. Als unsere beiden Jungs ihn zur Rede stellten°, sagte er, sein Vater habe   20
gesagt, wir seien Feinde—und sofort zog er sich wieder in den Zelteingang zurück

und eröffnete das Feuer auf sie. Unsere Jungs waren schnell damit fertig: Der spinnt°. Ich muß Ihnen aber sagen, als ich nach acht Tagen noch immer nicht ins Auto steigen konnte, ohne eine Mündung auf mich gerichtet° zu sehen, ging mir das auf die Nerven." 25

is crazy
eine ... a muzzle directed at me

Neunjährige

PFARRER: Sagen wir, es käme ein Onkel aus Amerika ...

ERSTER SCHÜLER: Gibt's ja nicht. Der wird doch gleich von den Panzern° erschossen. (Mit der Geste° eines Maschinenpistolen-schützen°) *Peng—peng—peng—peng!* (Die anderen Schüler lachen.) 30

PFARRER: Aber wieso denn?

ERSTER SCHÜLER: Amerikaner sind doch Feinde.

PFARRER: Und Angela Davis? Habt ihr nicht für Angela Davis eine Wandzeitung° gemacht?

ERSTER SCHÜLER: Die ist ja keine Amerikanerin. Die ist ja Kommunistin. 35

ZWEITER SCHÜLER: Gar nicht, die ist Neger.

tanks
gesture
machine gunner
billboard

Elfjähriger

"Ich bin in den Gruppenrat gewählt worden," sagte der Junge und spießt Schinkenwürfel° auf die Gabel. Der Mann, der das Essen für ihn bestellt hat, schweigt. "Ich bin verantwortlch für sozialistische Wehrerziehung"", sagt der Junge. 40
"Wofür?"
"Für sozialistische Wehrerziehung." Er saugt Makkaroni von der Unterlippe.
"Und was mußt du da tun?"
"Ich bereite Manöver vor und so weiter."

spießt ... picks up cubes of ham
military training

Zwölfjähriger

"Beinahe hätte ich Pistolenschießen gelernt, aber richtig, auf dem Schüt- 45 zenhof°. Du kannst mit der Straßenbahn bis hin fahren, hat der Offizier gesagt. Der kam mitten in der Russischstunde, auf einmal ging die Tür auf, und er hat gefragt, were gern Pistole schießen möchte ... Ich habe mich als erster gemeldet, bloß°—ich habe ein paar Impulse zuviel ... Da mußt du fünfzehn Sekunden ausatmen und die Pistole mit gestrecktem° Arm in ein Loch halten, 50 und dann können die genau ablesen, wieviel Impulse du hast. Aber was denkst du, wie schwer so ein Ding ist! Ein Kilo und dreihundert Gramm ... Und einer hat Pech gehabt, sage ich dir. Der hatte ganz wenig Impulse, das wäre was ganz Seltenes, und weißt du was? Der hatte eine zu kleine Hand, der kam mit dem Finger nicht an den Abzug°." 55

target range
only
stretched
der kam ... his finger didn't reach the trigger

Schießbefehl

„Ich fahre zum Vater, sagt er, nimmt das Motorrad, und ich denke, warum kommt er denn nicht wieder, wo der bloß bleibt, langsam werde ich unruhig, da kommen die und sagen, ich soll nach P. kommen, er hat über die Grenze gewollt, und sie haben ihn erwischt. Also bin ich mit dem nächsten Zug nach P. gefahren, er hat schon gestanden, sagen sie, und als ich mich nicht mehr 60 beherrschen konnte, und mir die Tränen kamen, haben sie gesagt, machen Sie sich keine Sorgen, gute Frau, Ihr Gerhard lebt, er hat gut gegessen, und jetzt schläft er. Und wenn's während der Armeezeit gewesen wäre, wär's schlimmer. Er hatte doch gerade erst seinen Facharbeiter mit Abitur[1] gemacht, und am *report for military duty* Montag sollte er einrücken° . . . Und dann, am Montagnachmittag, kommen die 65 von hier und sagen, ich soll am Dienstag nach P. kommen. Ich backe einen Kuchen, kaufe ein, und dann sagen sie mir in P., ob ich denn nichts wüßte, ob denn unsere nichts gesagt hätten, er hat sich erhängt. Mit der Unterhose. Und sie hätten ihm einen Zettel gegeben, ob er mir nicht ein paar Worte schreiben *refused, do to me* wollte, aber er hätte abgelehnt°. Wie er mir das hat antun° können . . . Und 70 sehen darf ich ihn nicht, nur noch kurz vor der Feier, die im Gefängnis stattfindet. *hand* Aushändigen° können sie mir nur die Urne."

Vorbereitung

1. Beenden Sie diese Sätze dem Text nach:

Ein Junge tötet seine Spielzeugsoldaten. Warum denn diese? Weil _____. Ein Junge hat eine Spielzeugpistole. Was sagt denn deine Mutter _____? Die hat _____.

Auf dem Campingplatz: Wenn wir aus dem Zelt kamen, _____. Als die Jungens fragten, warum, sagte er _____. Nach acht Tagen _____. Im Klassenzimmer: Sagen wir, ein Onkel _____. Das kann nicht passieren, denn _____. Warum? Weil _____.

Sozialistische Wehrerziehung: Ich bin in den Gruppenrat _____. Wofür bist du da verantwortlich? _____. Und was mußt du tun? _____.

Pistolenschießen: In der Russischstunde ging auf einmal _____. Was hat der gefragt? Wer _____. Was hast du gesagt? Ich _____. Hast du Schießen gelernt? Nein, _____.

2. Erzählen Sie, was in „Schießbefehl" passiert, mit Ihren eigenen Worten oder mit dem gegebenen Vokabular:

Motorrad nehmen; Vater besuchen; nicht wiederkommen; unruhig werden; Polizei; nach P. kommen; über Grenze; erwischen; gestehen; Tränen; keine Sorgen;

---

[1] A special diploma in the German Democratic Republic upon completion of high school. It combines an academic degree with extended vocational training in a craft, trade, or technology.

essen; schlafen; während der Armeezeit; Montagnachmittag; Dienstag; Kuchen backen; nichts wissen; Unterhose; Zettel; sich weigern; sehen; Feier; Gefängnis; Urne

Fragen zum Text

1. Was tut der Sechsjährige? Versteht er, was er tut?
2. Wer sind für den Siebenjährigen die Guten, die Bösen?
3. Warum „schießt" der Achtjährige auf die Nachbarn?
4. Welche Aufgaben hat der Elfjährige im Gruppenrat? Was will der Autor mit der Episode zeigen?
5. Warum lernen die beiden Zwölfjährigen noch nicht Pistolenschießen?
6. Was wissen Sie aus dem Text über Gerhard? Warum wollte er über die Grenze?
7. Warum durfte ihn die Mutter beim ersten Besuch nicht sehen, als er „gut gegessen" hatte und „jetzt schläft"?
8. Was war Ihre erste Reaktion beim Lesen, als die Mutter hörte, Gerhard habe sich erhängt? Antworten Sie genau.
9. Warum sagen die Polizisten, er habe abgelehnt, seiner Mutter ein paar Worte zu schreiben? Wann sollte er das tun?

Themen zum Schreiben und zur Diskussion

1. Finden Sie an den sechs Episoden „Friedenskinder" irgendetwas besonders interessant? Kennen Sie Kinder, die sich so benehmen? Beschreiben Sie.
2. Der Text „Schießbefehl" ist nicht ganz klar: Was ist wirklich mit Gerhard passiert? Erklären Sie die Bedeutung des Titels.

Aktivität

Sie sind westdeutscher (oder ostdeutscher) Reporter. Schreiben Sie einen Zeitungsbericht darüber, was passiert ist.

ELEMENT

Neue Wörter

Verben

auf·fordern	to ask, to demand
aufmerksam machen auf	to point out

aus·packen	to unpack
sich befinden, a, u	to be
sich begeben (i), a, e	to go, proceed
begleiten	to accompany
begründen	to give a reason
davon·kommen, a, o (+ sein)	to get off
empfinden a, u	to feel
entlassen (ä), ie, a	to release
entziehen, o, o	to take away
klingen, a, u	to sound
recht behalten (ä), ie, a	to be right
das Recht haben	to have the right
unterschreiben, ie, ie	to sign
sich weigern	to refuse

Substantive

die **Drohung**, -en	threat
die **Fahne**, -n	flag
der **Kugelschreiber**, -	ballpoint pen
der **Lehrling**, -e	apprentice
die **Unterschrift**, -en	signature
das **Wohnheim**, -e	dormitory

Andere Wörter

| eben | just now |
| unsichtbar | invisible |

NEUE WÖRTER IM KONTEXT

1. Nennen Sie ein Vokabularwort, das zur Definition paßt:

der moderne „Bleistift" _____
ein junger Mensch, der ein Gewerbe lernt _____
wo die Studenten wohnen _____
ein Symbol für jeden Staat _____
damit können Sie nie Leute Angst machen _____

2. Nennen Sie ein Synonym:

einen Grund geben	fühlen
wegnehmen	gehen lassen
irgendwo sein	mit jemand gehen
herausnehmen	nein sagen

REDEWENDUNGEN AUS DEM TEXT

1. in Zivil   in *civilian clothes*
2. Er ist sich dessen bewußt.   *He is aware of it.*
3. Das steht nicht zur Debatte.   *That's not under discussion.*

Schreiben Sie die Nummer der *Redewendung*, die etwa dasselbe sagt:
Er hatte keine Uniform an. _____ Darüber reden wir hier nicht. _____
Er weiß das. _____

REINER KUNZE

Element

Auf sein Bücherbrett° im Lehrlingswohnheim[2] stellte Michael die Bibel. Nicht,   *bookshelf*
weil er gläubig° ist, sondern weil er sie endlich einmal lesen wollte. Der   *religious*
Erzieher machte ihn jedoch darauf aufmerksam, daß auf dem Bücherbrett eines
sozialistischen Wohnheims die Bibel nichts zu suchen habe°. Michael weigerte   *nichts . . . has no place*
sich, die Bibel vom Regal° zu nehmen. Welches Lehrlingswohnheim nicht so- 5   *shelf*
zialistisch sei, fragte er, und da in einem sozialistischen Staat jedes Lehrlingswohnheim sozialistisch ist, und es nicht zu den Obliegenheiten° der Kirche gehört,   *duties*
Chemiefacharbeiter mit Abitur[3] auszubilden, folgerte° er, daß, wenn der Erzieher   *concluded*
recht behalte, in einem sozialistischen Staat niemand Chemiefacharbeiter mit
Abitur werden könne, der darauf besteht, im Wohnheim auf sein Bücherbrett 10
die Bibel stellen zu dürfen. Diese Logik, vorgetragen° hinter dem Schild der   *delivered*
Lessing-Medaille, die Michael am Ende der zehnten Klasse verliehen° bekommen   *awarded*
hatte (Durchschnittsnote eins Komma null[4]), führte ihn steil° unter die Augen   *directly*
des Direktors: Die Bibel verschwand, und Michael dachte weiterhin logisch. Die
Lehrerin für Staatsbürgerkunde° aber begann, ihn als eines jener Elemente zu 15   *social studies*
klassifizieren, die in Mendelejevs Periodischem System[5] nicht vorgesehen° sind   *listed*
und durch das Adjektiv ‚unsicher°‘ näher bestimmt werden.   *unstable*

2

Eines Abends wurde Michael zur Betriebswache° gerufen. Ein Herr in Zivil   *security office*
legte ihm einen Text vor, in dem sich ein „Ich" verpflichtete, während der 20
Weltfestspiele der Jugend und Studenten° die Hauptstadt nicht zu betreten, und   *World Youth and Student Festival*
forderte ihn auf zu unterschreiben.—Warum? fragte Michael. Der Herr blickte
ihn an°, als habe er die Frage nicht gehört.—Er werde während der Weltfestspiele   *looked at him*
im Urlaub sein, sagte Michael, und unter seinem Bett stünden nagelneue Berg-   *brand-new mountain boots,*
steigerschuhe°, die er sich bestimmt nicht zu dem Zweck angeschafft° habe, den 25   *acquired*
Fernsehturm am Alex[6] zu besteigen°. Er werde während der Weltfestspiele nicht   *to climb*
einmal im Lande sein.—Dann könne er also unterschreiben, sagte der Herr,
langte° über den Tisch und legte den Kugelschreiber, der neben dem Blatt lag,   *reached*

[2] dormitory for apprentices who are training in a science or technology field
[3] chemical technician with high school diploma
[4] In Germany the best grade is 1,0, corresponding to A or 4.0.
[5] The periodic table arranges chemical elements in groups according to their atomic numbers.
[6] famous square in East Berlin

mitten aufs Papier.—Aber warum? fragte Michael. Der Text klinge wie das
Eingeständnis einer Schuld°. Er sei sich keiner Schuld bewußt. Höchstens, daß 30
er einmal beinahe in einem VW-Käfer mit Westberliner Kennzeichen° getrampt
wäre. Damals hätten sich die Sicherheitsorgane° an der Schule über ihn erkundigt.
Das sei für ihn aber kein Grund zu unterschreiben, daß er während der Weltfestspiele nicht nach Berlin fahren werde.—Was für ihn ein Grund sei oder nicht,
das stehe hier nicht zur Debatte, sagte der Herr. Zur Debatte stehe seine Un- 35
terschrift.—Aber das müsse man ihm doch begründen, sagte Michael.—Wer hier
was müsse, sagte der Herr, ergäbe sich einzig° aus der Tatsache, daß in diesem
Staat die Arbeiter und Bauern die Macht ausübten[7]. Es empfehle sich° also, keine
Sperenzien° zu machen.—Michael begann zu befürchten, man könnte ihn nicht
in die Hohe Tatra[8] trampen lassen, verbiß° sich die Bermerkung, daß er die 40
letzten Worte als Drohung empfinde, und unterschrieb.

Zwei Tage vor Beginn seines Urlaubs wurde ihm der Personalausweis entzogen
und eine provisorische Legitimation ausgehändigt°, die nicht zum Verlassen der
DDR berechtigte°, und auf der unsichtbar geschrieben stand: Unsicheres Element.

3   45

Mit der topografischen Vorstellung° von der Hohen Tatra im Kopf und Berg-
steigerschuhen an den Füßen brach Michael auf zur Ostsee°. Da es für ihn nicht
günstig gewesen wäre, von Z. aus zu trampen, nahm er bis K. den Zug. Auf dem
Bahnsteig forderte eine Streife° ihn auf, sich auszuweisen°. „Aha," sagte der
Transportpolizist, als er des Ausweispapiers ansichtig wurde°, und hieß ihn mit- 50
kommen. Er wurde zwei Schutzpolizisten übergeben, die ihn zum Volkspolizei-
kreisamt° brachten. „Alles auspacken!" Er packte aus. „Einpacken!" Er packte
ein. „Unterschreiben!" Zum zweitenmal unterschrieb er den Text, in dem sich
ein Ich verpflichtete, während der Weltfestspiele die Hauptstadt nicht zu betreten. Gegen vierundzwanzig Uhr entließ man ihn. Am nächsten Morgen—Michael 55
hatte sich eben am Straßenrand aufgestellt, um ein Auto zu stoppen—hielt unauf-
gefordert° ein Streifenwagen° bei ihm an. „Ihren Ausweis, bitte!" Kurze Zeit
später befand sich Michael wieder auf dem Volkspolizeikreisamt. „Alles auspacken!" Er packte aus. „Einpacken!" Diesmal wurde er in eine Gemeinschafts-
zelle überführt°. Kleiner Treff von Gitarren, die Festival-Verbot hatten: Sie waren 60
mit einem Biermann[9]-Song oder mit der Aufschrift° ertappt worden: WARTE
NICHT AUF BESSRE ZEITEN. Sein Name wurde aufgerufen. „Wohin?"—„Eine
Schweizer Kapelle° braucht einen Gitarristen," sagte der Wachtmeister° ironisch.
Er brachte ihn nach Z. zurück. Das „Konzert" fand auf dem Volkspolizeikreisamt
statt. „Sie wollten also nach Berlin."—„Ich wollte zur Ostsee."—Der Polizist 65
entblößte° ihm die Ohren. „Wenn Sie noch einmal lügen, vermittle° ich Ihnen
einen handfesten° Eindruck davon, was die Arbeiter-und-Bauern-Macht ist." Mi-

Marginal glosses (left column):
admission of guilt
license plates
security people

resulted exclusively from
is advisable
fuss
suppressed

handed
entitled

topographical impression
set out for the Baltic

patrol, to identify himself

saw

District Station of the
People's Police

unbidden, patrol car

taken to a holding pen
sign

Swiss band, sergeant major

uncovered, give
solid

---

[7] a reference to the GDR constitution, which gives power to the workers and peasants

[8] highest elevation in the west Carpathian Mountains in southwestern Czechoslovakia

[9] a famous East German poet and songwriter who, although staunchly Marxist, criticized
the system and lost his citizenship. He now lives and works in the Federal Republic.

headband chael wurde fotografiert (mit Stirnband°, ohne Stirnband) und entlassen. Um
suspected nicht weiterhin verdächtigt° zu werden, er wolle nach Berlin, entschloß er sich,
 zuerst nach Osten und dann oderabwärts zur Küste[10] zu trampen. In F. erbot 70
a driver offered, unmistakably sich ein Kraftfahrer°, ihn am folgenden Tag unmißverständlich° weit über den
latitude Breitengrad° von Berlin hinaus mitzunehmen. „Halb acht vor dem Bahnhof.“
color of the Socialist Halb acht war der Bahnhofsvorplatz blau von Hemden und Fahnen°: man sam-
Youth organizations melte sich, um zu den Weltfestspielen nach Berlin zu fahren. Ein Ordner mit
marshal with an armband Armbinde° fragte Michael, ob er zu einer Fünzigergruppe gehöre. „Sehe ich so 75
 aus?“—Der Ordner kam mit zwei Bahnpolizisten zurück. „Ihren Ausweis.“ Mi-
 chael weigerte sich mitzugehen. Er erklärte. Er bat. Sie packten ihn an den Armen.
station lockup, interrogation Bahnhofszelle°. Verhör°. Die Polizisten rieten ihm, eine Schnellzugfahrkarte zu
buy lösen° und zurückzufahren. Er protestierte. Er habe das Recht, seinen Urlaub
stay überall dort zu verbringen, wo er sich mit seinem Ausweis aufhalten° dürfe.— 80
 Er müsse nicht bis Z. zurückfahren, sagten die Polizisten, sondern nur bis D.
 Falls er jedoch Schwierigkeiten machen sollte, zwinge er sie, das Volkspolizei-
to notify, lightly kreisamt zu verständigen°, und dann käme er nicht zu glimpflich° davon. Ein
two guards, ticket window Doppelposten° mit Hund begleitete ihn an den Fahrkartenschalter° und zum Zug.
Untersuchungshaft *custody* „Wenn Sie eher aussteigen als in D., gehen Sie in U-Haft°!“ Auf allen Zwi- 85
 schenstationen standen Posten mit Hund. In D. erwarteten ihn zwei Polizisten
 und forderten ihn auf, unverzüglich° eine Fahrkarte nach Z. zu lösen und sich
immediately zum Anschlußzug° zu begeben. Er gab auf. Auf dem Bahnsteig in Z. wartete er,
connecting train bis die Polizisten auf ihn zukamen°. Nachdem Sie Paßbild und Gesicht miteinander
came up to him verglichen hatten, gaben sie ihm den Ausweis zurück. „Sie können gehen.“ 90
 „Wohin?“ fragte Michael.

Vorbereitung

**Erzählen Sie Michaels Geschichte mit Ihren eigenen Worten oder in-
dem Sie die Sätze beenden:**
Michael wohnt in _____ für _____. Er wollte die Bibel auf seinen Tisch stellen,
aber _____. Wenn man in einem sozialistischen Staat Chemiefacharbeiter werden
will, dann _____. Wegen dieser Logik mußte er _____, und _____. Die Lehrerin
klassifizierte ihn _____. Eines Abends kam _____. Michael sollte ein Dokument
_____. Darin verpflichtete er sich _____. Aber Michael hatte neue Bergsteiger-
schuhe und wollte _____. Deshalb wollte Michael nicht _____, denn _____.
Aber dann begann Michael zu fürchten, daß _____. Er unterschrieb, aber trotzdem entzog man ihm _____. Anstatt in die Berge wollte Michael nun _____.
Auf dem Bahnhof kam die Polizei und _____. Zum zweiten Mal _____. Um
Mitternacht _____. Am dritten Tag seines Urlaubs _____.

---

[10] Michael probably lives southwest of Berlin; it is not clear exactly where. To go far to
the East, away from Berlin, would take him to the border with Poland, the River Oder,
which he wants to follow to where it empties into the Baltic.

Fragen zum Text

1. Erzählen Sie, was Sie aus dem Text über Michael wissen.
2. Können Sie erklären, wo in der DDR eine Bibel stehen darf und wo nicht? Wiederholen Sie Michaels logisches Argument.
3. Was sind die Konsequenzen der Bibel-Episode für Michael? Was bedeutet „Element"?
4. Michael will nicht nach Berlin, sondern in die Hohe Tatra. Wo liegt dieses Gebirge? Warum will er das Dokument über Berlin nicht unterschreiben?
5. Erklären Sie den Satz über die Macht der Arbeiter und Bauern. Er wird zweimal ausgesprochen: vom Herrn in Zivil und vom Polizisten im Volkspolizeikreisamt. Warum empfindet Michael das als eine Drohung?
6. Suchen Sie die Ostsee auf der Landkarte. Warum will Michael nun dahin und nicht mehr in die Hohe Tatra? Mit welchen Transportmitteln will er an die Ostsee?
7. Was passiert an Michaels erstem Ferientag und warum?
8. Was passiert am zweiten Ferientag? Warum sind die anderen jungen Leute in der Zelle? Wer ist Biermann? Was ist an dem Song-Titel ärgerlich für den DDR-Staat?
9. Michaels Plan, weit nach Osten zu trampen, scheint gut. Warum gelingt er ihm nicht? Wer sind die „blauen Hemden"? Wie geht Michaels dritter Ferientag weiter?

Themen zum Schreiben und zur Diskussion

1. Warum will der Staat nicht, daß junge Leute wie Michael während der Weltfestspiele in Berlin sind?
2. Was hat Michael falsch gemacht? Was hätte er tun sollen? Hätten Sie sofort unterschrieben, daß Sie nicht nach Berlin wollen? Was hätten Sie später in seiner Situation getan?
3. In Kunzes Texten spielt die Polizei eine große Rolle. Diskutieren Sie die; wie unterscheidet sie sich von der Rolle der Polizei in westlichen Ländern?
4. Wer verliert, und wer gewinnt in Kunzes Texten? Gibt es ein Muster? Was bedeutet es?

Aktivität

Spielen Sie die verschiedenen Szenen zwischen Michael und den Polizisten.

XI Aus der literarischen Tradition

STRAßENTHEATER

Neue Wörter

Verben

begrüßen	to greet, to acclaim
sich beruhigen	to quiet oneself, calm down
beweisen, ie, ie	to prove
sich erweisen, ie, ie	to prove oneself
inszenieren	to stage
langweilen	to bore
regieren	to rule, to govern

Substantive

die **Aufführung**, -en	performance
die **Ausstellung**, -en	exhibition
der **Erwachsene**, -n	adult
die **Fußgängerzone**, -n	pedestrian mall
der **Höhepunkt**, -e	climax
der **König**, -e	king
das **Märchen**, -	fairy tale
die **Müdigkeit**	tiredness
das **Plakat**, -e	poster
der **Saal**, die **Säle**	hall, auditorium
das **Schauspiel**, -e	play
die **Spannung**	suspense
der **Turm**, ¨-e	tower
die **Vorstellung**, -en	performance
der **Zuschauer**, -	spectator

Adjektiv

artig	well-behaved

NEUE WÖRTER IM KONTEXT

Nennen Sie ein Synonym:

der Zuschauerraum	die Vorstellung
guten Tag sagen	ruhig werden
sich zeigen	zeigen, daß es richtig ist
das Publikum	das Drama
die Aufführung	auf die Bühne bringen
der Akteur	

REDEWENDUNGEN AUS DEM TEXT

1. Man weiß kaum davon	*One hardly notices*
2. in jüngster Zeit	*most recently*

3. in Ordnung kommen   *to turn out all right*

4. seinen Lauf nehmen   *to take its course*

5. in ihrer Praxis   *in their work*

Schreiben Sie die Nummer der *Redewendung*, die etwa dasselbe sagt:
Alles kommt zu einem guten Ende. ＿＿＿ Man fühlt es kaum. ＿＿＿
vor kurzem ＿＿＿ . Langsam geschieht es. ＿＿＿ In ihrer Erfahrung ＿＿＿

Straßentheater

time for strolling   S ommerzeit, Touristenzeit, Bummelzeit°, auch in Berlin-Ost. So manche, die
in den Julitagen auf den Fußgängerzonen am Rathaus spazierengingen, hatten

blood-red executioner's hood das Erlebnis, plötzlich einem Mann mit blutroter Henkerskappe° zu begegnen.

threatening executioner's axe, Seine drohend erhobene Richtaxt° überraschte nicht weniger. Traum°? Reklame°?

dream, advertisement Theater? Ja, genau das: Straßentheater in Berlin.   5

    Natürlich gehörte der merkwürdige Henker zur Vorstellung des Stücks „Sa-

idolized woodnymph, no less tyros oder der vergötterte Waldteufel°;" geschrieben hat es kein Geringerer° als
der junge Wolfgang von Goethe.

announce, curtain

künden ... an announce
noisily

obvious pleasure

fencing scenes, musical recitals
benches

Auch in diesem Juli machten Schauspielschüler mit, nun zum vierten Mal, im Rahmen des „Berliner Sommers" auf dem „Podium junger Künstler". Wieder 10 künden° gold- und silberne Lettern auf dem schwarzen Vorhang° einer kleinen Bühne im Freien auf den Rathauspassagen in der Nähe des Fernsehnturms Überraschendes an°. Die Straßenmimen wollen mit aktionsreichen Szenen und Mini-Schauspielen, originell und lautstark° angekündigt, die mehr oder weniger eiligen Fußgänger zum Bleiben und zum Lachen bringen. 15

Für diesen Sommer wurden unter anderem Szenen von Sean O'Casey, Viktor Rosow und Molière inszeniert. Und wieder sind es Studenten des zweiten Studienjahres der Hochschule für Schauspielkunst „Ernst Busch" Berlin, die mit unverkennbarer Lust° inmitten von Straßenlärm und großstädtischer Turbulenz und vor eiligen Zuschauern Theater spielen. Das „Podium junger Künstler" ist 20 bei allem Sommerspaß auch eine wichtige Probe für die spätere Spielpraxis der jungen Leute.

Das Programmplakat kündigt eine Woche lang täglich vier Vorstellungen an: Kleinere Stücke, Fechtszenen°, Musikantenauftritte° und Puppenspiele. Immer wieder füllen sich die vor der Bühne aufgestellten Bänke°, wenn's sein muß, auch 25 bei schlechtem Wetter, mit alten, jungen und sehr jungen Neugierigen, Leuten, die lachen und zuschauen wollen. Es ist ein lustiges Kommen und Gehen, es ist eben Straßentheater.

Fragen zum Text

1. Welche Jahreszeiten sind gut für Straßentheater; warum?
2. Was für Stücke sind gut für Straßentheater?
3. Wer inszeniert meistens das Straßentheater? Wer inszeniert im Schauspielhaus?
4. Wer sind die Zuschauer im Straßentheater? Was erwarten sie?
5. Wo findet Straßentheater statt; wo geht es nicht so gut?

Thema zum Schreiben und zur Diskussion

Haben Sie schon einmal Straßentheater gesehen? Wo? War es eine gute Vorstellung? Möchten Sie gern mitmachen? Finden Sie Straßentheater eine gute Einrichtung, warum?

Aktivität

Die Klasse teilt sich in verschiedene Gruppen; jede Gruppe von drei oder vier Studenten bereitet eine kurze Szene vor. Dann spielen sie die Szene vor der Klasse, als ob es auf der Straße wäre.

Mit 12 schon in die Oper?

distinct
quit, drawn out
experiences, practical experience

had to pay for their mistakes

wird . . . is taken into
consideration to a growing degree,
efforts
organized
bezieht . . . auf *refers to*
exemplary

confusion

Theaterspielen für Kinder und Jugendliche ist oft gar nicht so einfach. Junge Zuschauer sind kritisch, wollen eine klare Handlung mit deutlichen° Spannungshöhepunkten und „steigen aus°," wenn Szenen zu lang gedehnt° werden. Solche Erfahrungen° machten in ihrer Praxis° von über dreißig Jahren nicht nur die fünf professionellen Schauspielbühnen für Kinder und Jugendliche, sondern 5 auch andere Theater, die für Kinder inszenierten und „Lehrgeld" zahlen mußten°.

Von den jährlich rund 26 000 Aufführungen an den Theatern der DDR sind über 7 000 Jugendstücke. Die Zahl der Theaterbesucher unter 25 Jahren zeigt eine steigende Tendenz. Dem wird in zunehmendem Maße Rechnung getragen°. Bemühungen° dazu sind unter anderem die Werkstattage der Kinder- und Ju- 10 gendtheater und die Theatertage der Jugend, die regelmäßig veranstaltet° werden. Das bezieht sich jedoch nur auf° das Schauspiel. Im Musiktheater gibt es weniger Erfahrungen mit Kindern im Zuschauersaal. Beispielgebend° für diese Bemühungen war in jüngster Zeit die Inszenierung der Oper „Die Geschichte von Liebe und Salz" im Volkstheater Halberstadt[1]. 15

Wenn es in den ersten Minuten der Aufführung unter den neun-, zehn- und elfjährigen Zuschauern ein kleines Durcheinander° gibt, weil sie einer der Akteure

[1] town southwest of Magdeburg, near the West German border

zum Mitspielen eingeladen hatte, dann ist das ganz eingeplant und wurde sogar
prescribed   vom Libretto vorgeschrieben°. Bald aber beruhigen sich die kleinen Gäste wieder,
und es kann richtig anfangen: Das Problem beginnt damit, daß der König nicht 20
the right to rule   mehr regieren will und derjenigen seiner drei Töchter die Regentschaft° ver-
most tenderly   spricht, die am artigsten und innigsten° über ihre Liebe zum Vater berichten
vainglorious and domineering   kann. Die älteste Tochter, putz- und herrschsüchtig°, sagt, sie liebe ihn wie das
gluttonous   Gold; die mittlere, verfressen° und dick, erklärt, sie liebe ihn genau wie Pudding
perplexes   und Schokolade. Die Jüngste ist einfach und klug und verblüfft° den Papa. „So 25
wie das Salz im Essen—man weiß kaum davon und darf's doch nicht vergessen,"
repudiates   heißt ihre Antwort. Beleidigt und wütend verstößt° sie der König wegen ihrer
to pour   Antwort und befiehlt, alles Salz des Königreiches in den Fluß zu schütten°. Die
power-hungry   machtgierige° Älteste bekommt Zepter und Krone.
take their course   Die Dinge nehmen ihren Lauf°, und bald schmeckt keinem im Lande mehr 30
in the long run   sein Essen. Nur Süßes langweilt auf die Dauer°, und selbst die mittlere Tochter
complain   fängt bald an zu klagen°. Am Ende kommt dann doch alles in Ordnung. Die
Jüngste bringt das Salz ins Land zurück, und der Vater versteht, daß sie es war,
die ihre Liebe zu ihm am klarsten ausgesprochen hat. Als neue Königin wird sie
nun vom Volke begrüßt.   35
with suspense   So geht die Geschichte, der die Zuschauer im Saal gespannt° folgen. Da gibt
balconies   es keine Langeweile oder Müdigkeit im Parkett oder auf den Rängen°.
premiere   Mit dieser Uraufführung° betraten der Regisseur und das Opernensemble der
new territory, contemporary   Stadt Neuland°. Zeitgenössische° Opern für junge Zuschauer gibt es hier nicht
viele. Doch das Experiment der Halberstädter, die ja eigentlich nur Theater für 40
Erwachsene spielen, gelang. Das beweisen nicht nur Erfolge bei den Berliner
Festtagen und den Dresdener Musikfestspielen (die auch mehrere Opernauffüh-
enthusiastic   rungen für Kinder präsentieren), sondern nicht zuletzt begeisterte° junge Zuschauer. Mehrere Bühnen des Landes meldeten nach der Halberstädter Insze-
nierung ihr Interesse an.   45

Vorbereitung

**Halten Sie einen Vortrag über Kinder im Theater, mit den folgenden
Wortgruppen:**
Junge Zuschauer sind kritisch und; die Zahl der Theaterbesucher unter 25; in
den ersten Minuten der Aufführung hatte ein Akteur; bald beruhigen sich; das
Problem beginnt damit; der König verspricht; die jüngste Tochter liebt; der König
befiehlt; am Ende kommt; da gibt es

Fragen zum Text

1. Erklären Sie, was Kinder vom Theater erwarten.
2. Wie versucht die DDR, Kinder und junge Leute für das Theater zu interessieren?

3. Woran denken Sie, wenn das Libretto der Kinder-Oper erzählt wird? Ist die Handlung interessant und gut für eine Oper?

4. Erklären Sie, was das Wort „Oper" traditionell bedeutet. Zeigt das Ensemble in Halberstadt hier eine richtige Oper?

Themen zum Schreiben und zur Diskussion

1. Beide Texte handeln vom Theater. Interessieren Sie sich für Theater oder Konzerte? Kennen Sie Beispiele für Straßen- oder Kindertheater aus Ihrem Land? Erzählen Sie, was Sie auf der Bühne gern hören oder sehen.

2. Wußten Sie schon, daß in West- und Ostdeutschland die Theater vom Staat unterstützt werden? Was ist die Situation in den Vereinigten Staaten? Schreiben Sie Ihre Meinung über die Rolle, die der Staat in der Kunst spielen oder nicht spielen soll.

KRISE DES LESENS

Neue Wörter

Verben
auf·nehmen (i), a, o   to receive

Substantive
der **Empfänger**, -   recipient
der **Hintergrund**, ⸚e   background
die **Meldung**, -en   report, news item
der **Standpunkt**, -e   point of view

NEUE WÖRTER IM KONTEXT

Nennen Sie ein Synonym:
empfangen   Bericht
eine Meinung geben   wer etwas bekommt

REDEWENDUNGEN AUS DEM TEXT

1. Gefahr drohen   *to threaten*
2. in die Phantasie übersetzen   *translate into one's imagination*
3. stehen vor   *to face*
4. in Konkurrenz stehen mit   *to compete with*

Formulieren Sie diese Sätze neu mit einer *Redewendung*:
Lesen und Fernsehen konkurrieren miteinander. _____
Man muß das mit der Phantasie sehen. _____
Das Fernsehen ist gefährlich für uns. _____
Wir haben es mit einer Krise zu tun. _____

Krise des Lesens

Die Lesekultur im Zeitalter des Fernsehens

Wir stehen heute vor einer schweren Krise des Lesens. Wir haben zwar
mehr Freizeit, trotzdem ist die Lesezeit reduziert, zumindest relativ. Während die Bürger an einem normalen Arbeitstag des Jahres 1964 rund eine Stunde 34 Minuten vor dem Fernseher und dem Radio saßen, waren es 1974 schon drei Stunden und 8 Minuten, und 1982 etwas mehr als vier Stunden. Die Zeit für 5 das Lesen von Büchern, Zeitschriften und Zeitungen blieb dagegen konstant: eine Stunde.

Untersuchungen über Bücher haben interessante Details gezeigt. Rund 40% der Erwachsenen sind Gewohnheitsleser°, 33% besitzen und lesen keine Bücher. Lesen ist auch vom sozialen Status abhängig°, wobei aber sofort die Einschrän- 10 kung° zu machen ist, daß für die Intelligenz° das Lesen oft nicht mehr ein Teil der kulturellen Existenz ist, sondern sie sich als Leser fast nur mit der eigenen Fachliteratur° beschäftigen. Lesen steht in Konkurrenz zu anderen Freizeitbeschäftigungen.

Vom Fernsehen droht° dem Lesen eine besondere Gefahr; nicht nur wegen 15 der Zeit, die das Fernsehen dem Leser wegnimmt und dem unterhaltenden Inhalt, sondern weil das Aufnehmen einer Fernsehsendung nicht die gleichen geistigen° Kräfte mobilisiert wie das Lesen. Das Visuelle beschäftigt Auge und Ohr. Dadurch wird besonders das Gefühl angesprochen. Ein Übersetzen in die Phantasie ist nicht mehr notwendig. Dem Fernsehen ist Abstraktion unmöglich.   20

habitual readers — Gewohnheitsleser°
dependent — abhängig°
reservation, the well-educated — Einschränkung°, Intelligenz°
professional literature — Fachliteratur°
droht . . . Gefahr *comes danger* — droht° Gefahr
intellectual — geistigen°

predominance

sensory experience

fear, the knowledgeable and the ignorant, the well-educated and the uneducated

prove

Die Wirkung auf den Empfänger ist klar. Durch das Vorherrschen° des Visuellen kommt das Denken in den Hintergrund. Die Bilder gehen so schnell am Auge vorbei, daß man daraus weder Erfahrung noch Erkenntnis gewinnt. Denn Sinneserfahrung° allein, besonders wenn sie aus zweiter Hand stammt, braucht Interpretation. Aber der Zuschauer muß das Tempo der Sendung mitmachen und hat nicht die Möglichkeit zu denken oder zu überlegen. Er wird mehr und mehr passiv. Kreatives Denken wird ersetzt vom bequemen Aufnehmen.

Man muß vielleicht das Heranwachsen einer neuen Zwei-Klassen-Gesellschaft befürchten°, der Wissenden und der Unwissenden°, der Gebildeten und der Ungebildeten°. Mehr Information bedeutet nicht mehr Wissen. Die Verarbeitung der Sendungen ist abhängig vom Interesse, das aber durch Passivität kleiner wird. Wissen, das aus Erfahrung gewonnen ist, weckt dagegen das Interesse. „Man kann nachweisen°, daß Leser besser als Nichtleser die Fernsehnachrichten erinnern, daß Zeitungsleser besser als Fernsehzuschauer argumentieren und ihren Standpunkt vertreten können; man argumentiert nicht mit Bildern, sondern mit Worten, und mit Worten hat der Leser mehr Erfahrung." So entsteht Ungleich-

inequality, schooling heit°. Die Bürger mit weniger Bildung° sehen fern, die mit höherer Bildung lesen Zeitung, Zeitschrift und Buch. Der Unterschied zwischen „gebildet" und „ungebildet" ist keine Frage der Schulbildung, sondern des aktiven oder passiven

approach Zugangs° zur Welt.   40

VORBEREITUNG

Setzen Sie die fehlenden Wörter/Wortgruppen ein:

Wir haben zwar mehr _____, aber die Lesezeit ist _____. An einem normalen Arbeitstag saßen _____ rund anderthalb Stunden vor _____. Die Zeit für das Lesen von _____, _____ und _____ blieb dagegen konstant. Lesen hängt auch vom _____ ab, aber die Intelligenz beschäftigt sich oft nur mit _____. Das Lesen steht in _____ mit anderen _____. _____ einer Fernsehsendung _____ der Leser nicht die gleichen intellektuellen Kräfte wie beim Lesen. Das Visuelle wird nicht _____ übersetzt. Auf diese Weise kommt das Denken _____. Der Zuschauer folgt _____ und hat keine Möglichkeit _____. Man befürchtet das Heranwachsen _____. Die Verarbeitung _____ ist abhängig _____, das wird aber durch Passivität _____. Wirkliches Wissen wird _____ gewonnen. Zeitungsleser _____ besser als Fernsehzuschauer.

Fragen zum Text

1. Erklären Sie, was mit „Krise des Lesens" gemeint ist.
2. Wie wird Information aus Büchern und wie vom Fernsehbild aufgenommen? Erklären Sie den Unterschied.
3. Fassen Sie zusammen, was im Artikel über die möglichen soziologischen Folgen der Fernsehkultur steht.

Themen zum Schreiben und zur Diskussion

1. Sie haben gelesen, wieviele Stunden die Westdeutschen mit dem Lesen und mit dem Fernsehen verbringen. Erzählen Sie jetzt von sich selbst und Ihren Freunden: wie verteilen Sie Ihre Freizeit zwischen den beiden Aktivitäten?
2. Während des Studiums lesen Sie natürlich hauptsächlich Fachliteratur. Wie schnell oder langsam lesen Sie? Haben Sie dann noch Zeit, zur Unterhaltung zu lesen? Wenn ja, was lesen Sie?
3. Haben Sie eine Meinung über diese sogenannte Krise? Erklären Sie, was Sie aus eigener Erfahrung und Beobachtung oder durch Lesen über die Wirkungen des Fernsehens auf die Gesellschaft wissen, und was Sie dagegen tun möchten.

Aktivitäten

1. Wiederholen Sie das Argument des Artikels. Versuchen Sie, frei zu sprechen, mit Ihren eigenen Worten oder mit Hilfe der folgenden Wortgruppen:
vor einer Krise; an einem normalen Arbeitstag; die Zeit blieb konstant; Untersuchungen zeigten; ein Teil der kulturellen Existenz; Gefahr drohen; das Aufnehmen einer Fernsehsendung; das Visuelle; Gefühl ansprechen; schnell vorbeigehen; die Möglichkeit zu denken oder zu überlegen; durch Passivität kleiner werden; besser erinnern; Standpunkt vertreten; eine Frage der Schulbildung

2. Debatte:
„Es macht keinen Unterschied, wie man seine Information bekommt, vom Fernsehen oder vom Lesen."

ZEUS UND DAS SCHAF

Neue Wörter

Verben
an·wenden (auf)	to apply to
schaden	to harm
sich wehren	to defend oneself

Substantive
der **Ausspruch**, ⁼e	pronouncement
der **Geist** (-es)	spirit, genius
die **Sammlung**, -en	collection
die **Schlange**, -n	snake
das **Unrecht** (-s)	wrong
der **Zahn**, ⁼e	tooth

NEUE WÖRTER IM KONTEXT

Nennen Sie ein Vokabularwort, das zu der Definition paßt:
ein Tier, das sehr gefürchtet wird: _____
was er gesagt hat: _____
das Böse, was man tut: _____
eine Menge Dinge, die man zusammengetragen hat: _____

Lessing, Gotthold Ephraim   *22.1.1729 in Ka-
menz; † 15.2.1781 in Braunschweig. Seine Arbeiten als Kritiker, Ästhetiker und Literaturtheoretiker sind so bahnbre-
pioneering   chend°, daß er als Vater der modernen deutschen Literatur
angesehen wird. Seine *Hamburger Dramaturgie* diskutiert die
Poetik des Dramas seit Aristoteles und wirkt bis in unsere
Zeit; seine Dramen sind am französischen klassischen Theater und an Shakespeare geschult und plädieren für Aufklä-
Enlightenment   rung°, religiöse Toleranz und ein klassisches Humanitäts-
witty   ideal. Er war Meister der klaren, witzigen° Prosa und gilt
most significant   als der bedeutendste° deutsche Fabeldichter.

GOTTHOLD EPHRAIM LESSING

Zeus und das Schaf (nach Aesop)

to ease his misery, willing   D as Schaf mußte von allen Tieren vieles leiden. Da trat es vor den Zeus und
pious creature, **dich . . .** *created*   bat, sein Elend zu mildern°. Zeus schien willig° und sprach zu dem Schafe:
you too defenseless, remedy   „Ich sehe wohl, mein frommes Geschöpf°, ich habe dich allzu wehrlos erschaffen°.
deine . . . *equip your feet with*   Nun wähle, wie ich diesem Fehler am besten abhelfen° soll. Soll ich deinen Mund
claws, predators   mit schrecklichen Zähnen und deine Füße mit Krallen rüsten°?"   5
have in common with   „O nein," sagte das Schaf, „ich will nichts mit den reißenden Tieren° gemein
haben°."
fuhr . . . fort *continued,*   „Oder," fuhr Zeus fort°, „soll ich Gift in deinen Speichel° legen?" „Ach!"
poison your spittle, replied   versetzte° das Schaf, „die giftigen Schlangen werden ja so sehr gehaßt."
Hörner . . . *plant horns on*   „Nun, was soll ich denn? Ich will Hörner auf deine Stirne pflanzen° und Stärke   10
your forehead   deinem Nacken° geben."
strengthen your neck
kind, butting   „Auch nicht, gütiger° Vater, ich könnte leicht so stößig° werden wie der
billy goat   Bock°."
nevertheless   „Und gleichwohl°," sprach Zeus, „mußt du selbst schaden können, wenn sich
refrain from hurting you   andere dir zu schaden hüten° sollen."   15
sighed   „Müßt' ich das!" seufzte° das Schaf. „O, so laß mich, gütiger Vater, wie ich
ability, arouses   bin. Denn das Vermögen°, schaden zu können, erweckt°—fürchte ich—die Lust,
schaden zu müssen, und es ist besser, Unrecht leiden, als Unrecht tun."
blessed, from that very hour   Zeus segnete° das fromme Schaf, und es vergaß von Stund an° zu klagen.

Fragen zum Text

1. Warum mußte das Schaf leiden?
2. Erzählen Sie, wie sich die anderen Tiere wehren.
3. Stimmt der Ausspruch von Zeus über „schaden können"?
4. Warum lehnt das Schaf diese Möglichkeit ab? Was ist die andere Existenz-
   möglichkeit für das Schaf?

Themen zum Schreiben und zur Diskussion

1. Eine Fabel ist eine besondere Art von kurzer Erzählung. Fassen Sie zusammen, was die Elemente einer Fabel sind. Glauben Sie, daß Sie aus dieser Fabel etwas lernen sollen? Was?

2. Kann man den Ausspruch von Zeus und die Ansicht des Schafs auf die Menschen anwenden? Möchten Sie lieber ein Schaf sein oder ein Tier, das sich wehren kann? Gibt es nur diese zwei Möglichkeiten für die Menschen? Könnten Sie sich eine andere Existenz vorstellen?

3. Schreiben Sie selbst eine Fabel.

RUMPELSTILZCHEN

Neue Wörter

Verben

erraten (ä), ie, a	to guess
jammern	to lament
verlangen	to demand, to desire
zu·schließen, o, o	to lock

Substantive

der **Herausgeber,**	editor
die **Hochzeit, -en**	wedding, marriage
das **Stroh** (-s)	straw
die **Wut**	rage
der **Zorn** (-es)	fury

Andere Wörter

es war einmal	once upon a time there was
geschickt	skillful

NEUE WÖRTER IM KONTEXT

Nennen Sie das Vokabularwort, das zur Definition paßt:

die richtige Lösung finden	getrocknetes Gras
zumachen	laut klagen
fordern	das Fest, das die Ehe beginnt

REDEWENDUNGEN AUS DEM TEXT

1. Mach dich an die Arbeit.   *Get to work.*
2. Sie wußte keinen Rat.   *She knew no way out.*
3. um ihr Leben   *on her life*

4. wenn ihr das Leben lieb wäre   *if she wanted to stay alive*

5. Sie wußte sich nicht zu helfen.   *She didn't know what to do.*

6. in der Not   *while in trouble*

7. Das ist mir lieber.   *I prefer that.*

8. nach der Reihe   *one after the other*

9. Er kam um die Ecke.   *He turned the corner.*

Schreiben Sie die Nummer der *Redewendung*, die etwa dasselbe sagt:

Fang an! _____ wenn sie nicht sterben wollte _____ einer nach dem anderen _____ Sie konnte nichts tun. _____ Das möchte ich lieber. _____

Grimm, Jacob *4.1.1785 in Hanau; † 20.9.1863 in Berlin. **Grimm, Wilhelm** *24.2.1786 in Hanau; † 16.12.1859 in Berlin. Natürlich sind die Brüder Grimm als Herausgeber der *Kinder- und Hausmärchen* in aller Welt berühmt. Sie gehörten zu den Romantikern und glaubten, es gebe einen dichtenden Volksgeist°, der aus den Volkserzählungen spreche. Die Sammlung dieser Erzählungen war aber nur ein Teil ihrer Lebensarbeit. Die Grimms waren Professoren der Philologie, und durch ihre Forschungen über Sprachgeschichte, Altertumskunde°, Mythologie, Märchen und Sagen wurden sie die Begründer° der Germanistik. Sie sind Herausgeber der Standardwerke in diesen Gebieten, sowie des *Deutschen Wörterbuchs*.

creative spirit of the people

history of antiquity
founders

GEBRÜDER GRIMM

Rumpelstilzchen

it happened
to show off

sie . . . put her to the test
= wurde
spinning wheel and reel, set to work

wußte . . . didn't for the life of her know what to do

Es war einmal ein Müller, der war arm, aber er hatte eine schöne Tochter. Nun traf es sich°, daß er mit dem König zu sprechen kam, und um sich ein Ansehen zu geben°, sagte er zu ihm: „Ich habe eine Tochter, die kann Stroh zu Gold spinnen." Der König sprach zum Müller: „Das ist eine Kunst, die mir wohl gefällt, wenn deine Tochter so geschickt ist, wie du sagst, so bring sie morgen 5 in mein Schloß, da will ich sie auf die Probe stellen°." Als nun das Mädchen zu ihm gebracht ward°, führte er es in eine Kammer, die ganz voll Stroh lag, gab ihr Rad und Haspel° und sprach: „Jetzt mache dich an die Arbeit°, und wenn du diese Nacht durch bis morgen früh dieses Stroh nicht zu Gold versponnen hast, so mußt du sterben." Darauf schloß er die Kammer selbst zu, und sie blieb 10 allein darin.

Da saß nun die arme Müllerstochter und wußte um ihr Leben keinen Rat°: sie verstand gar nichts davon, wie man Stroh zu Gold spinnen konnte, und ihre

Angst ward immer größer, daß sie endlich zu weinen anfing. Da ging auf einmal
die Türe auf, und trat ein kleines Männchen herein und sprach: „Guten Abend, 15

mistress Miller = miller girl Jungfer° Müllerin, warum weint sie so sehr?" „Ach," antwortete das Mädchen,
„ich soll Stroh zu Gold spinnen und verstehe das nicht." Sprach das Männchen:

necklace „Was gibst du mir, wenn ich dirs spinne?" „Mein Halsband°", sagte das Mädchen.

whir Das Männchen nahm das Halsband, setzte sich vor das Rädchen, und schnurr°,

spool schnurr, schnurr, dreimal gezogen, war die Spule° voll. Dann steckte es eine 20

steckte . . . auf put on andere auf°, und schnurr, schnurr, schnurr, dreimal gezogen, war auch die zweite

so it continued voll; und so gings fort° bis zum Morgen, da war alles Stroh versponnen, und alle

sunrise Spulen waren voll Gold. Bei Sonnenaufgang° kam schon der König, und als er

was astonished das Gold erblickte, erstaunte° er und freute sich, aber sein Herz ward nur noch

more greedy for gold goldgieriger°. Er ließ die Müllerstochter in eine andere Kammer voll Stroh brin- 25
gen, die noch viel größer war, und befahl ihr, das auch in einer Nacht zu spinnen,
wenn ihr das Leben lieb wäre. Das Mädchen wußte sich nicht zu helfen und

once again weinte, da ging abermals° die Tür auf, und das kleine Männchen erschien und
sprach: „Was gibst du mir, wenn ich dir das Stroh zu Gold spinne?" „Meinen
Ring vom Finger," antwortete das Mädchen. Das Männchen nahm den Ring, fing 30
wieder an zu schnurren mit dem Rade und hatte bis zum Morgen alles Stroh zu

immensely glänzendem Gold gesponnen. Der König freute sich über die Maßen° bei dem

sight, satisfied Anblick°, war aber noch immer nicht Goldes satt°, sondern ließ die Müllerstochter
in eine noch größere Kammer voll Stroh bringen und sprach: „Die mußt du noch
in dieser Nacht verspinnen; gelingt dirs aber, so sollst du meine Frau werden." 35

„Wenns auch eine Müllerstochter ist," dachte er, „eine reichere Frau finde ich in der ganzen Welt nicht." Als das Mädchen allein war, kam das Männlein zum drittenmal wieder und sprach: „Was gibst du mir, wenn ich dir noch diesmal das Stroh spinne?" „Ich habe nichts mehr, das ich geben könnte," antwortete das Mädchen. „So versprich mir, wenn du Königin wirst, dein erstes Kind." „Wer weiß, wie das noch geht°", dachte die Müllerstochter und wußte sich auch in der Not nicht anders zu helfen; sie versprach also dem Männchen, was es verlangte, und das Männchen spann dafür noch einmal das Stroh zu Gold. Und als am Morgen der König kam und alles fand, wie er gewünscht hatte, so hielt er Hochzeit° mit ihr, und die schöne Müllerstochter ward Königin. 45

Über ein Jahr° brachte sie ein schönes Kind zur Welt° und dachte gar nicht mehr an das Männchen; da trat es plötzlich in ihre Kammer und sprach: „Nun gib mir, was du versprochen hast." Die Königin erschrak und bot dem Männchen alle Reichtümer des Königsreichs an, wenn es ihr das Kind lassen wollte; aber das Männchen sprach: „Nein, etwas Lebendes° ist mir lieber als alle Schätze° der Welt." Da fing die Königin so an zu jammern und zu weinen, daß das Männchen Mitleiden° mit ihr hatte: „Drei Tage will ich dir Zeit lassen," so sprach es, „wenn du bis dahin° meinen Namen weißt, so sollst du dein Kind behalten."

Nun besann sich° die Königin die ganze Nacht über auf alle Namen, die sie je gehört hatte, und schickte einen Boten° über Land, der sollte sich erkundigen° weit und breit°, was es sonst noch für Namen gäbe. Als am andern Tag das Männchen kam, fing sie an mit Kaspar, Melchior, Balzer, und sagte alle Namen, die sie wußte, nach der Reihe her, aber bei jedem sprach das Männlein: „So heiß ich nicht." Den zweiten Tag ließ sie in der Nachbarschaft umherfragen, wie die Leute da genannt würden, und sagte dem Männlein die ungewöhnlichsten und seltsamsten Namen vor°: „Heißt du vielleicht Rippenbiest oder Hammelswade oder Schnürbein?" Aber es antwortete immer: „So heiß ich nicht." Den dritten Tag kam der Bote wieder zurück und erzählte: „Neue Namen habe ich keinen einzigen finden können, aber wie ich an einen hohen Berg um die Waldecke kam, wo Fuchs und Has sich gute Nacht sagen°, so sah ich da ein kleines Haus, und vor dem Haus brannte ein Feuer, und um das Feuer sprang ein gar zu lächerliches Männchen, hüpfte° auf einem Bein und schrie:

„Heute back ich, morgen brau° ich,
übermorgen hol ich der Königin ihr Kind;
ach, wie gut ist, daß niemand weiß,   70
daß ich Rumpelstilzchen heiß!"

Da könnt ihr denken, wie die Königin froh war, als sie den Namen hörte, und als bald hernach° das Männlein hereintrat und fragte: „Nun, Frau Königin, wie heiß ich?" fragte sie erst:

„Heißt du Kunz?"   75
„Nein." „Heißest du Heinz?" „Nein."
„Heißest du etwa Rumpelstilzchen?"

„Das hat dir der Teufel gesagt, das hat dir der Teufel gesagt," schrie das Männlein und stieß° mit dem rechten Fuß vor Zorn so tief in die Erde, daß es bis an den Leib hineinfuhr°, dann packte° es in seiner Wut den linken Fuß mit 80 beiden Händen und riß sich selbst mitten entzwei°.

Notes (left margin):

- **Who knows what may happen** (line 40)
- **celebrated his marriage** (line ~45)
- **a year later, gave birth to** (line ~46)
- **alive, treasures** (line 50)
- **pity, compassion** (line ~53)
- **by then** (line ~54)
- **besann sich . . . auf** *thought about* (line 55)
- **about, messenger, inquire** (line 55)
- **far and wide** (line ~56)
- **sagted . . . vor** *recite* (line 60)
- **made up names: Rib Beast, Mutton Leg, Tied Leg** (line ~61)
- **wo . . .** *out in the sticks* (line 65)
- **hopped** (line ~68)
- **brew** (line ~69)
- **afterwards** (line ~73)
- **stomped** (line ~79)
- **went in up to the waist, grabbed** (line ~80)
- **tore himself in two** (line ~81)

Vorbereitung

Setzen Sie die fehlenden Wortgruppen ein:

_____ ein Müller, der war arm. _____, daß er mit dem König zu sprechen kam. Die Tochter war aber nicht so geschickt, _____. Als das Mädchen zu dem König _____, sagte er „_____! Wenn bis morgen _____, mußt du sterben." Aber _____, wie man _____ spinnen konnte. Da ging _____ die Tür auf. Ein Männlein kam herein und sagte, „_____, wenn ich's dir spinne?" Am Morgen _____ über das Gold. Er befahl ihr, das nächste Zimmer voll Stroh auch _____ zu spinnen, wenn ihr _____. _____; aber das Männchen kam wieder, und _____ war das Stroh versponnen. Der König sagte, _____. Über ein Jahr hatte sie ein schönes Kind _____. In der _____ verlangte das Männchen ihr kind. Sie bot ihm _____ an, aber das Männchen sagte, „_____". Das Männchen ließ ihr _____. Die Königin sagte alle Namen _____ her; als sie den richtigen Namen erraten hatte, packte das Männlein _____ den linken Fuß_____ und riß sich selbst _____.

mitten entzwei; sie sollte seine Frau werden; nun kam es; wie er sagte; das Mädchen wußte sich nicht zu helfen; etwas Lebendes war ihm lieber; gebracht wurde; vor Zorn; freute sich der König; drei Tage Zeit; bei Sonnenaufgang; zur Welt gebracht; es war einmal; mach dich an die Arbeit; sie wußte nichts davon; auf einmal; mit beiden Händen; was gibst du mir; Stroh zu Gold; das Stroh nicht Gold ist; Nacht; das Leben lieb wäre; alle Reichtümer des Königreichs; der Reihe nach

Fragen zum Text

1. Beschreiben Sie die Personen in diesem Märchen und ihre Eigenschaften.
2. Was ist das Problem der Müllerstochter, und wie ist das gekommen? Wie wird es gelöst?
3. Beschreiben Sie die Reaktion des Königs nach der ersten und zweiten Nacht, und was er über die Müllerstochter denkt.
4. Warum verspricht sie dem Männlein ihr erstes Kind?
5. Erzählen Sie, wie das Männlein reagiert, anstelle das Kind einfach mitzunehmen.
6. Erzählen Sie, wieso die Königin den Namen des Männleins weiß.

Themen zum Schreiben und zur Diskussion

1. Man nennt diese Art der Erzählung ein Märchen. Wie muß eine Erzählung strukturiert sein, um ein Märchen zu sein?
2. Gewöhnlich soll man aus Märchen etwas lernen. Was haben Sie aus diesem Märchen gelernt? Zum Beispiel: wer sind die guten, wer die bösen Personen hier? Hatten Sie das Ende erwartet? Finden Sie es gerecht? Ist diese Frage erlaubt?

DIE SCHÖNE KRÄMERIN

Neue Wörter

Verben

ab·lehnen	to reject
ab·steigen, ie, ie (+ sein)	to get down
auf·fallen (ä), ie, a (+ sein)	to attract attention
reißen, i, i	to tear (apart)
versichern	to assure
sich zurück·ziehen, o, o	to withdraw

Substantive

der Anblick, -e	view
die Brücke, -n	bridge
die Dienerin, -nen	maid servant
der Gang, ¨-e	corridor
die Neuigkeit, -en	news
die Ungeduld	impatience
das Zeug, -e	stuff

Andere Wörter

ausgezeichnet	distinguished
gleichfalls	likewise
nackt	naked
reizend	delightful
zierlich	delicate

NEUE WÖRTER IM KONTEXT

Nennen Sie Synonyme:

der Korridor	ins Auge fallen
antworten	kaputtgehen
sehr gut	unbekleidet

REDEWENDUNGEN AUS DEM TEXT

1. Ihr Betragen fiel mir auf.	*I noticed her behavior.*
2. Ich sah sie an.	*I looked at her.*
3. Ich sah mich um.	*I looked around.*
4. Sie sah mir nach.	*She followed me with her glance.*
5. näher kennenlernen	*to become better acquainted*
6. um Ihretwillen	*for your sake*
7. Ich verlange nach einem andern.	*I desire another.*
8. bei der Flamme	*in the light of the fire*

Schreiben Sie die Nummer der *Redewendung*, die etwa dasselbe sagt:

Ich betrachtete sie. _____   Ich sah, wie sie sich benahm. _____
Ich blickte zurück. _____   Sie folgte mir mit ihrem Blick. _____
wegen Ihrer Person _____   Sie wollte einen anderen Mann. _____
im Flammenlicht _____

Goethe, Johann Wolfgang von   *28.8.1749 in
Frankfurt am Main; †22.3.1832 in Weimar, ist wohl der
enjoys   berühmteste deutsche Dichter; er genießt° darüber hinaus
weltweiten Ruhm als Universal-Genie. Er war nicht nur
Lyriker, sondern auch Dramatiker, Romanschriftsteller,
Literaturkritiker, Naturwissenschaftler, Herausgeber litera-
at the court   rischer und wissenschaftlicher Journale, Beamter am Hofe°
mastered   von Weimar und Theaterdirektor. Er beherrschte° neben
den alten Sprachen Hebräisch, Griechisch und Latein auch
moderne Sprachen und übersetzte aus dem Französischen,
Italienischen und Englischen. Seine Werke spiegeln die verschiedensten Stilperioden: vom Rokoko über den Sturm und
Drang zur Klassik und bis zur Romantik; sie beeinflußten
ein ganzes literarisches Zeitalter, das nach ihm die „Goethe-
zeit" genannt wird. Seine gesammelten Werke, von denen
besonders sein *Faust*-Drama weltbekannt wurde, umfassen
140 Bände.
Die folgende Novelle stammt aus Goethes *Unterhaltungen
deutscher Ausgewanderten*[1].

JOHANN WOLFGANG VON GOETHE

(Die schöne Krämerin)°

shopkeeper
estate   Am ersten Abend auf einem schönen Besitz° auf der rechten Seite des Rheins
inexplicably   sitzen die jungen Leute zusammen; da reißt plötzlich und unerklärt° die
Decke eines Schreibtisches im Zimmer, und zur gleichen Zeit entdeckt man einen
fire, estate, thereupon   großen Brand°, wahrscheinlich auf einem anderen Gute° der Familie. Darauf° 5

---

[1] *Conversations of German Emigrants* was first published in Schiller's journal *Die Horen* in
1795. Having fled across the Rhine to escape the French armies after the French
Revolution, a small group of family members entertain each other. In their conversations, which at first appear to be just amusement, Goethe expresses his views on
important contemporary questions.

erzählt Karl, einer der jungen Leute, die Geschichte von der schönen Krämerin. „Der Marschall von Bassompierre[2] erzählt sie in seinen Memoiren; es sei mir erlaubt, in seinem Namen zu reden:

    Seit fünf oder sechs Monaten hatte ich bemerkt, sooft ich über die kleine Brücke ging—denn zu der Zeit war der Pont Neuf noch nicht erbauet—daß *recognizable* eine schöne Krämerin, deren Laden an einem Schilde mit zwei Engeln kenntlich° 10 *bowed* war, sich tief und wiederholt vor mir neigte° und mir so weit nachsah, als sie *behavior* nur konnte. Ihr Betragen° fiel mir auf, ich sah sie gleichfalls an und dankte ihr *carefully* sorgfältig°. Einst ritt ich von Fontainebleau nach Paris, und als ich wieder die kleine Brücke heraufkam, trat sie an ihre Ladentür und sagte zu mir, indem ich vorbeiritt: ‚Mein Herr, Ihre Dienerin!‘ Ich erwiderte ihren Gruß, und indem ich 15 *bent forward* mich von Zeit zu Zeit umsah, hatte sie sich weiter vorgelehnt°, um mir so weit als möglich nachzusehen.

a servant and a mail-coach driver   Ein Bedienter nebst einem Postillion° folgten mir, die ich noch diesen Abend mit Briefen an einige Damen nach Fontainebleau zurückschicken wollte. Auf meinen Befehl stieg der Bediente ab und ging zu der jungen Frau, ihr in meinem 20 *inclination* Namen zu sagen, daß ich ihre Neigung°, mich zu sehen und zu grüßen, bemerkt *visit* hätte; ich wollte, wenn sie wünschte, mich näher kennenzulernen, sie aufsuchen°, wo sie verlangte.

    Sie antwortete dem Bedienten, er hätte ihr keine bessere Neuigkeit bringen *condition* können, sie wollte kommen, wohin ich sie bestellte, nur mit der Bedingung°, daß 25 *spend* sie eine Nacht mit mir unter einer Decke zubringen° dürfte. Ich nahm den *proposal* Vorschlag° an und fragte den Bedienten, ob er nicht etwa einen Ort kenne, wo wir zusammenkommen könnten. Er antwortete, daß er sie zu einer gewissen *a certain procuress, plague* Kupplerin° führen wollte, rate mir aber, weil die Pest° sich hier und da zeige, *linen* Matratzen, Decken und Leintücher° aus meinem Hause hinbringen zu lassen. Ich 30 *to prepare* nahm den Vorschlag an, und er versprach, mir ein gutes Bett zu bereiten°.

    Des Abends ging ich hin und fand eine sehr schöne Frau von ungefähr zwanzig Jahren mit einer zierlichen Nachtmütze, einem sehr feinen Hemde, einem kurzen *slippers* Unterrocke von grünwollenem Zeuge. Sie hatte Pantoffeln° an den Füßen und *dressing-gown, put on* eine Art von Pudermantel° übergeworfen°. Sie gefiel mir außerordentlich, und 35 *take liberties* da ich mir einige Freiheiten herausnehmen° wollte, lehnte sie meine Liebkosun- *caresses, very well mannered* gen° mit sehr guter Art° ab und verlangte, mit mir zwischen zwei Leintüchern *desire* zu sein. Ich erfüllte ihr Begehren° und kann sagen, daß ich niemals ein zierlicheres Weib gekannt habe noch von irgendeiner mehr Vergnügen genossen hätte. Den andern Morgen fragte ich sie, ob ich sie nicht noch einmal sehen könnte, ich 40 verreise erst Sonntag; und wir hatten die Nacht vom Donnerstag auf den Freitag miteinander zugebracht.

more urgently   Sie antwortete mir, daß sie es gewiß lebhafter° wünsche als ich; wenn ich aber nicht den ganzen Sonntag bliebe, sei es ihr unmöglich, denn nur in der Nacht vom Sonntag auf den Montag könne sie mich wiedersehen. Als ich einige Schwie- 45 rigkeiten machte, sagte sie: ‚Ihr seid wohl meiner in diesem Augenblicke schon

---

[2] 17th-century French Marshal whose *Mémoires* (1666) Goethe had read in the winter of 1794–95

tired of me überdrüssig° und wollt nun Sonntags verreisen; aber Ihr werdet bald wieder an
add mich denken und gewiß noch einen Tag zugeben°, um eine Nacht mit mir
zuzubringen.'

Ich war leicht zu überreden, versprach ihr, den Sonntag zu bleiben und die 50
same, to appear Nacht auf den Montag mich wieder an dem nämlichen° Ort einzufinden°. Darauf
ill-reputed antwortete sie mir: ,Ich weiß recht gut, mein Herr, daß ich in ein schändliches°
Haus um Ihretwillen gekommen bin: aber ich habe es freiwillig getan, und ich
insuperable hatte ein so unüberwindliches° Verlangen, mit Ihnen zu sein, daß ich jede Be-
accepted any condition, passion, dingung eingegangen° wäre. Aus Leidenschaft° bin ich an diesen abscheulichen° 55
dreadful, prostitute Ort gekommen, aber ich würde mich für eine feile Dirne° halten, wenn ich zum
miserable zweitenmal dahin zurückkehren könnte. Möge ich eines elenden° Todes sterben,
compliant with the wishes wenn ich außer meinem Mann und Euch irgend jemand zu Willen° gewesen bin
und nach irgendeinem andern verlange! Aber was täte man nicht für eine Person,
die man liebt, und für einen Bassompierre? Um seinetwillen bin ich in das Haus 60
presence, honorable gekommen, um eines Mannes willen, der durch seine Gegenwart° den Ort ehrbar°
gemacht hat. Wollt Ihr mich noch einmal sehen, so will ich Euch bei meiner
Tante einlassen.'

continued Sie beschrieb mir das Haus aufs genaueste und fuhr fort°: ,Ich will Euch von
zehn Uhr bis Mitternacht erwarten, ja noch später, die Türe soll offen sein. Erst 65
haltet . . . auf *stay* findet Ihr einen kleinen Gang, in dem haltet Euch nicht auf°, denn die Türe
meiner Tante geht da heraus. Dann stößt Euch eine Treppe sogleich entgegen,
storey die Euch ins erste Geschoß° führt, wo ich Euch mit offenen Armen empfangen
werde.'

arrangements Ich machte meine Einrichtung°, ließ meine Leute und meine Sachen voraus- 70
go ahead gehen° und erwartete mit Ungeduld die Sonntagsnacht, in der ich das schöne
Weibchen wiedersehen sollte. Um zehn Uhr war ich schon am bestimmten Orte.
Ich fand die Türe, die sie mir bezeichnet hatte, sogleich, aber verschlossen und
im ganzen Hause Licht, das sogar von Zeit zu Zeit wie eine Flamme aufzulodern°
flare up schien. Ungeduldig fing ich an zu klopfen, um meine Ankunft zu melden; aber 75
ich hörte eine Mannesstimme, die mich fragte, wer draußen sei.

Ich ging zurück und einige Straßen auf und ab. Endlich zog mich das Verlangen
wieder nach der Türe. Ich fand sie offen und eilte durch den Gang die Treppe
hinauf. Aber wie erstaunt war ich, als ich in dem Zimmer ein paar Leute fand,
welche Bettstroh verbrannten, und bei der Flamme, die das ganze Zimmer er- 80
stretched out leuchtete, zwei nackte Körper auf dem Tisch ausgestreckt° sah. Ich zog mich
gravediggers eilig zurück und stieß im Hinausgehen auf ein paar Totengräber°, die mich fragten,
sword, to keep them at arm's was ich suchte. Ich zog den Degen°, um sie mir vom Leibe zu halten°, und kam
length, unmoved nicht unbewegt° von diesem seltsamen Anblick nach Hause. Ich trank sogleich
drei bis vier Gläser Wein, ein Mittel gegen die pestilenzialischen Einflüsse, das 85
considers reliable man in Deutschland sehr bewährt hält°, und trat, nachdem ich ausgeruhet, den
trat . . . an *started* andern Tag meine Reise nach Lothringen an°.

Alle . . . *all efforts I made* Alle Mühe, die ich mir nach meiner Rückkunft gegeben°, irgend etwas von
dieser Frau zu erfahren, war vergeblich. Ich ging sogar nach dem Laden der zwei
Engel; allein die Mietleute wußten nicht, wer vor ihnen darin gesessen hatte. 90
low social rank Dieses Abenteuer begegnete mir mit einer Person vom geringen Stande°, aber

unpleasant ending ich versichere, daß ohne den unangenehmen Ausgang° es eins der reizendsten gewesen wäre, deren ich mich erinnere, und daß ich niemals ohne Sehnsucht an das schöne Weibchen haben denken können."

Fragen zum Text

1. Wo spielt die Geschichte von der schönen Krämerin? Wann? Was ist die Handlung?
2. Erzählen Sie alles, was Sie aus dem Text über den Marschall von Bassompierre wissen.
3. Erzählen Sie, was Sie über die junge Krämerin wissen, und was Sie nicht wissen.
4. Gibt die Erzählung ein Rätsel auf? Wenn ja, welches?
5. Diese Novelle ist eine Nacherzählung und nicht die Erfindung Goethes. Ist das wichtig?

Themen zum Schreiben und zur Diskussion

1. Die Erzählung von der schönen Krämerin stellt eine sehr andere Gesellschaftsordnung dar, als was Sie heute kennen. Welche Unterschiede erscheinen Ihnen wichtig?
2. In der Novelle nennt ein junges Mädchen, das zugehört hat, die Geschichte „gar zu schrecklich. Was wird das für eine Nacht werden, wenn wir uns mit solchen Bildern zu Bette legen!" Finden Sie etwas schrecklich? Was?
3. Bevor Karl die Geschichte erzählt, sagt er, „eine einzelne Handlung oder Begebenheit ist interessant, nicht weil sie erklärbar oder wahrscheinlich, sondern weil sie wahr ist." Er sagt auch, daß die Bassompierre-Geschichte sich erklären und begreifen lasse. Finden Sie es wichtig, eine Erklärung der Geschichte zu bekommen? Wenn nicht, was ist dann die Intention der Novelle? Inwiefern ist sie „wahr"?

Aus der literarischen Tradition

DER SCHRIFTSTELLER

Neue Wörter

Verben

ab·brechen (i), a, o   to break off
dar·stellen   to depict
fest·stellen   identify
zu·nehmen (i), a, o   to increase

Substantive

die **Besserung**   improvement
das **Elend** (-s)   misery
der **Trost** (-es)   comfort
die **Ursache**, -n   cause

Adjektive

gründlich   thoroughly
zerstörend   destructive

NEUE WÖRTER IM KONTEXT

1. Sagen Sie das Gegenteil mit einem Vokabularwort:

die Verschlechterung   der gute Zustand
abnehmen   oberflächlich
weitermachen

2. Setzen Sie das richtige Vokabularwort ein:

Er untersuchte den Kranken _____, um die Krankheit _____.
Warum redet ein schlechter Arzt von _____, während die Krankheit zunimmt?
Der Schriftsteller wollte den _____Einfluß des Elends _____.

REDEWENDUNGEN AUS DEM TEXT

1. Er nannte den Namen.   *He mentioned the name.*
2. Er sah nach ihm.   *He looked after him.*
3. Er bleibt am Leben.   *He'll remain alive.*
4. Er machte ihn gesund.   *He cured him.*

Schreiben Sie die Nummer der *Redewendung*, die etwa dasselbe sagt:
Er kümmerte sich um ihn. _____ Er konnte ihn heilen. _____ Er wußte den
Namen. _____ Er stirbt nicht. _____

Brecht, Bertolt   * 10.2.1898 Augsburg; † 14.8.1956
Berlin. Er ist einer der bedeutendsten sozialistischen Dramatiker und Lyriker des 20. Jahrhunderts. Das von ihm
entwickelte ‚epische Theater' will nicht eine Handlung il-
simulate   lusionistisch vortäuschen°, sondern den Betrachter akti-
vieren, ihm statt Suggestion Argumente bieten und von ihm
Entscheidungen fordern. Auch seine Lyrik ist didaktisch.

Brecht mußte 1933 Deutschland verlassen und floh über
Prag nach Wien, dann über die Schweiz und Frankreich
nach Dänemark. 1940 ging die Flucht weiter über
Schweden nach Finnland, dann über Moskau nach Kalifor-
nien. Er wurde von dem Komitee für ‚Un–American Activities' vernommen und ging danach, 1947, nach Europa
zurück. In Berlin gründete er das Berliner Ensemble, das
carry out   ihm Gelegenheit gab, Theaterexperimente durchzuführen°.

BERTOLT BRECHT

Der Schriftsteller

Ein Schriftsteller, gefragt, warum er in seinen Arbeiten immer nur von Elend
rede und immer nur den zerstörenden Einfluß des Elends auf die Menschen
untersuche und darstelle, und warum er niemals hoffnungsvollere und erfreu-
would draw   lichere Bilder des menschlichen Lebens entwürfe°, erzählte folgende Geschichte:
indisposed   Zu einem Mann, der sich schon längere Zeit unpäßlich° fühlte und nun mit 5
mit . . . was laid up with all   allen Anzeichen einer schweren Erkrankung daniederlag°, wurde ein Arzt gerufen,
signs of a severe sickness, sad   dem es in kürzester Zeit gelang, den Kranken und seine betrübten Angehörigen°
relatives, speedy recovery   zu beruhigen und mit Hoffnung auf baldige Genesung° zu erfüllen. Er nannte
relatively   den Namen der Krankheit und bezeichnete den Fall als einen verhältnismäßig°
passing, instructions, prescribed   einfachen und vorübergehenden°. Er gab genaue Anweisungen° und verschrieb° 10
scheute . . . did not spare the   verschiedene Medikamente und scheute nicht die Mühe°, selbst mehrere Male
trouble   am Tage nach dem Kranken zu sehen, und wurde so der willkommenste Gast
im Hause des Kranken.

Die Krankheit des Mannes aber nahm zu, und er konnte bald nicht mehr
weakened   einen Finger heben, so hatte das Fieber ihn geschwächt°. Der Arzt aber redete 15
vom Sommer, von Reisen, von der Zeit, wo der Kranke, wieder gesund, ein gutes
Leben führen wird.

In diesen Tagen kam ein alter Freund der Familie, der selber ein berühmter Arzt war, durch die Stadt, in der der Mann lebte. Als der den Kranken sah, erschrak er, denn er erkannte, daß der Mann, dessen Freund er war, nicht am 20 Leben bleiben würde. Er untersuchte den Kranken lange und gründlich° und verheimlichte den Angehörigen nicht seine Befürchtungen°, obwohl er, wie er sagte, noch nicht imstande° sei, die genaue Ursache der Erkrankung anzugeben°.

thoroughly
verheimlichte ... *did not keep his fears secret, in a position, to state*

Als nun der Mann wirklich nach zwei weiteren Tagen starb, fragte die verzweifelte Mutter den Freund, ob ihr Sohn nicht hätte gerettet werden können, 25 da sie doch gehört hätte, daß gerade diese Krankheit, die ihr der Arzt genannt habe, selten mit dem Tode endige. Der Freund überlegte eine Weile und sagte dann: „Nein, er hätte nicht gerettet werden können." Zu dem Bruder des Toten aber, ihrem jüngsten Sohn, sagte er draußen: „Hätte man Ihren Bruder gleich einem Chirurgen übergeben°, lebte er heute noch. Das ist meine Ansicht, und 30 Ihnen sage ich sie. Ihre Mutter ist alt und braucht die Wahrheit nicht mehr, sondern Trost, Sie aber sind jung und brauchen die Wahrheit."—„Und warum hat ihn der Arzt, den wir damals gerufen haben, nicht gleich einem Chirurgen übergeben?" fragte der junge Mann. „Warum hat er immer nur von Besserung° geredet und von der Gesundheit meines Bruders? Und wozu die teuren Medi- 35 kamente und die genauen Anweisungen, wenn sie nichts nützten°?"

handed over to a surgeon

recovery

were not useful

„Nicht immer müssen teure Medikamente und genaue Anweisungen nützen, junger Freund, aber was man von einem Arzt verlangen soll, ist, daß er die richtige Ursache der Krankheit feststellt. Um jemand gesund zu machen, braucht man zuerst die richtige Diagnose. Und um die richtige Diagnose stellen zu kön- 40 nen, braucht man nicht nur ein gründliches medizinisches Wissen, sondern auch wirkliches Interesse an der Heilung der Krankheit. Es genügt° nicht, daß einer Arzt ist, er muß auch helfen können. Jener Arzt redete von Besserung, als er noch nicht die wahre Ursache der Erkrankung festgestellt hatte. Ich aber rede so lange von Krankheit und nur von Krankheit, bis ich die genaue Ursache der 45 Erkrankung kenne und die genauen Mittel weiß, um sie wirksam zu bekämpfen, und die ersten Anzeichen° der Besserung sich zeigen. Dann erst rede auch ich vielleicht von Heilung.

suffices

signs

„So oder so ähnlich war es," sagte der Schriftsteller und brach die Geschichte ab.   50

„Aber du bist doch kein Arzt," fragte man ihn erstaunt nach einem kurzen höflichen Schweigen.

„Nein. Aber Schriftsteller," erwiderte er.

Fragen zum Text

1. Was ist die Frage, auf die der Schriftsteller mit der Arzt-Geschichte antwortet?
2. Erklären Sie, wie der erste Arzt seine Rolle versteht. Hilft er dem Kranken und der Familie, sehr, wenig oder gar nicht?

3. Beschreiben Sie, was der zweite Arzt tut. Hat seine Methode Erfolg? Wie hätte sie Erfolg haben können?

4. Warum sagt der zweite Arzt nur dem jungen Mann die Wahrheit?

Themen zum Schreiben und zur Diskussion

1. Geben Sie ein paar Gründe an, warum der erste Arzt so handelt. Erklären Sie nun, wer der sogenannte Kranke vielleicht ist, wer der Chirurg sein soll, und was die Operation bedeutet. Wer ist der junge Mann? Was soll er mit der Information tun?

2. Eine Arzt-Geschichte beantwortet eine Schriftsteller-Frage. Zeigen Sie am Text, wie der Autor es ganz klar macht, daß er den Schriftsteller mit dem Arzt vergleicht. Was denken Sie über Brechts Thesis, daß der Schriftsteller wie ein Arzt handeln soll?

3. Wie nennt man diese Methode der Darstellung? Was für einen Zweck hat sie? Nennen Sie andere Methoden der indirekten Darstellung, wenn Sie welche kennen, und erklären Sie, wie sie funktionieren.

4. Wählen Sie ein einfaches Thema und versuchen Sie, eine kurze Geschichte so zu schreiben.

AUS „THEATERPROBLEME"

Neue Wörter

Verben

gestalten	to form, to create
predigen	to preach
preisen, ie, ie	to praise
vor·werfen (i), a, o	to reproach someone with

Substantive

das **Benzin** (-s)	gasoline
der **Wahnsinn** (-s)	madness, insanity
die **Wahrheit**, -en	truth

Andere Wörter

gewiß	certainly
mit gutem Gewissen	in good conscience
unbequem	irritating

NEUE WÖRTER IM KONTEXT

1. Nennen Sie das passende Vokabularwort:
Wenn Sie das haben, können Sie nachts gut schlafen.
Was ein Pfarrer in der Kirche tut.
Was ein Auto braucht, um fahren zu können.
Wenn einer den Verstand verliert, leidet er daran.

2. Sagen Sie das Gegenteil:

normale Vernunft/Intelligenz   jemand für etwas preisen
komfortabel   die Lüge
mit Schuldgefühlen

3. Setzen Sie das richtige Vokabularwort ein:
Den Schriftstellern wird _____, ihre Kunst sei nihilistisch.
Als nihilistisch gilt aber nur, was _____ ist. Es fällt ihnen immer schwerer, reine
Kunst zu _____. Wer verkauft das Öl und _____ zu dieser _____ fahrt? Es ist
heute nicht mehr möglich, mit _____ die Schönheit der Landschaft zu _____.

REDEWENDUNGEN AUS DEM TEXT

1. Es fällt immer schwerer.   *It becomes harder and harder.*
2. Sie hat es nicht gern.   *She does not like it.*
3. mit gutem Gewissen   *in good conscience*

Antworten Sie mit einer *Redewendung*:
Will sie die Wahrheit nicht hören? Nein, _____
Kann man heute noch nette Sachen schreiben? Nein, nicht _____
Ist das Leben jetzt leichter für Sie? Nein, _____

Dürrenmatt, Friedrich * 5.1.1921 in Konolfingen
bei Bern. Er studierte Philosophie, Theologie und Germanistik; arbeitete zuerst als Theaterkritiker, Regisseur,
Journalist in Basel und Zürich. Er ist heute der bekannteste
Schweizer Dramatiker, ein leidenschaftlicher Moralist und
amüsanter Satiriker mit sehr scharfem Intellekt und reicher
Phantasie. Er parodiert die bürgerliche Welt und will mit
material schockierenden Situationen und kriminalistischen Stoffen°
die Menschen zum Nachdenken zwingen.

FRIEDRICH DÜRRENMATT

aus „Theaterprobleme"

U ns Schriftstellern wird oft vorgeworfen, unsere Kunst sei nihilistisch. Nun gibt es heute natürlich eine nihilistische Kunst, doch nicht jede Kunst ist *awful bungler* nihilistisch, die so aussieht: . . . Der muß schon ein arger Stümper° von einem Nihilisten sein, den die Welt als solchen erkennt. Als nihilistisch gilt nur, was *create* unbequem ist. Nun hat der Künstler zu bilden°, nicht zu reden, sagt man, zu 5 *purely* gestalten, nicht zu predigen. Gewiß. Doch fällt es immer schwerer, rein° zu gestalten, oder wie man sich dies vorstellt.

resembles Die heutige Menschheit gleicht° einer Autofahrerin. Sie fährt immer schneller, *more recklessly* immer rücksichtsloser° ihre Straße. Doch hat sie es nicht gern, wenn der kon- *dismayed passenger* sternierte Mitfahrer° „Achtung!" schreit und „Hier ist eine Warnungstafel," „Jetzt 10 *run over* sollst du bremsen", oder gar „Überfahre° nicht dieses Kind." Sie haßt es, wenn einer fragt, wer denn das Benzin oder das Öl geliefert° habe zu ihrer Wahnsinns- *supplied* fahrt, oder wenn er gar ihren Führerschein zu sehen verlangt. Ungemütliche *come to light* Wahrheiten könnten zutage treten°. Der Wagen wäre vielleicht einem Verwand- *stolen from, squeezed* ten entwendet°, das Benzin und das Öl aus den Mitfahrern selber gepreßt° und 15 *sweat* gar kein Benzin und Öl, sondern unser Blut und unser aller Schweiß°, und der *in existence* Führerschein wäre möglicherweise gar nicht vorhanden°; es könnte sich heraus- *turn out, indeed embarrassing* stellen°, daß sie zum ersten Male fährt. Dies wäre freilich peinlich°, fragte man *obvious* nach so naheliegenden° Dingen. So liebt sie es denn, wenn man die Schönheit der Landschaft preist, durch die sie fährt, das Silber eines Flusses und das Glühen 20 *glow of the glaciers* der Gletscher° in der Ferne, auch amüsante Geschichten liebt sie ins Ohr ge- flüstert. Diese Geschichten zu flüstern und die schöne Landschaft zu preisen, ist einem heutigen Schriftsteller jedoch oft nicht mehr so recht mit gutem Gewissen möglich. Leider kann er aber auch nicht aussteigen, um der Forderung nach *satisfy, raised* reinem Dichten Genüge zu tun°, die da von allen Nichtdichtern erhoben° wird. 25 Die Angst, die Sorge und vor allem der Zorn reißt seinen Mund auf.

Vorbereitung

Erzählen Sie die Geschichte von der Autofahrerin mit ihren Worten oder den folgenden:
Künstler: vorwerfen, reden, gestalten, predigen, immer schwerer fallen; Mensch- heit: immer schneller fahren, nicht gern haben, Benzin liefern, ungemütliche Wahrheiten, Wahnsinnsfahrt; Dichter: Schönheit der Landschaft preisen, mit gutem Gewissen, aussteigen, nicht mehr so recht, Mund aufreißen

Fragen zum Text

1. Was meinen die Leser, wenn sie „nihilistisch" sagen?
2. Wen meint Dürrenmatt, wenn er von der „heutigen Menschheit" spricht? Er benutzt dafür die Metapher einer Autofahrerin. Erklären Sie, was die Beispiele bedeuten.
3. Wen meint Dürrenmatt mit „der konsternierte Mitfahrer"? Was möchte die Autofahrerin von ihm hören?
4. Was heißt es, daß der Mitfahrer nicht aussteigen kann? Was muß der Mitfahrer also tun?

Themen zum Schreiben und zur Diskussion

1. Erklären Sie Dürrenmatts Methode. Arbeitet er mit ähnlichen Methoden wie Brecht oder mit anderen?
3. Was ist Dürrenmatts Meinung über die Rolle des Schriftstellers? Vergleichen Sie die mit der Meinung von Brecht.

GOTTFRIED BENN: INTERVIEW

Neue Wörter

Verben

an·streben	to aspire to, strive for
aus·drücken	to express
eingreifen, i, i	to intervene

Substantive

die **Anschauung, -en**	view
die **Aufklärung**	Enlightenment
der **Aufstieg (-s)**	rise
die **Beteiligung**	participation

Adjektiv

wirksam	effective

NEUE WÖRTER IM KONTEXT

1. Nennen Sie ein Synonym:

die Ansicht	das Mitmachen
der Erfolg	die Erklärung, Erkenntnis

2. Beenden Sie die Sätze mit einem Vokabularwort:

Kann ein Dichter in den Lauf der Geschichte _____? Wir möchten wissen, was Sie denken; was sind Ihre _____? Brauchen wir die Beteiligung der Dichter an der allgemeinen _____? Wird diese Beteiligung _____ oder _____ sein? Soll ein Dichter seine politischen Meinungen _____?

REDEWENDUNGEN AUS DEM TEXT

1. was mich angeht	*as far as I am concerned*
2. Er tritt für etwas ein.	*He stands up for something.*
3. Wir treten auf eure Seite über.	*We'll go over to your side.*

Welche *Redewendung* paßt?

Wir helfen euch jetzt. _____ soweit mich das interessiert _____
Er unterstützt etwas. _____

Benn, Gottfried   * 2.5.1886 in Mansfeld, Westprieg- nitz; † 7.7.1956 in Berlin. Er studierte Medizin und war als Arzt tätig, in den beiden Weltkriegen als Militärarzt. Er glaubte eine kurze Zeit, der Nationalsozialismus könnte die Überwindung des Nihilismus bringen; erkannte aber seinen Fehler schnell. Radikal moderner Lyriker, Drama- tiker, Erzähler und Essayist, der mit dem Realismus eines *decay* Arztes Krankheit, Verfall° zeichnet, oft brutal und zynisch. Ein Kulturpessimist, der doch versucht, dem Leben durch die Kunst der Sprache einen Sinn zu geben.

Gottfried Benn: Interview

with respect to   A: Sie haben in zahlreichen Aufsätzen hinsichtlich° der Figur des Dichters einen Standpunkt vertreten, der ungefähr folgendes besagt: Der Dichter *effect* hat keine Wirkung° auf die Zeit, er greift in den Lauf der Geschichte *according to his nature* nicht ein und kann seinem Wesen nach° nicht eingreifen; er steht außerhalb der Geschichte. Ist das nicht ein etwas absoluter Standpunkt? 5

BENN: Wünschen Sie, ich hätte geschrieben, der Dichter solle sich für das Parlament interessieren, die Kommunalpolitik, die Grundstücksein- *real estate transactions* käufe°, die notleidende Industrie oder den Aufstieg des fünften Standes?

well known   A: Es gibt aber doch eine Reihe namhafter° Schriftsteller, die Ihre ableh-
                       nende Stellung nicht teilen und aus der Anschauung heraus arbeiten, 10
turning point   daß wir an einer Wendung° der Zeit stehen, daß ein neuer Menschen-
                       typ sich bildet, und daß der Weg in eine gänzlich veränderte und
                       bessere Zukunft beschrieben werden kann?

           BENN: Natürlich können Sie eine bessere Zukunft beschreiben, es gab immer
                       Erzähler der Utopie, zum Beispiel Jules Verne oder Swift. Was die 15
concerns   Wendung der Zeit angeht°, so habe ich schon wiederholt meine Un-
directed, turns   tersuchungen darauf gerichtet°, daß die Zeit sich immer wendet°, im-
                       mer ein neuer Menschentyp sich bildet, und daß Formeln wie Mensch-
twilight of mankind and dawn,   heitsdämmerung und Morgenröte° schon allmählich° Begriffe° von
little by little, concepts, regularity   einer geradezu mythischen Solidität und Regelmäßigkeit° darstellen.   20

           A: Sie halten also jede Beteiligung des Dichters an der Diskussion von
inappropriate   Zeitfragen für abwegig°?

hobby   BENN: Für Liebhaberei°. Ich sehe, daß eine Gruppe von Schriftstellern für
abolition   Abschaffung° von par. 218[1] eintritt, eine andere für Beseitigung der
abolition of the death penalty   Todesstrafe°. Das ist der Typ von Schriftstellern, der seit der Aufklä- 25
takes up   rung seine sichtbare Stellung in der Öffentlichkeit einnimmt°. Sein
parochial agitations, libertarian   Gebiet sind lokale Ereiferungen°, freigeistige Bestrebungen°, in denen
efforts   der berühmte Kampf Voltaires für Calas[2] und das *J'accuse* Zolas[3] un-
unmistakeably lingers on   verkennbar nachklingt°.

           A: Und Sie nehmen diese Richtung der Schriftstellerei in die Grenzen der 30
                       Dichtung nicht auf?

based on experience   BENN: Erfahrungsgemäß° befindet sie sich selten innerhalb dieser Grenzen.
                       Schriftsteller, deren Arbeit auf empirische Einrichtungen der Zivilisa-
                       tion gerichtet ist, treten damit auf die Seite derer über, die die Welt
                       realistisch empfinden, für materiell gestaltet halten und dreidimensional 35
                       in Wirkung fühlen, sie treten über zu den Technikern und Kriegern,
move boundaries   den Armen und Beinen, die die Grenzen verrücken° und Drähte über
                       die Erde ziehen, sie begeben sich in das Milieu der flächenhaften und
two-dimensional and   zufälligen Veränderungen°, während doch der Dichter prinzipiell eine
incidental changes   andere Art von Erfahrung besitzt und andere Zusammenfassungen an- 40
                       strebt als praktisch wirksame und dem sogenannten Aufstieg dienende
                       . . . Man kann es nicht anders ausdrücken: Kunstwerke sind phäno-
                       menal, historisch unwirksam, praktisch folgenlos. Das ist ihre Größe.

---

[1] par. 218 is the law forbidding abortion.

[2] Voltaire (1694–1778), French philosopher and dramatist, was a champion of tolerance
     and justice, as seen in his defense of Jean Calas (1763), a Huguenot accused by the
     Catholic Church of the murder of his son.

[3] Emile Zola (1840–1902), French novelist, defended in an open letter, "J'accuse" (I
     accuse), the French officer Alfred Dreyfus, a Jew who had been falsely accused of
     betraying military secrets.

Fragen zum Text

1. Was sind, Benns Meinung nach, keine Themen für den Dichter? Wer soll über solche Themen schreiben?
2. Wie nennt man solche Wendungen wie „neuer Menschentyp," „Wendung der Zeit," „bessere Zukunft," „Menschheitsdämmerung," „Morgenröte"? Warum lehnt Benn sie ab?
3. Was sagt Benn über die Möglichkeit, daß ein Dichter Zeitfragen diskutiert? Was denkt er über die Verbindung von solchen Fragen und der Rolle der Kunst?
4. Warum sind für Benn Kunstwerke groß?

Themen zum Schreiben und zur Diskussion

1. Sie lesen hier die Antworten. Schreiben Sie die Fragen.

? Der Dichter soll nicht in den Lauf der Geschichte eingreifen; er steht außerhalb.

? Nein, sie teilen Benns ablehnende Anschauung nicht.

? Natürlich kann man eine bessere Zukunft beschreiben, das machen die Erzähler der Utopie.

? Ja, denn ich halte sie für ein Hobby, für Liebhaberei.

? Nein, diese Themen befinden sich selten innerhalb der Grenzen der Kunst.

? Schriftsteller sehen die Welt realistisch und treten über zu den Technikern und Kriegern; Dichter besitzen prinzipiell eine andere Art von Erfahrung und suchen andere Zusammenfassungen.

2. Drei sehr bekannte deutsche Autoren schreiben hier ihre Meinung über die Rolle des Schriftstellers in der heutigen Gesellschaft. Erklären Sie, was Sie— Brecht nach, Dürrenmatt nach und Benn nach—über diese Rolle verstehen.
3. Hinter diesen Meinungen über die Rolle des Schriftstellers stehen natürlich die verschiedenen Ansichten über die Aufgabe der Kunst. Erklären Sie, was jeder Autor für die Aufgaben der Kunst hält, und was die wichtigen Gegensätze zwischen diesen Ansichten sind.

Aktivität

Podiumsdiskussion über die Aufgaben der Kunst zwischen drei Studenten, die Benn, Dürrenmatt und Brecht darstellen. Die Klasse stellt Fragen.

VOR DEM GESETZ

Neue Wörter

Verben

brüllen	to yell
täuschen	to deceive
verfluchen	to curse
versäumen	to miss
vertragen (ä), u, a	to endure

Substantive

der **Bart**, ⁼e	beard
das **Gesetz**, -e	law
die **Heimat**	hometown, homeland
das **Hindernis**, -se	obstacle
der **Koch**, ⁼e	cook
das **Tor**, -e	portal
der **Traum**, ⁼e	dream
der **Zufall**, ⁼e	coincidence, chance

NEUE WÖRTER IM KONTEXT

Sagen Sie das mit anderen Wörtern:

die Wahrheit sagen	aushalten
woher man stammt	eine große Tür

REDEWENDUNGEN AUS DEM TEXT

einer mächtiger als der andere	*each one more powerful than the next*
Er stellt ein Verhör mit ihm an.	*he interrogates him*
eine Frage stellen	*to ask a question*

---

hidden, oppose   **Kafka, Franz**   * 3.7.1883 Prag; † 3.6.1924 Sanatorium Kierling bei Wien. Er ist wohl der bedeutendste österreichische Erzähler des 20. Jahrhunderts. Kafkas Grundthema ist der hoffnungslose Kampf des Individuums gegen verborgene° anonyme Mächte, die sich ihm entgegenstellen°. Seine realistische präzise Beschreibung verbindet sich mit einer Atmosphäre des Traums, geheimnisvoll und grotesk, visionär und phantastisch. Seine Gleichnisse und Bilder erlauben, je nach dem philosophischen Standpunkt des Lesers, eine existentialistische Interpretation ebenso wie eine metaphysische, mystisches Gottsuchen ebenso wie eine Auseinandersetzung mit der jüdischen Überlieferung°.

discussion of the Jewish tradition

FRANZ KAFKA

Vor dem Gesetz

doorkeeper V or dem Gesetz steht ein Türhüter°. Zu diesem Türhüter kommt ein Mann vom Lande und bittet um Eintritt in das Gesetz. Aber der Türhüter sagt, *grant* daß er ihm jetzt den Eintritt nicht gewähren° könne. Der Mann überlegt und fragt dann, ob er also später werde eintreten dürfen. „Es ist möglich," sagt der Türhüter, „jetzt aber nicht." Da das Tor zum Gesetz offensteht wie immer, und 5 *bends down* der Türhüter beiseite tritt, bückt sich° der Mann, um durch das Tor in das Innere zu sehen. Als der Türhüter das merkt, lacht er und sagt: „Wenn es dich so *tempts* lockt°, versuche es doch, trotz meinem Verbot hineinzugehen. Merke aber: Ich bin mächtig. Und ich bin nur der unterste Türhüter. Von Saal zu Saal stehen aber Türhüter, einer mächtiger als der andere. Schon den Anblick des dritten 10 kann nicht einmal ich mehr vertragen." Solche Schwierigkeiten hat der Mann vom Lande nicht erwartet, das Gesetz soll doch jedem und immer zugänglich° *accessible to* *fur coat* sein, denkt er, aber als er jetzt den Türhüter in seinem Pelzmantel° genauer *pointed nose* ansieht, seine große Spitznase°, den langen, dünnen, schwarzen, tatarischen Bart, entschließt er sich doch, lieber zu warten, bis er die Erlaubnis zum Eintritt 15 *stool* bekommt. Der Türhüter gibt ihm einen Schemel° und läßt ihn seitwärts von der Tür sich niedersetzen. Dort sitzt er Tage und Jahre. Er macht viele Versuche, eingelassen zu werden, und ermüdet den Türhüter durch seine Bitten. Der Tür- *interrogations* hüter stellt öfters kleine Verhöre° mit ihm an, fragt ihn nach seiner Heimat aus *indifferent* und nach vielem anderen, es sind aber teilnahmslose° Fragen, wie sie große Herren 20 stellen, und zum Schlusse sagt er ihm immer wieder, daß er ihn noch nicht einlassen könne. Der Mann, der sich für seine Reise mit vielem ausgerüstet° hat, *equipped* *uses, bribe* verwendet° alles, und sei es noch so wertvoll, um den Türhüter zu bestechen°. Dieser nimmt zwar alles an, aber sagt dabei: „Ich nehme es nur an, damit du nicht glaubst, etwas versäumt zu haben." Während der vielen Jahre beobachtet 25 *uninterruptedly* der Mann den Türhüter fast ununterbrochen°. Er vergißt die anderen Türhüter, und dieser erste scheint ihm das einzige Hindernis für den Eintritt in das Gesetz. Er verflucht den unglücklichen Zufall in den ersten Jahren laut, später, als er alt *grumbles to himself* wird, brummt er nur noch vor sich hin°. Er wird kindisch, und da er in dem *fleas, fur collar* jahrelangen Studium des Türhüters auch die Flöhe° in seinem Pelzkragen° erkannt 30 *change the doorkeeper's mind* hat, bittet er auch die Flöhe, ihm zu helfen und den Türhüter umzustimmen°.

Schließlich wird sein Augenlicht schwach, und er weiß nicht, ob es um ihn wirklich dunkler wird, oder ob ihn nur die Augen täuschen. Wohl aber erkennt

radiance, unextinguishably er jetzt im Dunkel einen Glanz°, der unverlöschlich° aus der Türe des Gesetzes 35
bricht. Nun lebt er nicht mehr lange. Vor seinem Tode sammeln sich in seinem
Kopfe alle Erfahrungen der ganzen Zeit zu einer Frage, die er bisher an den
stiffening Türhüter noch nicht gestellt hat. Er winkt ihm zu, da er seinen erstarrenden°
straighten up Körper nicht mehr aufrichten° kann. Der Türhüter muß sich tief zu ihm hin-
to the disadvantage of unterneigen, denn die Größenunterschiede haben sich sehr zuungunsten° des
Mannes verändert. „Was willst du denn jetzt noch wissen?" fragt der Türhüter, 40
insatiable, strive „du bist unersättlich°." „Alle streben° doch nach dem Gesetz," sagt der Mann,
admission „wie kommt es, daß in den vielen Jahren niemand außer mir Einlaß° verlangt
hat?" Der Türhüter erkennt, daß der Mann schon am Ende ist, und um sein
fading hearing, screams at him vergehendes Gehör° noch zu erreichen, brüllt° er ihn an: „Hier konnte niemand
sonst Einlaß erhalten, denn dieser Eingang war nur für dich bestimmt. Ich gehe 45
jetzt und schließe ihn."

Fragen zum Text

1. Normalerweise stellt man sich unter „Gesetz" die Prinzipien und Regeln vor, die das Leben einer Gruppe von Menschen bestimmen. Wie stellt Kafka hier das Gesetz dar? Sagen Sie alles, was Sie aus der Erzählung über das Gesetz wissen.

2. Was ist die Rolle eines Türhüters?

3. Der Türhüter läßt dem Mann verschiedene Möglichkeiten, welche? Zu welcher entschließt sich der Mann, und warum?

4. Erzählen Sie, was in den vielen Jahren passiert, die der Mann vor der Tür wartet. Welche Versuche macht er, in das Gesetz einzutreten? Warum nimmt der Türhüter die Geschenke an?

5. Beschreiben Sie die Veränderungen des Mannes während der vielen Jahre, die er vor der Tür sitzt. Was ist die letzte Frage des Mannes?

Themen zum Schreiben und zur Diskussion

1. Diese Geschichte ist leicht zu lesen, aber schwer zu verstehen. Erklären Sie, warum das so ist.

2. Ist die letzte Frage des Mannes wichtig? Warum fragt er sie erst in dem Moment vor seinem Tod? Hatten Sie die Antwort des Türhüters erwartet? Was ist Ihre Reaktion auf diese Antwort?

3. Die Tür war nur für den Mann bestimmt; also sollte er durch sie in das Gesetz eintreten. Glauben Sie also, der Türhüter lügt, wenn er sagt, er könne ihn nicht einlassen? oder warum läßt er ihn nicht hinein?

4. Glauben Sie, der Mann möchte wirklich in das Gesetz hinein? Wie können Sie das beweisen? Warum gelang es ihm nicht?

BERTOLT BRECHT
Fragen eines lesenden Arbeiters

W er baute das siebentorige Theben[1]?
    In den Büchern stehen die Namen von Königen.
rocks Haben die Könige die Felsbrocken° herbeigeschleppt?
Und das mehrmals zerstörte Babylon[2]—
Wer baute es so viele Male auf? In welchen Häusern   5
Des goldstrahlenden Lima[3] wohnten die Bauleute?
Wohin gingen an dem Abend, wo die Chinesische Mauer fertig war
                        die Maurer? Das große Rom
Ist voll von Triumphbögen. Wer errichtete sie? Über wen
Triumphierten die Cäsaren? Hatte das vielbesungene Byzanz[4]   10
Nur Paläste für seine Bewohner? Selbst in dem sagenhaften
                        Atlantis[5]
devoured Brüllten in der Nacht, wo das Meer es verschlang°
the drowning Die Ersaufenden° nach ihren Sklaven.
conquers Der junge Alexander erobert° Indien.   15
Er allein?
Gauls Cäsar schlug die Gallier°.
Hatte er nicht wenigstens einen Koch bei sich?
Philipp von Spanien weinte, als seine Flotte[6]
Untergegangen war. Weinte sonst niemand?   20
Friedrich der Zweite siegte im Siebenjährigen Krieg[7]. Wer
Siegte außer ihm?

Jede Seite ein Sieg.
victory dinner Wer kochte den Siegesschmaus°?
Alle zehn Jahre ein großer Mann.   25
expenses Wer bezahlte die Spesen°?

So viele Berichte.
So viele Fragen.

[1] Thebes: once the cultural capital of Egypt, known for its magnificent temples; today Karnak and Luxor on the Nile, upper Egypt

[2] city in Iraq; the biblical Babel

[3] capital of Peru; center for Spanish art and architecture

[4] today Istanbul, Turkey; known for its churches and palaces

[5] mythical island in the Atlantic, west of Gibraltar

[6] the Armada

[7] 1756–63 against Maria Theresa of Austria

Fragen zum Text

1. Wissen Sie die Antworten auf die Fragen des Arbeiters? Wenn nicht, dann schauen Sie nach, wer Theben und Babylon gebaut hat; wo Atlantis lag; gegen wen die Cäsaren gewonnen haben, wann Alexander und Philipp der Zweite gelebt haben.

2. Wo finden Sie Information für die Antworten? Also, welche Bücher greift das Gedicht an?

3. Normalerweise sehen Gedichte anders aus; sie haben Reim und Metrum. Warum hat Brechts Gedicht diese Elemente nicht?

4. Ein Arbeiter fragt hier. Welche sind seine Hauptfragen? Was ist die Antwort, die der Arbeiter, oder besser, der Autor, hören will?

5. Denken Sie, Brecht hat mit dieser Antwort recht? Was für ein Urteil haben Sie nun über die Bücher? Über die Aufgaben des Schriftstellers?

Vocabulary

Plural endings, genitive singular endings of masculine and neuter nouns, the *umlaut* forms of plural feminine nouns, as well as principal parts of strong and hybrid verbs are given. The regular plural endings -n, or -en of feminine nouns are not listed. Separable verbs are indicated by a dot (·) between the prefix and the stem.

A

ab·bauen reduce, take down

ab·beissen, i, i chew off

ab·bekommen, a, o: etwas davon ~ get one's share

ab·brechen, a, o break off, stop

ab·brennen, a, a burn down

ab·decken remove, cover

der **Abend, -s, -e** evening; das **~essen, -s, -** supper

abends evenings

abenteuerlustig adventurous

abermals once again

ab·fahren, u, a leave

ab·geben, a, e turn in

abgefahren worn (tires)

ab·gehen, i, a depart, do without

abgelegen remote

ab·gelten, a, o pay back an obligation

abgemagert emaciated

die **Abgeschiedenheit** seclusion

ab·hängen unhang, leave behind

abhängig dependent

ab·helfen, a, o remedy

ab·holen pick up

ab·lehnen refuse, reject

ab·nehmen, a, o remove

ab·räumen clear away, knock over

ab·rollen unroll

ab·schalten switch off

der **Abscheu, -s** abhorrence

abscheulich abominable, dreadful

ab·schrecken deter

ab·schreiben, ie, ie copy

sich **ab·setzen** disengage; **sich von der Steuer ~** take a tax exemption

die **Absicht** intention

ab·sperren close off

ab·steigen, ie, ie get down

der **Abstinent, -en, -en** teetotaler

ab·tropfen drip off

ab·warten wait and see

der **Abwasch, -es: den ~ machen** do the dishes

ab·wechseln take turns

abwegig inappropriate

die **Abwertung** devaluation

abwesend absent, distracted

der **Abzug, -(e)s, ¨e** trigger

acht·geben, a, e look out

die **Achtlosigkeit** negligence

der **Adel, -s, -** aristocracy

die **Adresse** address

das **Agitproptheater, -s, -** agitation propaganda theater

ähnlich similar

die **Ahnung** notion

der **Akademiker, -s, -** academic

albern silly

der **Alkoholmißbrauch, -(e)s, ¨e** alcohol abuse

allein alone

allerhand quite a bit

allgemein general

allmählich little by little, gradually

der **Alltag, -(e)s, -e** everyday life

alltäglich everyday

das **Alter, -s, -** age; die **~sschwäche** old age (symptoms)

altern grow old

altersschwach decrepit

die **Altertumskunde** history of antiquity

altklug precocious

die **Altstadt** old city

das **Amt, -(e)s, ¨er** public office

sich **an·bahnen** be in the making

an·bauen add to a building

der **Anblick, -(e)s** view, sight

an·blicken look at

an·brüllen scream at

andernfalls otherwise

anders different

an·erkennen, a, a acknowledge

die **Anerkennung** recognition

der **Anfang, -(e)s, ¨e** beginning

an·fangen, i, a start, do

an·fassen touch

an·fressen, a, e gnaw, corrode
an·geben, a, e state
angebleicht faded
angeblich supposedly
an·gehen, i, a be of concern, have to do with, concern
der Angehörige, -n, -n relative
die Angelegenheit matter, concern
angemessen appropriate
angenehm pleasant
angesengt parched
angestammt rightful
der Angestellte, -n, -n employee
angestrengt hard, with every effort
an·greifen, i, i attack
der Angriff, -(e)s, -e attack
die Angst, ⸚e fear
an·heben, o, o lift
an·knipsen turn on
an·kommen, a, o arrive; es kommt darauf an it matters
an·künden announce
an·locken lure
das Anmeldeformular, -(e)s, -e registration form
an·nehmen, a, o accept
an·preisen, ie, ie advertise
an·rufen, ie, u telephone
sich an·schaffen acquire
die Anschaffung acquisition
die Anschauung view
der Anschluß, -sses, ⸚sse annexation; der ~zug, -(e)s, ⸚e connecting train
das Ansehen, -s reputation; sich ein ~ geben, a, e show off

an·sehen, a, e look at
ansichtig werden see
an·sprechen, a, o approach, address
an·stecken set fire to
die Anstellung employment
an·stoßen, ie, o nudge, bump against
an·streben aspire to, strive for
sich an·strengen make an effort
der Anteil, -(e)s, -e share
an·treten, a, e start
an·tun, a, a do to
die Antwort answer
antworten answer
die Anweisung instruction
an·wenden auf apply to
das Anzeichen, -s, - sign
sich an·ziehen, o, o put on
an·zünden light
die Arbeit work; sich an die ~ machen set to work; verkürzte~ part-time work
arbeiten work
der Arbeite, -s, - worker; die ~dichtung social literature
arbeitslos unemployed
arbeitsscheu work-shy
arg awful
der Ärger, -s annoyance, trouble
ärgern annoy; sich ~ über be, get angry at
arm poor
der Arm, -(e)s, -e arm; das ~band, -(e)s, ⸚er bracelet
die Armut poverty
die Art kind, manner
artig well-behaved
der Arzt, -(e)s, ⸚e physician
das As, -ses, -se ace

der Aschenbecher, -s, - ashtray
äsen graze
der Atem, -s breath; mit langem~ with much patience; der ~zug, -(e)s, ⸚e breathing
atmen breathe
auf·passen auf pay attention, mind
der Aufenthalt, -(e)s, -e stay; die ~sgenehmigung residence permit
auf·fallen, ie, a attract attention; ~d conspicuous
auf·fordern ask, demand
die Aufführung performance
die Aufgabe task
auf·geben, a, e give up
aufgebracht angry
aufgedunsen bloated
aufgeregt excited
auf·gucken look up
auf·haken unhook
auf·halten, ie, a delay; sich~ stop, stay
auf·hocken mount
die Aufklärung enlightenment
auf·lodern flare up
aufmerksam machen auf point out
die Aufmerksamkeit attention
die Aufnahmeschwester receiving nurse
auf·nehmen, a, o receive, admit
der Aufprall, -(e)s, -e impact
auf·räumen tidy up
aufregend exciting
die Aufregung excitement
auf·reißen, i, i tear open
auf·richten straighten up
sich auf·richten get up
auf·rufen, ie, u call on

der **Aufruhr, -s, -e** revolt
auf·saugen absorb, soak up
auf·schlagen, u, a open; **die Augen ~** open one's eyes
auf·schnappen pick up
auf·schreien, ie, ie cry out
die **Aufschrift** sign, inscription
das **Aufsehen, -s** stir, sensation
aufsetzen put on
auf·springen, a, u jump up
auf·stecken put on
auf·stehen, a, a get up
der **Aufstieg, -(e)s, -e** rise, advancement; **die ~shilfe** way to get uphill
auf·stützen prop up; **sich ~** prop oneself up
auf·suchen visit
der **Auftrag, -(e)s, ⸚e** order
auf·treten, a, e occur, appear, step down
auf·wachen wake up
auf·wachsen, u, a grow up
das **Auge, -s, -n** eye; **der ~nblick, -(e)s, -e** moment; **der ~nzeuge, -n, -n** eyewitness
augenblicks immediately
aus·drehen turn off
die **Ausbildung** education
der **Ausdruck, -(e)s, ⸚e** expression
aus·drücken express
ausdruckslos expressionless
aus·sehen, a, e appear
auseinander apart; **sich ~·entwickeln, ~·leben** grow apart

die **Auseinandersetzung** conflict, discussion
der **Ausflug, -(e)s, ⸚e** excursion
aus·füllen fill in
die **Ausgabe** expense
der **Ausgang, -(e)s, ⸚e** exit, ending, errand
ausgedörrt dried out
ausgelassen exuberant
ausgerüstet equipped
ausgeschlossen sein be out of the question
ausgestreckt stretched out
ausgezeichnet distinguished
aus·händigen hand, hand out, give
das **Auskommen, -s** livelihood
die **Auskunft, ⸚e** information
das **Ausland, -(e)s** abroad, foreign country
der **Ausländer, -s, -** foreigner
aus·lösen release, arouse
aus·machen agree upon, arrange
die **Ausnahme** exception
aus·packen unpack
der **Auspuff, -(e)s, -e** muffler
aus·rechnen calculate
aus·reichen suffice
aus·richten structure
aus·rollen roll to a stop
sich **aus·ruhen** rest
aus·rupfen tear out
aus·schalten switch off, eliminate
aus·schließen, o, o expel, exclude
der **Ausschnitt, -(e)s, -e** excerpt
äußerst extremely
die **Aussicht** view
aussichtslos hopeless
sich **aus·sprechen, a, o** express

der **Ausspruch, -(e)s, ⸚e** pronouncement
aus·steigen, ie, ie get out
aus·stopfen stuff
aus·wählen choose
aus·wechseln change, exchange
aus·weichen, i, i avoid
sich **aus·weisen, ie, ie** identify oneself
aus·zeichnen honor
das **Auto, -s, -s** car; **der ~verkehr, -s** traffic

B

der **Bach, -(e)s, ⸚e** brook
die **Backe** cheek
der **Backfisch, -es, -e** teenager
das **Bad, -(e)s, ⸚er** bath
baden bathe
die **Bahn** track, car; **der ~hof, -(e)s, ⸚e** station; **die ~hofszelle** station lock-up; **der ~steig, -(e)s, -e** platform
bahnbrechend pioneering
bald soon; **~ig** speedy
der **Ball, -(e)s, ⸚e** ball
der **Band, -(e)s, ⸚e** volume
bang anxious
die **Bank, ⸚e** bank, bench
der **Bärenkopf, -(e)s, ⸚e** bear-head
die **Barrikade** barricade
der **Bau, -(e)s, -ten** building, construction; **der ~arbeiter, -s, -** construction worker; **das ~gewerbe, -s, -** construction trade; **die ~stelle** construction site
der **Bauch, -(e)s, ⸚e** belly
bauen build

der **Bauer, -n, -n** farmer; der ~**nhof, -(e)s, ⸚e** farm

baulich structural

der **Baum, -(e)s, ⸚e** tree

beachten heed

der **Beamte, -n, -n** civil servant, official

beantragen apply

beauftragen charge

bebrillt with glasses

bedauern regret

das **Bedenken, -s, -** misgiving

bedeutend significant, important

die **Bedeutung** significance

der **Bediente, -n, -n** servant

die **Bedingtheit** limitation

die **Bedingung** condition; **eine ~ ein·gehen, i, a** accept a condition

bedingungslos unconditional

sich **beeilen** hurry

beeinflussen influence

die **Beerdigung** funeral

das **Beet, -(e)s, -e** flower bed

der **Befehl, -(e)s, -e** order, command

befehlen, a, o order

sich **befinden, a, u** be (present)

befragen ask

befühlen touch

befürchten fear

die **Befürchtung** fears

sich **begeben, a, e** go, proceed

begegnen encounter

die **Begegnung** encounter

das **Begehren, -s** desire

begeistert enthusiastic

begleiten accompany

der **Begleiter, -s, -** companion

begraben, u, a bury

begreifen, i, i grasp

der **Begriff, -(e)s, -e** concept

begründen give a reason

der **Begründer, -s, -** founder

begrüßen greet, acclaim

begucken look at

begünstigt favored

behalten, ie, a retain

behandeln treat

die **Behandlung** treatment

beharrlich persistent

behaupten assert

die **Behauptung** assertion, contention, maintenance

beherrschen master; **sich~** control oneself

beiderseits mutual

der **Beifahrer, -s, -** co-driver; der ~**sitz, -es, -e** passenger seat

beiläufig casual

beinahe almost

bei·pflichten agree

beiseite aside

das **Beispiel, -(e)s, -e** example, instance; **zum ~** for instance; **z.B. =** e.g.

beispielgebend exemplary

bei·tragen, u, a contribute

bekannt known

der **Bekannte, -n, -n** acquaintance

bekommen, a, o receive

sich **bekreuzigen** cross oneself

die **Belagerung** siege; der ~**szustand** state of siege

beleibt portly

beliebt popular

bellen bark

bemerken notice

die **Bemerkung** remark

die **Bemühung** effort

das **Benehmen, -s** behavior

der **Bengel, -s, -** little rascal

benommen dazed

benutzen use

das **Benzin, -s, -e** gasoline

beobachten observe

bequem convenient, lazy, indolent

berechtigen justify

berechtigt entitled

bereit ready, prepared; ~**en** prepare; ~**s** already

der **Berg, -(e)s, -e** mountain; die ~**bahn** alpine railway; der ~**bau, -(e)s** mining; der ~**mann, -(e)s, ~leute** miner; das ~**steigen, -s** mountain climbing; der ~**steigerschuh, -s, e** mountain boot; das ~**werk, (-e)s, -e** mine

berichten report

der **Beruf, -(e)s, -e** profession; die ~**stätigkeit** employment

berufstätig working

sich **beruhigen** quiet oneself, calm down

beruhigt calmed down

berühmt famous

berühren touch

die **Beschaffenheit** nature, quality

beschäftigen occupy

der **Beschäftigte, -n, -n** employee

die **Beschäftigung** occupation

der **Beschenkte, -n, n** recipient

beschießen, o, o fire upon

der **Beschluß, -sses, ⸚sse** agreement

beschränkt of limited intelligence, dull

beschreiben, ie, ie describe

besehen, a, e inspect

die **Beseitigung** elimination, removal, abolition

besetzen occupy

besichtigen visit, inspect

sich **besinnen, a, o** think about

die **Besinnungslosigkeit** unconsciousness

der **Besitz, -es** property, estate

besitzen, a, e own

besorgen take care of

die **Besserung** recovery, improvement

bestechen, a, o bribe

bestehen, a, a exist; **~aus, ~ in** consist of

besteigen, ie, ie climb

bestellen order

die **Bestie** beast

bestimmen determine

bestimmt certain

die **Bestrebung** effort

bestürzt disconcerted

der **Besuch, -(e)s, -e** visit; der **~er, -s, -** visitor

besuchen visit

beteiligt involved

Beteiligung participation

betonen emphasize, stress

betrachten regard

das **Betragen, -s** behavior

betreffen, a, o concern, affect

betreten, a, e enter

betreuen care for

der **Betrieb, -(e)s, -e** factory; die **~skampfgruppe** factory combat unit; die **~swache** security office

sich **betrinken, a, u** get drunk

betrübt sad

der **Betrug, -(e)s, ⸚ereien** deception, fraud

betrügen, o, o deceive

das **Bett, -(e)s, -en** bed; der **~ pfosten, -s, -** bed post

bettlägerig bedridden

der **Bettler, -s, -** beggar

beugen bend

beurteilen judge

die **Bevölkerung** population; der **~sstand, -(e)s, ⸚e** population

bewachen guard

die **Bewachung** surveillance

bewahren protect

der **Bewährungshelfer, -s, -** probation counselor

bewegen move, persuade

die **Bewegung** movement

beweisen, ie, ie prove

bewilligen grant, give to

bewohnen occupy

bewundern admire

bewußt conscious; **~los** unconscious

die **Bewußtlosigkeit** unconsciousness

bezahlen pay

bezeichnen characterize

die **Bezeichnung** designation

beziehen, o, o upholster; **~ aus** derive from; **sich ~ auf** refer to

die **Beziehung** relationship

bezüglich-bzgl. in reference to

das **Bier, -(e)s, -e** beer; die **~schwemme** tavern

bieten, o, o offer

bilden form, create, educate

die **Bildung** education, schooling

billig cheap

das **Binnenland, -(e)s, ⸚er** landlocked country

die **Binse** sedge, reed

bisher former

bitten request, ask for

blaß pale

das **Blatt, -(e)s, ⸚er** leaf

die **Blechflasche** metal thermos

bleiben, ie, ie remain; **sich gleich ~** not to make a difference

bleich pale; **~en, i, i** bleach

der **Blick, -(e)s, -e** look, glance

blicken look at

die **Blinddarmentzündung** appendicitis

blindlings blindly

blinzeln wink

blöd/e silly

bloß merely, only, bare

die **Blume** flower

das **Blut, -(e)s** blood; der **~bach, -(e)s, ⸚e** rivulet of blood

bluten bleed

blutrot blood-red

der **Bock, -(e)s, ⸚e** ram, billy-goat

der **Boden, -s, ⸚** ground

die **Bohne** bean

das **Bohnerwachs, -es, -e** floor wax

das **Bonbon, -s, -s** candy

böse angry, mad, evil

der **Bote, -n, -n** messenger

der **Botschafter, -s, -** ambassador

das **Bachland, -(e)s** fallow land

der **Brand, -(e)s, ⸚e** fire

die **Brandung** surf

der **Brauch, -(e)s, ⁻e** custom
brauchen need
brauen brew
der **Brauhof, -s, ⁻e** brewery
das **Brausepulver, -s, -** fizzy, effervescent powder
brechen, a, o break
breit broad
der **Breitengrad, -s, -e** latitude
bremsen brake
brennen, a, a burn
der **Brief, -(e)s, -e** letter, die ~**marke** stamp; die ~**tasche** wallet
die **Brille** spectacles
der **Brocken, -s, -** clod
das **Brot, -(e)s, -e** bread
brüchig brittle
die **Brücke** bridge
der **Bruder, -s, ⁻er** brother
brummeln mumble
brummen grumble; **vor sich hin**~ grumble to oneself
die **Brust, ⁻e** breast
der **Bube, -n, -n** boy
das **Buch, -(e)s, ⁻er** book; der ~**handel, -s, ⁻** book trade; die ~**handlung** book store
das **Bücherbrett, -es, -er** bookshelf
die **Bücherei** library
die **Büchsensahne** canned cream
die **Bucht** bay, pen (animals)
bücken bend down
die **Bühne** stage
der **Bummel, -s, -** stroll
der **Bundesbürger, -s, -** citizen of the Federal Republic
die **Bundesstraße** federal highway

die **Burg** castle, fortress
der **Bürger, -s, -** citizen; der ~**meister, -s, -** mayor; die ~**meisterei** town hall
der **Busen, -s, -** bust
büßen do penance

C

der **Chef, -s, -s** boss
der **Chirurg, -en, -en** surgeon

D

d.h. = das heißt i.e. = that is
dabei in doing so, however
das **Dach, -(e)s, ⁻er** roof; die ~**kammer** attic
dafür for that
dagegen against that
dahin there to
damals at that time
damit with that
dämmern grow dark
die **Dämmerung** twilight
danach after that
daneben beside, beside that
dankbar grateful
danken thank
daran, dran at; ~**liegen, a, e** be due to
darauf, drauf on, thereupon, upon that; ~**an·kommen, a, o** depend on; ~**drücken** press against; ~**kauen** chew on
daraus out of that

darin in that
darnieder·liegen, a, e be laid up
dar·stellen depict
darüber about that
darum therefore
darunter below that
das **Dasein, -s** existence
die **Dauer** duration; **auf die** ~ in the long run
dauern last; ~**d** constantly, lasting
davon·kommen, a, o get off
dazu in addition; ~**gehören** belong to
die **Decke** cover, blanket
der **Degen, -s, -** sword
dehnen extend
denken, a, a think
das **Denkmal, -s, ⁻er** monument
denkmalgeschützt protected as historic site
derb rude
die **Derbheit** earthiness, bluntness
dereinst at some future time
Dermaßen to such an extent
derselbe the same
derweil meanwhile
deshalb therefore
deutlich distinct, clear
dicht close
dichten write poetry, be creative
der **Dichter, -s, -** poet
dick fat
dienen serve
der **Diener, -s, -** servant
die **Dienstleistung** service
die **Dienstreise** business trip
bezüglich in this regard

das **Ding, -(e)s, -e** thing
direkt direct
dirigieren direct, conduct
die **Dirne** prostitute
der **Doktor, -s, -en** doctor
der **Doppelgänger, -s, -** double
der **Doppelposten, -s, -** two guards
doppelt double
das **Dorf, -(e)s, ¨er** village; die **~kneipe** village pub
dösen doze
der **Drahtbesen, -s, -** wire-brush
draußen outside
drehen turn
dringend urgent
drohen threaten
die **Drohung** threat
drüben over there
der **Druck, -(e)s** pressure, stress
drücken press
dumm stupid
der **Dummkopf, -(e)s, ¨e** blockhead, jerk
die **Düne** dune
dunkel dark
dünn thin
der **Dunst, -(e)s, ¨e** vapor
durchaus absolutely
durchbohren pierce
durch·drehen skid
durchdringend piercing
das **Durcheinander, -s** confusion
durch·führen carry out
durch·halten, ie, a stick it out
durch·hauen give a thrashing
durchlässig penetrable
durchschnittlich average
sich **durch·setzen** succeed

düster gloomy; somber
duzen use of the familiar term "du"

E

eben just now
die **Ebene** plain
echt genuine
die **Ecke** corner
egal regardless, even; ~ **sein** be all the same, make no difference
ehe before; ~**malig** former
die **Ehe** marriage; die **~losigkeit** celibacy; das **~paar,-(e)s, -e** couple
ehrbar honorable
die **Ehre** honor
die **Ehrlichkeit** honesty
das **Ei, -(e)s, -er** egg
eifrig eager
die **Eigenart** characteristic
die **Eigenliebe** egotism
eigennützig selfish
die **Eigenschaft** characteristic, capacity
eigensinnig stubborn, obstinate
eigentlich really, actually
eigentümlich strange
eilig hurried
die **Einbahnstraße** one-way street
ein·berufen, ie, u convene
ein·betonieren cement in
sich **ein·bilden** imagine
die **Einbildung** imagination
die **Eindämmung** containment
einerseits on the one hand
einfach simple
sich **ein·finden, a, u** appear

ein·flößen inspire
der **Einfluß, -sses, ¨sse** influence
ein·führen introduce, establish
der **Eingang, -(e)s, ¨e** entry
das **Eingemachte, -n** preserved food
das **Eingeständnis, -ses, -se** admission, confession
eingreifen, i, i intervene
die **Einheit** unity
sich **einig sein** agree
einige a few
einigermaßen to a certain extent
der **Einkauf, -(e)s, ¨e** purchase, transaction
ein·kaufen shop
das **Einkommen, -s, -** income
ein·laden, u, a invite
die **Einladung** invitation
der **Einlaß, -sses, ¨sse** admission
ein·leiten initiate
einleuchtend convincing
ein·liefern commit
einmal once
ein·nehmen, a, o take up
ein·packen wrap
ein·richten arrange
die **Einrichtung** establishment, arrangement
ein·rücken report for military duty
einsam alone, lonely
die **Einsamkeit** loneliness
ein·schalten turn on
sich **ein·schenken** fill one's glass
ein·schlafen, ie, a fall asleep
ein·schlagen, u, a in hammer in

einschließlich including, inclusive of

due **Einschränkung** reservation

ein·sehen, a, e realize

ein·sperren lock up

ein·steigen, ie, ie get in

ein·stellen suspend

die **Einstellung** attitude

einstweilen meanwhile

der **Eintänzer, -s, -** professional dancing partner

ein·treffen, a, o arrive

ein·treten, a, e enter

der **Eintritt, -(e)s** entry

das **Einverständnis, -ses** consent

ein·weisen, ie, ie assign

die **Einwilligung** consent

der **Einwohner, -s, -** inhabitant

der **Einwurf, -(e)s, ⁻e** objection

das **Einzelkind, -(e)s, -er** only child

die **Einzelperson** individual

das **Einzelzimmer, -s, -** single room

einzig exclusive, single, only

die **Eisenbahn** railroad; der ~**er, -s, -** railroad worker

das **Elend, -(e)s** misery, misfortune

elend miserable

der **Ellbogen, -s, -** elbow

die **Eltern** (pl.) parents; der ~**teil, -s** parent

empfangen, i, a receive

der **Empfänger, -s, -** recipient

empfehlen, a, o recommend; **sich** ~ take one's leave

empfinden, a, u feel

die **Empörung** indignation

das **Ende, -s, -n** end; **ein** ~**e nehmen, a, o** end up

enden end

endgültig ultimate

endlich finally

eng narrow, close, tight

entblößt uncovered

entdecken discover

entfernen remove

entfernt distant

entfesseln unleash

entgegen·stellen oppose

entgegnen reply

enthalten, ie, a contain; **sich** ~ refrain from

enthäuten skin

sich **entkleiden** undress

entladen, u, a unload

entlassen, ie, a release

entlasten exonerate

die **Entlastung** relief

entlausen delouse

entnehmen, a, o take from

sich **entscheiden, ie, ie** decide

die **Entscheidung** decision

der **Entschluß, -sses, ⁻sse** decision

sich **entschuldigen** excuse

das **Entsetzen, -s** terror

entsetzlich terrible

entsetzt horrified

die **Entspannung** relaxation

entsprechen, a, o correspond

entstehen aus, a, a originate from

enttäuscht disappointed

entweder either

entwenden steal from

entwerfen, a, o draw

entwickeln develop

die **Entwicklung** development; der ~**shelfer, -s, -** Peace Corps volunteer

entziehen, o, o take away

entzweien split up

sich **erbieten, o, o** offer

erblicken see

erbsengrün pea-green

die **Erde** earth

sich **ereifern** argue

die **Ereiferung** agitation

sich **ereignen** happen

das **Ereignis, -ses, -se** event

erfahren, u, a come to know

die **Erfahrung** experience

erfahrungsgemäß based on experience

erfassen encompass

erfinden, a, u invent

die **Erfindung** invention

der **Erfolg, -(e)s, -e** success

erfolgreich successful

erfüllen fulfill

ergänzen add, supplement

sich **ergeben, a, e** result from

das **Ergebnis, -ses, -se** result

ergebnislos without result

ergründen fathom

erhalten, ie, a preserve, maintain

sich **erhängen** hang oneself

sich **erheben, o, o** raise

erhöhen increase

die **Erhöhung** increase

die **Erholung** recreation

sich **erinnern** remember

die **Erinnerung** memory

erkältet sein have a cold

erkämpfen fight for

erkennen, a, a recognize

die **Erkenntnis, -, -se** insight

erklären declare, explain

die **Erkrankung** sickness

sich **erkundigen** inquire

erlassen, ie, a issue

erlauben permit

die **Erlaubnis** permission

die **Erle** alder

erleben experience

das **Erlebnis, -ses, -se**
experience, adventure

erledigen take care of,
settle

ermorden murder

ernähren feed

erneuern renovate

die **Erniedrigung** humiliation

ernst serious

der **Ernst, -(e)s** seriousness

die **Ernte** harvest

erobern conquer

erquicken invigorate

erraten, ie, a guess

erreichen reach

der **Ersatz, -es, -̈e** substitute

ersaufen, o, o conquer

erschaffen, u, a create

erschießen, o, o shoot
dead

die **Erschöpfung** exhaustion

erschrecken, a, o
become frightened

ersetzen replace

ersparen save; **erspart
bleiben, ie, ie** be
spared

erst first

erstarren gross stiff,
stiffen, freeze

erstaunen astonish

erstaunlich surprising,
astonishing

erstaunt sein be
astonished

ertappen catch

ertragen, u, a endure,
put up with

erwachen awaken

der **Erwachsene, -n, -n** adult

erwähnen mention

erwarten expect

die **Erwartung** anticipation,
expectation

erwecken arouse

sich **erweisen, ie, ie** prove
oneself

die **Erwerbstätigen** (pl.)
working population

erwidern reply

erwischen catch

erzählen narrate, tell

der **Erzähler, -s, -** narrator

die **Erzählung** tale

der **Erzengel, -s, -** archangel

erziehen, o, o educate

der **Erzieher, -s, -** educator

die **Erziehung** education

der **Esel, -s, -** ass, idiot

die **Etappe** stage, epoch

etwa about, approximately

etwas something

ewig eternal

das **Exemplar, -(e)s, -e** copy

die **Experimentierbühne**
experimental stage

F

die **Fabrik** factory

das **Fach, -(e)s, -̈er** subject,
topic; der ~**bereich,**
-(e)s, -e area of
specialization; die
~**literatur** professional
literature

der **Faden, -s, -̈** thread

die **Fähigkeit** capability

die **Fahne** flag

fahren, u, a drive

der **Fahrer, -s, -** driver

die **Fahrkarte** ticket; eine
~**lösen** buy a ticket;
der ~**nschalter, -s, -**
ticket window

das **Fahrrad, -(e)s, -̈er**
bicycle

die **Fahrt** trip, drive

das **Fahrzeug, -(e)s, -e**
vehicle

der **Fall, -(e)s, -̈e** fall, case

fallen, ic, a fall

der **Fallschirmjäger, -s, -**
paratrooper

falsch wrong

familiär familiar

die **Familie** family

die **Farbe** color

fassen grasp, reach,
comprehend; ~**nach**
reach for

fassungslos beside oneself

die **Faust, -̈e** fist

fechten, o, o fence

fegen sweep

fehlen miss, lack; **es fehlt
daran** it is lacking; **das
hat mir noch gefehlt**
that's all I need

der **Fehler, -s, -** mistake

der **Feierabend, -s, -e** after
work hours

der **Feiertag, -(e)s, -e** holiday

feiern celebrate

feil for sale

feilschen haggle

fein fine

der **Feind, -(e)s, -e** enemy

feixen smirk, grin

das **Feld, -(e)s, -er** field

das **Fell, -(e)s, -e** fleece

der **Felsbrocken, -s, -** rock

das **Fenster, -s, -** window

die **Ferien** (pl.) vacation,
holidays

fern far away; ~·**sehen,
a, e** watch TV

der **Fernsehlustige, -n, -n**
TV fan

fertig ready

fesch chic

fest firm

das **Fest, -(e)s, -e** celebration,
feast; das ~**spiel, -(e)s,
-e** festival

fest·stellen notice,
determine; identify

fett fat; **~ig** greasy
feucht damp
das **Feuer, -s, -** fire; ein
  ~an·machen light a
  fire ; die **~wehr** fire
  department
das **Fieber, -s** fever
der **Film, -(e)s, -e** film; das
  ~drehbuch, -(e)s, ̈er
  screenplay; die
  ~vorführung movie
finden, a, u find
der **Finger, -s, -** finger; die
  ~kuppe finger tip
finanziell financial
die **Firma** firm, company
die **Fischbeinstange** corset
  stay
fixieren stare at, regard
flach flat
flächenhaft two-
  dimensional
die **Flasche** bottle
das **Flautejahr, -(e)s, -e** slow
  year
fleckig spotty
das **Fleisch, -(e)s** meat; die
  ~brühe broth
fleißig industrious
fliegen, o, o fly
fliehen, o, o flee
die **Fliese** tile
das **Fließband, -(e)s, ̈er**
  assembly line
fließen, o, o flow; **~d**
  fluently
der **Floh, -s, ̈e** flea; der
  ~markt, -(e)s, ̈e flea
  market
die **Flöte** flute
flott brisk
die **Flucht** escape
der **Flüchtling, -s, -e** refugee
der **Fluß, -sses, ̈e** river
flüstern whisper
die **Folge** consequence
folgen follow

folgern conclude
fordern demand
die **Forderung** demand
die **Förderung** support
die **Form** form
forsch brisk
forschen research
die **Forschung** research
fort away, gone;
  ~·fahren, u, a
  continue; **~·gehen, i, a**
  go away, continue;
  ~·jagen chase away;
  ~·schleichen, i, i
  slink away
die **Frage** question
fragen ask
frech impertinent
das **Freie, -n** open air; **im ~n**
  outdoors
freigeistig libertarian
frei·haben have off
die **Freiheit** freedom, liberty;
  sich ~en
  heraus·nehmen, a, o
  to take liberties; der
  ~skrieg, -(e)s, -e war
  of liberation
der **Freiherr, -n, -en** baron
freilich indeed
frei·stehen, a, a : es
  steht Ihnen frei you
  are free to
freiwillig voluntary
die **Freizeit** free time, leisure
  time; die **~gesellschaft**
  leisure time society
fremd strange
der **Fremde, -n, -n** stranger;
  die
  ~nverkehrswerbung
  National Tourism
  promotion
der **Fremdkörper, -s, -**
  something foreign
fressen, a, e eat (animals),
  devour; **in sich**

hinein·~ dig in
sich **freuen** be happy
der **Freund, -(e)s, e** friend;
  die **~lichkeit** kindness;
  die **~schaft** friendship
freundlich friendly
der **Friede, -ns** peace
friedlich peaceful
der **Friseur, -s, -e** barber
froh joyful
fröhlich merry
die **Fröhlichkeit** cheerfulness
fromm pious
die **Frucht, ̈e** fruit; der
  ~stand, -(e)s ̈e
  fruitstand
früh early
das **Frühblatt, -(e)s, ̈er** early
  newspaper edition
früher former
das **Frühjahr, -s, -e** spring
der **Fuchsschwanz, -es, ̈e**
  foxtail
fügen zu join
sich **fühlen** feel
führen lead
der **Führer, -s, -** guide,
  leader; der **~schein,**
  -(e)s, -e driver's license
der **Füller, -s, -** fountain pen
der **Funkautor, -s, -en** radio
  script writer
funkelnd flashing
furchtbar horrible
sich **fürchten** fear
fürchterlich terrible
der **Fuß, -es, ̈e** foot
der **Fußball, -(e)s, ̈e** soccer
der **Fußboden, -s, ̈** floor
die **Fußgängerzone** pedestrian ma
füttern feed

G

die **Gabel** fork
gähnen yawn
der **Gang, -(e)s, ̈e** hall

die **Gans, ¨e** goose
ganz quite
gar fully, even, very
der **Garten, -s, ¨** garden
Gas geben, a, e accelerate
der **Gast, -(e)s, ¨e** guest; das
~**haus, -es, ¨er** inn;
die ~**stube** restaurant
das **Gebäude, -s, -** building
geben, a, e give
das **Gebet, -(e)s, -e** prayer
das **Gebiet, -(e)s, -e** territory
der **Gebildete, -n, -n** the
well-educated
geboren am born on
geborgen sein safe
die **Geborgenheit** safety
gebrauchen use
die **Gebrauchslyrik** poem for
special occasions
die **Geburt** birth; die ~**shilfe**
obstetrics, lambing; der
~**stag, -(e)s, -e**
birthday
der **Gedanke, -ns, -n** thought
gedehnt slow, drawn out
die **Gedenkstätte** place of
commemoration
das **Gedicht, -(e)s, -e** poem
die **Geduld** patience
geduldig patient
die **Gefahr** danger
gefährden endanger
gefährlich dangerous
der **Gefallen, -s** favor; einen
~**tun, a, a** do a favor
gefallen, ie, a be pleasing
to
gefällig sein please
gefangen imprisoned;
~·**nehmen, a, o** take
prisoner
die **Gefangenschaft** captivity
das **Gefängis, -ses, -se** prison,
jail
das **Gefäß, -es, ¨e** container
gefestigt solid

das **Gefühl, -(e)s, -e** feeling
die **Gegend** area
der **Gegensatz, -(e)s, ¨e**
contrast; im~ in
contrast, on the contrary
der **Gegenschlag, -(e)s, ¨**
counter-attack
gegenseitig mutual
das **Gegenteil, -s** contrary
die **Gegenwart** present time,
presence
das **Geheimnis, -ses, -se**
secret
sich **gehen lassen, ie, a** take
it easy
gehen, i, a go, depart;
es geht it is possible;
~**über zu** change to
der **Gehilfe, -n, -n** helper,
assistant
der **Gehirnschlag, -(e)s, ¨e**
stroke
das **Gehör, -se, -e** hearing
gehorchen obey
gehören belong
gehörig appropriate,
necessary
der **Gehorsam, -s** obedience
der **Geist, -es, -er** spirit,
genius, ghosts
geistig intellectual
gekachelt tiled
gekränkt offended
gelassen with composure
das **Geld, -(e)s, -er** money
gelegen situated
die **Gelegenheit** occasion
der **Gelehrte, -n, -n** scholar
gelingen, a, u succeed
gelockt curly
gelten, a, o hold, apply
gemein mean; ~**haben**
mit have in common
with
die **Gemeinde** community,
parish, die ~**schwester**
parish nurse

der **Gemeinplatz, -(e)s, ¨e**
cliché
gemeinsam common
die **Gemeinschaft** community
das **Gemüse, -s, -** vegetable
gemustert patterned
die **Gemütlichkeit** geniality,
coziness
genau exact
die **Genehmigung** permission
die **Genesung** recovery
genießen, o, o enjoy
genug enough
Genüge tun satisfy
genügen suffice
das **Gepäck, -(e)s** luggage; der
~**träger,-s,-** porter
gepflegt cared-for
gerade straight, just;
~**heraus** blunt,
outright; ~**zu** actually
das **Gerät -(e)s, -e** utensil, set
geraten, ie, a in get into
das **Geräusch, -(e)s, -e** noise
gerecht just
die **Gerechtigkeit** justice
gereizt irritated
das **Gericht, -s, -e** court of
law; der ~**sbeschluß,**
-sses,¨sse court decision
gering little, scanty,
unimportant
gern gladly; ~**haben** like
der **Geruch, -(e)s, ¨e** smell
gesamt total
das **Geschäft, -(e)s, ¨e** business
geschehen, a, e happen
gescheit intelligent
das **Geschenk, -(e)s, -e**
present, gift
die **Geschichte** story, tale,
history
geschichtlich historical
die **Geschichtsschreibung**
historiography
geschickt skillful,
dexterous

geschieden divorced
das **Geschirr, -s, -e** dishes
der **Geschmack, -s, ̈er** taste
das **Geschöpf, -(e)s, -e** creature
das **Geschoß, -sses, -sse** story
geschwächt weakened
die **Geschwindigkeit** speed
die **Geschwister** (pl.) siblings
die **Gesellschaft** society; **~leisten** keep company
das **Gesicht, -(e)s, -er** face
gespannt with suspense
das **Gespräch, -s, -e** discussion
die **Gestalt** figure
gestalten form, create
gestatten permit
die **Geste** gesture
gestehen, a, a confess
gestern yesterday
gesund healthy
das **Gesundheitswesen, -s, -** health professions
getrauen dare
getrennt separated
das **Getue, -s** fuss
gewähren grant
gewährleisten guarantee
die **Gewalt** force, power, violence; **in der~behalten** keep under control
gewandt adroit
das **Gewerbe, -s -e** trade
die **Gewerkschaft** union
gewinnen, a, o win
gewiß certain, certainly
das **Gewissen, -s, -** conscience; **mit gutem~** in good conscience
sich **gewöhnen an** get used to
der **Gewohnheitsleser, -s, -** habitual reader

gewöhnlich ordinary
gierig greedy
das **Gift, -(e)s, -e** poison
gießen, o, o water, pour
der **Glanz, -es** radiance
glänzen shine; **~d** radiant
das **Glas, es, ̈er** glass
glatt even, smooth, downright
glatzköpfig bald-headed
glauben believe
gläubig religious
gleich even, equal, same; **~en, i, i** resemble; **~falls** likewise; **~gültig** indifferent; **~wohl** nevertheless; **~zeitig** simultaneous
die **Gleichberechtigung** equality, equal rights
der **Gletshcer, -s, -** glacier
glimpflich lightly
das **Glück, -(e)s** luck, fortune, happiness
glücklich fortunate, happy
die **Glühbirne** light bulb
das **Glühen, -s** glow
das **Gold, -(e)s** gold
goldgierig greedy for gold
gönnen allow, wish
der **Gott, -(e)s, ̈er** God **~behüte; ~bewahre** God forbid; **um ~es willen** for God's sake
der **Graben, -s, ̈** ditch, trench
grausig gruesome
der **Grenzbeamte, -n, -n** border guard
die **Grenze** border, boundary
der **Grenzgänger, -s, -** border crosser
grienen/grinsen grin
~randig large-framed
grob rude
groß great, big;

der **Großvater, -s, ̈** grandfather
die **Grube** ditch
der **Grund, -(e)s, ̈e** base, reason; **aus diesem~** for this reason; **der ~fond, -s, -s** structural basis; der **~satz, -(e)s, ̈e** principle; das **~stück, -(e)s, ̈s** real estate
gründen found, organize
gründlich thoroughly
die **Gründung** establishment
die **Gruppe** group
der **Gruß, -(e)s, ̈s** greeting
grüßen greet
gültig valid
der **Gummi, -s** rubber; das **~band, -(e)s, ̈er** rubber band; der **~stiefel, -s, -** rubber boot
die **Gunst** kindness, favor; **~erweisen** show kindness
günstig favorable, convenient
gut tun, a, a do good
das **Gut, -(e)s, ̈er** farm, estate; das **~shaus, -(e)s, ̈er** manor house; der **~sschäfer, -s, -** shepherd of the estate
gütig kind
gutmütig good-natured
das **Gymnasium, -s, -ien** High School

H

das **Haar, -(e)s, -e** hair
der **Hafen, -s, ̈** harbor; die **~stadt, ̈e** seaport
der **Hals, -es, ̈e** neck, throat;

den ~**recken** crane one's neck; das ~**band, -(e)s,** ̈**er** necklace; das ~**tuch, -(e)s,** ̈**er** scarf

halten, ie, a keep, hold, hold out; **sich über wasser**~ keep up

haltlos uncontrollable

die **Haltung** attitude

hamstern hoard (food)

die **Hand,** ̈**e** hand; die ~**fläche** palm of the hand; der ~**rücken, -s, -** back of one's hand; die ~**tasche** handbag; im ~**umdrehen** in a flash; das ~**werk, -(e)s, -e** trade; der ~**werksmeister, -s, -** master craftsman

der **Handel, -s** trade, business; der ~**sherr, -n, -en** merchant

handeln act

handfest solid

die **Handlung** plot

hängen·bleiben, ie, ie get caught

hängen, i, a hang; ~**an** be attached to

hantieren handle

hart hard

die **Haspel** reel

hassen hate

der **Haß, -sses** hatred

häßlich ugly

die **Häßlichkeit** ugliness

hastig hasty

hauen beat

der **Haufen, -s, -** heap

häufig frequent

das **Haupt, -(e)s,** ̈**er** head, chief; der ~**mann, -(e)s,** ~**leute** captain; die ~**sache** main thing; die ~**stadt,** ̈**e** capital

hauptsächlich mainly

das **Haus, -es,** ̈**er** house; der ~**besuch, -(e)s, -e** house call

häuslich domestic

die **Häuslichkeit** domesticity

der **Hebel, -s, -** lever

heben, o, o lift

hecheln pant

das **Heckfenster, -s, -** rear window

das **Heer, -(e)s, -e** army

heftig vigorous

heil undamaged

das **Heilbad, -(e)s,** ̈**er** spa

heilen heal

heilig sacred

die **Heimat** home, native country

heimelig homey

die **Heimkehr** homecoming

das **Heimwerken, -s** do-it-yourself skill

die **Heirat** marriage

heiraten marry

heissen be called

heizen heat

helfen, a, o help

hell light, bright

das **Hemd, -(e)s, -en** shirt

hemdärmlig in shirtsleeves

hemmen hinder

die **Henkerskappe** executioner's hood

herab down; ~·**drücken** press down

herauf up

der **Herausgeber, -s, -** editor

sich **heraus·stellen** turn out

der **Herbst, -(e)s, -e** autumn

der **herd, -(e)s, -e** stove

herein in

hernach afterwards

herrlich magnificent

die **Herrschaft** rule

herrschen über rule over

herrschsüchtig domineering

her·sehen, a, e look here

her·stellen produce

die **Herstellung** production

herum around; ~·**kriegen** win over

herum·fahren, u, a travel around

herunter down

hervor·rufen, ie, u call forth, evoke

das **Herz, -ens, -en** heart; **zu** ~**en nehmen, a, o** take to heart

heulen weep

heute today

heutzutag nowadays

hervor·treten, a, e step forward

hierauf then

die **Hilfe** help

die **Hilflosigkeit** helplessness

der **Himmel, -s, -** heaven, sky; **un** ~**s willen** for Heaven's sake

hinauf·gehen, i, a go up

hinaus out; ~·**schmeißen, i, i** throw out

das **Hindernis, -ses, -se** obstacle

hinein·gehören belong to

hin·nehmen, a, o accept

hin·passen fit

die **Hinsicht** reference; **in jeder**~ in every respect

hinsichtlich with respect to

hin·stürzen fall down

hinter behind

die **Hintergehung** deception

der **hintergrund, -(e)s,** ̈**e** background

hintergründig engimatic

hinterher afterwards
hinter·lassen, ie, a leave
das **Hinterteil, -s, -e**
     posterior
hinunter down;
     ~·kommen, a, o come
     down; ~·schmettern
     hurl down; ~·spucken
     spit down
hinzu·eilen rush to
hintenüber backward
die **Hitze** heat
hoch high
das **Hochgebirge, -s, -** high
     mountains
die **Hochschule** university
höchstens at most
die **Hochzeit** wedding,
     marriage; ~halten, ie,
     a celebrate one's
     wedding
hocken crouch
der **Hof, -(e)s, ̈-e** court; **am**
     ~**e** at court
hoffen hope
die **Hoffnung** hope
die **Höhe** height; der
     ~**punkt,-(e)s,-e**
     culmination
holen fetch
Holunderflöte elderwood
     flute
das **Holz, -es, ̈-er** wood; das
     ~**bein, -(e)s, -e**
     wooden leg; der
     -schuppen, -s, - wood
     shed
hören hear
das **Horn, -(e)s, ̈-er** horn
das **Hörspiel, -(e)s, -e** radio
     play
die **Hose** trousers
hübsch nice
huckepack piggy-back
hügelauf uphill
das **Huhn, -(e)s, ̈-er** chicken
hüllen wrap

der **Hund, -(e)s, -e** dog
der **Hunger, -s** hunger
hüpfen hop
der **Hut, -(e)s, ̈-e** hat
der **Hütehund, -(e)s, -e**
     watchdog
sich **hüten** refrain from

I

die **Illustrierte** magazine
im übrigen besides
immer always; ~**fort**
     always
imponierend impressive
imstande sein be able, be
     in a position to
indessen however
die **industrie** industry
infolge as a result of
innen inside
innerhalb within
inne·halten, ie, a stop
innig tender
der **Insasse, -n, -n** inmate,
     passenger
die **Insel** island
der **Installateur, -s, -e**
     plumber
der **Insulaner, -s, -** islander
inszenieren stage
die **Intelligenz** intelligence,
     the well-educated
interessant interesting
das **Interesse, -s, -n** interest
das **Internat, -s, -e** boarding
     school
inzwischen in the
     meantime
irgendwie somehow
irgendwohin to anywhere
irr crazed
irren err
die **Irrenanstalt - = das**
     Irrenhaus, -es, ̈-er
     mental hospital

J

die **Jacke** jacket
jäh sudden
das **Jahr, -(e)s, -e** year; die
     ~**eszeit** season; der
     ~**gang, -(e)s, ̈-e** same
     age group; das
     ~**hundert, -s, -e**
     century
jammern lament
jammervoll pitiful
jaulen howl
jemals ever
das **Jenseits, -** hereafter
jeweils respectively
die **Joppe** jacket
der **Jude, -n,-n** Jew
jüdisch Jewish
die **Jugend** youth; die
     ~**herberge** youth
     hostel; der ~**liche, -n,**
     -n youth
jung young
die **Jungfer** mistress, young
     girl
das **Jura, -s** law

K

die **Kaffeerösterei** coffee
     roasting shop
kalt cold
die **Kammer** small room
der **Kampf, -(e)s, ̈-e** struggle
der **Krankenschwester** nurse
die **Kapelle** band
kapieren understand
kaputt broken; ~**gehen,**
     i, a get broken;
     ~**schmeißen, i, i**
     break, smash
die **Karosserie** chassis
die **Karriere** career
die **Karte** card, map, ticket
die **Kartoffel** potato

die **Kassette** cash box
der **Kasten, -s, ⸚** box
die **Katze** cat
kauen chew
kaufen buy
der **Kegel, -s, -** bowling pin
das **Kegeln, -s** German bowling
der **Kegler, -s, -** bowler
die **Kehle** throat; **mit voller~** at the top of one's voice
die **Kelle** trowel
der **Keller, -s, -** cellar
der **Kellner, -s, -** waiter
kennen, a, a know; **~lernen** meet
kenntlich recognizable
das **Kennzeichen, -s, -** license plate
der **Kerl, -s, -e** fellow
kerngesund thoroughly healthy
keuchen pant
kichern giggle
das **Kind, -(e)s, -er** child
kinderlos childless
kinderreich with many children
der **Kinderwagen, -s, -** baby carriage
die **Kinderwiege** cradle
kindisch childish
das **Kinn, -(e)s, -e** chin; der **~haken, -s, -** uppercut
das **Kino, -s, -s** cinema
die **Kirche** church
die **Kladde** register
klagen complain
kläglich plaintive, pitiful
sich **klammern an** cling to
klapprig rattling, rickety
die **Klasse** class
klatschen splash, applaud
die **Klausel** clause
das **Kleid, -(e)s, -er** dress

klein small, little
kleinbürgerlich petty bourgeois
die **Klinge** door handle
klingen, a, u sound
das **Klo, -s, -s** toilet
der **Klotz, -es, ⸚e** log; die **~pantine** wooden clog
klug intelligent
die **Klugheit** intelligence
knappern bite, chew
das **Knie, -s, -** knee
der **Knöchel, -s, -** knuckle
der **Knopf, -(e)s, ⸚e** button
kochen cook
der **Kochherd, -(e)s, -e** stove
der **Koffer, -s, -** suitcase
der **Kohlenkahn, -(e)s, ⸚e** coal barge
die **Kollektivierung** collectivization
das **Komitee, -s, -s** committee
kommen, a, o come; **~an** get to, reach
die **Konferenz** meeting
der **König, -s, -e** king
die **Konkurrenz** competition
konsterniert dismayed
der **Kopf, -(e)s, ⸚e** head
der **Körper, -s, -** body
kostspielig expensive
der **Kot, -es** droppings
krachen crash
die **Kraft, ⸚e** strength, power, force; **in ~setzen** put in effect; **in ~treten, a, e** become effective; **~fahrer, -s, -** driver
krähen crow
das/der **Kral, -s, -e** pen
die **Kralle** claw
der **Krämer, -s, -** shopkeeper
der **Krankenpfleger, -s, -** nurse
der **Krankenwagen, -s, -** ambulance

die **Krankheit** disease
der **Kreis, -es, -e** circle; die **~stadt** district town
der **Krieg, -(e)s, -e** war; der **~sversehrte, -n, -n** disabled
kriegen get
die **Krücke** crutch
die **Küche** kitchen
der **Kuchen, -s, -** cake
kugelrund round as a ball
der **Kugelschreiber, -s, -** ball-point pen
die **Kuh, ⸚e** cow
kühl cool
die **Kühle** coolness
kühn bold
die **Kulturstätte** historic site
sich **kümmern** concern, bother; **sich ~um** take care of
der **Kunde, -n, -n** customer
künden attest
die **Kunst, ⸚e** art; der **~seidenschal, -s, -s** rayon scarf
künstlich artificial
die **Kupplerin** procuress
der **Kuraufenthalt, -(e)s, -e** sojourn, stay in a spa
kurz short; **~um** in short
die **Kurzgeschichte** short story

L

das **Labor, -s, -s** laboratory
lächeln smile
lachen laugh
das **Lachen, -s :zum—sein** it is a joke
lächerlich ridiculous
der **Laden, -s, ⸚** shop, store, shutter; **den ~vorlegen** close the shutter
die **Lage** situation; **in der**

~**sein** be in a position to

das **Laienspiel, -s, -e** amateur theater

das **Lamm, -(e)s, ̈er** lamb

die **Lampe** lamp

das **Land, -(e)s, ̈er** land; die ~**karte** map; die ~**schaft** landscape; der ~**wirt, -(e)s, -e** farmer

ländlich rural

lang long; ~**sam** slow; ~**weilen** bore; **sich** ~**weilen** be bored

langen reach

der **Lärm, -(e)s** noise

lassen, ie, a let, leave, allow, cause

die **Last** burden

das **Laub, -(e)s** dead leaves

der **Lauf, -(e)s, ̈e** course; **es mimmt seinen**~ it takes its course

laufen, ie, au run

die **Laune** mood

der **Lausbube, -n, -n = der Lausejunge, -n, -n** little rascal

laut loud; ~**stark** noisy

lauter nothing but

leben live

das **Leben, -s, -** life; das ~**sgefühl, -(e)s, -e** awareness of life; die ~**smittel** (pl.) groceries; der ~**sraum, -(e)s, ̈e** living space; der ~**szweck, -(e)s, -e** aim in life

lebend alive; **ig** lively

lebhaft lively, urgent

leblos lifeless

ledig single

leer empty

legen put, lay

der **Lehnstuhl, -s, ̈e** easy chair

lehren teach

der **Lehrer, -s, -** teacher

das **Lehrgeld, -(e)s, -er :~zahlen** pay one's dues

der **Lehrling, -(e)s, -e** apprentice

der **Leib, -(e)s, -er** body; **bis an den**~ up to the waist; **vom**~**halten, ie, a** keep at arm's length

das **Leichenhaus, -es, ̈er** mortuary

leicht easy, light; ~**sinnig** reckless

leid tun, a, a be sorry; **das tut mir**~ I am sorry

leiden, i, i; suffer, ail; ~**können** like, tolerate

die **Leidenschaft** passion, vehemence

leidenschaftlich passionate, passionately

leider unfortunately

das **Leintuch, -(e)s, ̈er** linen

leise quiet

sich **leisten** afford, take a chance

leiten direct

der **Leithammel, -s, -** lead ram

lenken direct

das **Lenkrad, -(e)s, ̈er** steering wheel

lernen learn

leserlich legible

die **Leuchtreklame** neon sign

leugnen deny; **nicht zu**~ undeniable

die **Leute** (pl.) people

das **Licht, -(e)s, -er** light; **der** ~**schalter, -s, -** light switch

lieb dear; ~**en** love; ~**evoll** loving

die **Liebe** love

die **Liebhaberei** hobby

die **Liebkosung** caress

die **Lieblingsmannschaft** favorite team

das **Leid, -(e)s, -er** song

liefern supply

die **Liege** cot

liegen, a, e lie

lindern comfort

das **Lineal, -s, -e** ruler

die **Linie** line

links left

lispeln lisp

listig cunning

loben praise

das **Loch, -(e)s, ̈er** hole

die **Locke** curl

locken tempt

der **Löffelstil, -s, -e** spoon handle

der **Lohn, -(e)s, ̈e** wages, reward

lokal parochial

das **Lokal, -s, -e** restaurant

los loose; ~·**ziehen, o, o** set out

das **Los, -es, -e** prize, lottery ticket; **ein ~ gewinnen** win the lottery

löschen extinguish

lösen solve

los·fahren, u, a depart, take off

los·lassen, ie, a let go

los·sein be rid of

die **Lösung** solution

das **Lot, -(e)s, -e** small weight (= 10 grams)

die **Luft** air; **-schnappen** get a breath of fresh air

lügen, o, o lie

der **Lügner, -s, -** liar

die **Lungenentzündung** pneumonia

die **Lunte** fuse

die **Lust, ̈e** pleasure, joy; **vor**~ with delight

lustig funny, merry; **sich~machen über** make fun of

der **Luxus,-** luxury

der **Lyriker, -s, -** lyricist, poet

M

machen make, do

die **Macht, ⸚e** might, power; die **~ergreifung** assumption of power

machtgierig power-hungry

mager skinny, thin

mähen mow

malen paint

der **Maler, -s, -** painter; die **~ei** painting

manch many a; **~mal** sometimes

der **Mangel, -s, ⸚** lack

die **Mannshaft** team

der **Manschettenknopf, -(e)s, ⸚e** cuff link

der **Mantel, -s, ⸚** coat

das **Märchen, -s, -** fairy tale

die **Marine** navy

die **Marke** stamp

der **Markt, -(e)s, ⸚e** market

der **Maschinenpistolenschütze, -n, -n** machine-gunner

das **Maß, -es, e** measure; das **~nehmen, a, o** measure; **über die ~en** immensely; die **~nahme** measure

mäßig moderate

das **Material, -s, -ien** material

der **Maurer, -s, -** mason, bricklayer

das **Meer, -(e)s, -e** sea, ocean

meinen mean

die **Meinung** opinion

der **Meister, -s, -** master

melden announce, report

die **Meldung** report, news item

die **Menge** crowd

der **Mensch, -en, -en** man, person, human being; der **~enschlag, -(e)s, ⸚e** breed of men; die **~heit** mankind

merken notice

merkwürdig strange; **~erweise** strangely enough

messen measure

der **Messer, -s, -** knife

das/der **Meter, -s, -** meter

die **Milch** milk

die **Minderheit** minority

minderjährig minor

mindestens at least

die **Minute** minute

die **Missetat** misdeed, prank

das **Mißtrauen, -s** mistrust

mißtrauisch suspicious

das **Mißverständnis, -ses, -se** misunderstanding

der **Mitarbeiter, -s, -** co-worker

der **Mitfahrer, -s, -** passenger

das **Mitglied, -(e)s, -er** member

mit·halten, ie, a share, join in

das **Mitleid, (e)s** compassion, pity

mit·nehmen, a, o take along

der **Mittag, -s, -e** noon

mittags at noon

mit·teilen notify, tell

das **Mittel, -s, -** means; die **~mässigkeit** mediocrity

mittelalterlich medieval

mittendrin in the middle

mitunter now and then

die **Möbel** (pl.) furniture

möglich possible; **~st** if possible

die **Möglichkeit** possibility

die **Möhre** carrot; das **~nkraut, -(e)s, ⸚er** carrot leaves

der **Moment, -s, -e** moment

der **Monat, -s, -e** month

der **Mond, -(e)s, -e** moon

moralisch moral

der **Morgen, -s, -** morning; das **~grauen, -s, -;** die **~röte** dawn

morgen tomorrow; **~s** in the morning

der **Mörtel, -s** mortar; der **~staub, -(e)s** cement dust

müde tired

die **Müdigkeit** tiredness

die **Mühe** effort, trouble; **sich ~ geben, sich die ~ machen** take the trouble

mühsam with difficulty

der **Mund, -(e)s, ⸚er** mouth; die **~art** dialect; der **~winkel, -s, -** corners of the mouth

mündlich orally

die **Mündung** muzzle

murmeln mumble, murmur

der **Musikantenauftritt, -s, -e** musical recitals

die **Musikstätte** place where music is performed

der **Mut, -(e)s** courage

die **Mutter, ⸚** mother

die **Mütze** cap

N

der **Nachbar, -s, -n** neighbor

nach·denken, a, a über think about, reflect on

nachdenklich reflective, thoughtful
nach·fragen inquire
nachher afterwards
nach·klingen, a, u linger on
der **Nachmittag, -(e)s, -e** afternoon
nach·plappern repeat, chatter
die **Nachricht** news
die **Nacht, ⁝e** night; der **~portier, -s, -s** night clerk
der **Nacken, -s, -** neck
nackt naked
der **Nagel, -s, ⁝** nail
nagelneu brand-new
nah near
die **Nähe** proximity
nahe·liegen, a, e be obvious
nähen sew
sich **nähern** approach
der **Name, -ns, -n** name
namhaft well-known
nämlich namely, that is, of course; same (adj.)
die **Natur** nature; die **~kraft, ⁝e** forces of nature
naturwissenschaftlich scientific
neben beside; **~an** next door; **~bei** on the side
der **Nebenberuf, -(e)s, -e** second job
der **Neffe, -n, -n** nephew
nehmen, a, o take; **genau~** strictly speaking, to be exact
sich **neigen** bow
die **Neigung** inclination, desire
nennen, a, a name
nett nice
das **Netz, -es, -e** net, net-bag
neu new; **~gierig**

curious; **~modisch** fashionable, newfangled
das **Neubauviertel, -s, -** new housing development
der **Neubeginn, -s** new beginning
die **Neuigkeit** news
das **Neuland, -(e)s, ⁝er** new territory
die **Nichte** niece
nichtsnutzig good-for-nothing
nicken nod
nieder down; **~·stechen, a, o** stab; **~geschlagen** depressed
die **Niederlage** defeat
niedrig low
niemals never
niemand nobody, no one
nirgendwo nowhere
der **Norden, -s** north
die **Not, ⁝e** sorrow, burden, need, want, distress, poverty, misery; **in ~ sein** be in distress, der **~dienst, -(e)s, -e** be on call; der **~ruf, -es, -e** emergency call
nötig necessary
notwendig necessary
nüchtern sober
null und nichtig null and void
die **Nummer** number
nuscheln mutter
die **Nutte** prostitute
nützen be of use
nützlich useful

O

obendrein on top of
die **Obliegenheit** duty

obschon although
das **Obst, -(e)s** fruit
obwohl although
die **Ordnungsstütze** guarantee for order
offen open
öffentlich public
öffnen open
das **Ohr, -(e)s, -en** ear; die **~en spitzen** perk up one's ears
der **Onkel, -s, -** uncle
das **Opfer, -s, -** victim, sacrifice
das **Ordenshaus, -es, ⁝er** convent
ordentlich decent, respectable, orderly
die **Ordnung** order, rule
der **Ort, -(e)s, -e** place, town; der **~sausgang, -(e)s, ⁝e** end of town, town limit
der **Ost/Osten, -s** east
die **Ostern** (pl.) Easter

P

das **Paar, -(e)s, -e** pair
pachten lease
packen grasp
der **Pantoffel, -s, -n** slipper
der **Panzer, -s, -** tank
der **Papagei, -s, -en** parrot
das **Papier, -(e)s, -e** paper
der **Park, -(e)s, -s** park
die **Partei** party
passen fit
passieren happen
der **Passierscheinzwang, -(e)s, ⁝e** requirement to show permit
der **Paß, -sses, ⁝sse** passport
der **Patrizier, -s, -** patrician

die **Pause** pause, stop

das **Pech, -s** bad luck; der ~**vogel, -s, ⸚** unlucky fellow

peinlich meticulous, embarrassing

pelzig furry

der **Pelzkragen, -s, -** fur collar

der **Pelzmantel, -s, ⸚**

pendeln commute

pensioniert retired, pensioned

die **Person** person; der ~**alausweis, -es, -e** identification card

die **Pest** plague

die **Pfanne** pan

der **Pfarrer, -s, -** priest, minister

die **Pfeife** pipe

der **Pfennig, -s, -e** penny

das **Pferd, -(e)s, -e** horse

die **Pfingsten** (pl.) Whitsuntide, Pentecost

pflanzen plant

das **Pflaster, -s, -** pavement

pflegen care for, attend to

die **Pflicht** duty

der **Pflug, -(e)s, ⸚e** plow; die ~**schar** plowshare

der **Pirol, -s, -e** oriole

das **Plakat, -(e)s, -e** poster

die **Planwirtschaft** economic planning

platt flat

der **Platz, -(e)s, ⸚e** place, square

platzen burst

die **Pointe** point (of a joke)

die **Polizei** police

der **Polizist, -en, -en** policeman

der **Popo, -s, -s** behind, posterior

posaunen blow the trumpet

die **Post** mail

der **Posten, -s, -** guard

der **Postillion, -s, -e** mail-coach driver

pudrig powdery

die **Pracht** splendor

prächtig splendid

praktisch practical

prallen hit

die **Praxis** practice, practical experience

predigen preach

der **Preis, -es, -e** price

preisen, ie, ie praise

preiswert economical

pressen squeeze

die **Probe** rehearsal, test; **auf die ~ stellen** put to the test

probieren try

das **Problem, -(e)s, -e** problem

das **Programm, -(e)s, -e** program

prosten toast

protokollieren take down the evidence

das **Provisorium, -s, -ien** provisional arrangement, interim

das **Prozent, -(e)s, -e** percent

prüfen examine

die **Prüfung** exam

das **Publikum, -s** public

die **Publizistik** journalism

der **Pudermantel, -s, ⸚** dressing-gown

pudern powder, cover with powder

pumpen borrow

der **Punkt, -(e)s, -e** point

die **Puppe** puppet, doll

putzen clean

das **Putzmittel, -s, -** cleaning agents

putzsüchtig vainglorious

Q

die **Qual** pain

die **Quelle** source

quer criss-cross

R

rabiat enraged

rächen avenge

das **Rad, -(e)s, ⸚er** wheel, bicycle, spinning wheel

rad·fahren, u, a bicycle

die **Rakete** rocket

der **Rand, -(e)s, ⸚er** border, edge, verge; **am ~e** on the verge of

der **Rang, -(e)s, ⸚e** social rank, balcony

die **Ranke** tendril

rasch quickly

sich **rasieren** shave

der **Rat, -(e)s, ~schläge** advice; **der ~sherr, -n,-en** councilman

ratlos helpless, at a loss

der **Rauch, -es** smoke

rauchen smoke

rauh raw, rough

der **Raum, -(e)s, ⸚e** room

sich **räuspern** clear one's throat

raus·werfen, a, o throw out

rechnen figure; ~**mit** expect

die **Rechnung** invoice; ~**tragen, u, a** be taken into consideration; **recht** right; ~ **behalten, ie,**

a be right; **~haben** be right, have the right; **~mäßig** rightful; **~zeitig** on time

das **Recht, -(e)s, -e** right der **~sanwalt, -(e)s, ⁚e** lawyer

die **Rede** utterance, speech; **es ist keine ~ davon** it is out of the question

redlich upright

redselig talkative

das **Regal, -s, -e** shelf

regelmäßig regular

regeln arrange

der **Regen, -s, -** rain

die **Regentschaft** rule, regency

regieren rule, govern

die **Regierung** government

regnen rain

regungslos motionless

reich rich

reichen join, reach; **weit ~** get far

die **Reichswehrführung** military leadership

der **Reifen, -s, -** tire, hoop

die **Reihe** row; **nach der ~** one after the other; **das ~neigenheim, -(e)s, -e** row house; **die ~nfolge** sequence

rein pure

das **Reinigungsunternehmen, -s, -** cleaning business

die **Reise** trip

reisen travel

reißen, i, i yank, tear; **entzwei·~** tear apart

reiten, i, i ride

reizend charming, delightful

die **Reklame** advertisement

rennen, a, a run

der **Rennfahrer, -s, -** racecar driver

sich **rentieren** pay off

der **Rentner, -s, -** pensioner

der **Rest, -(e)s, -e** remainder

retten save

die **Richtaxt, ⁚e** executioner's axe

richten direct; **~auf** direct at, to, toward

der **Richter, -s, -** judge

richtig correct

die **Richtung** direction

riechen, o, o smell

riesig gigantic

die **Rinde** crust

der **Ring, -(e)s, -e** ring

rings from all sides; **~herum** from all around

der **Ritz, es, -e/die Ritze** slit

ritzen scratch

das **Rohr, -(e)s, -e** pipe; die **~hosen** (pl.) tight pants

die **Röhre** pipe

der **Rollkragenpullover, -s, -** turtleneck sweater

der **Roman, -s, -e** novel

rot werden blush, become red in the face

der **Ruck, -(e)s, -e** jerk

rücken an move

der **Rücken, -s, -** back

die **Rücksicht** consideration; **~nehmen** pay heed, be considerate

rücksichtslos reckless

der **Rücksitz, -es, -e** back seat

der **Rückzug, -(e)s, ⁚** retreat

der **Ruf, -(e)s, -e** reputation

rufen, ie, u call

die **Ruhe** calm, quiet

ruhig quiet

rühren touch; **sich ~** stir

rund round

rüsten equip

rutschen slip

S

der **Saal, -(e)s, Säle** hall, dance hall, auditorium

die **Sache** matter

sachlich objective

sagenhaft legendary

die **Salve** volley, burst

das **Salz, -es, -e** salt

sammeln collect

die **Sammlung** collection

sämtlich all

sanft soft

die **Sanierung** restoration

der **Sarg, -(e)s, ⁚e** casket

satt sein be satiated, satisfied

der **Satz, -(e)s, ⁚e** sentence

sauber clean

sauer sour

saufen, o, o booze

saugen suck

sausen dash; **hin·= und her·~** dash about

schaben scrape

schablonenmäßig mechanically, routinely

schade sein be too bad

schaden harm, damage

das **Schaf, -(e)s, -e** sheep

schaffen accomplish, achieve, work, succeed, manage

schaffen, u, a create

der **Schaffner, -s, -** conductor

der **Schal, -s, -e** shawl, scarf

die **Schale** bowl

schälen peel

schallschluckend sound-absorbing

das **Schallschutzfenster, -s, -** soundproof window

sich **schämen** be ashamed

der **Schandfleck, -(e)s, -e** stain

schändlich ill-reputed

scharf sharp

der **Schatten, -s, -** shadow

der **Schatz, -es, ̈e** treasure

schätzen estimate

schaudern shudder

das **Schauspiel, -(e)s, -e** play; das **~haus, -es, ̈er** drama theater

sich **scheiden lassen, ie, a** get divorced

die **Scheidung** divorce; die **~srate** divorce rate

der **Schein, -(e)s, -e** appearance; der **~werfer, -s, -** headlight

scheinen, ie, ie seem

scheinheilig hypocritical

scheitern fail

schellen ring the bell

schelten, a, o scold

der **Schemel, -s, -** stool

der **Schenkel, -s, -** thigh

schenken give a present

der **Scherben, -s, -** broken piece

scheren, o, o shear

die **Schererei** trouble

der **Scherz, -es, -e** jest

scheu shy; **~en** shun

schicken send

das **Schicksal, -e, -e** fate, destiny

schieben, o, o push, shove

schielen be cross-eyed

schienen :das Bein ~ splint

schießen, o, o shoot

das **Schiff, -(e)s, -e** ship; die **-(f)ahrtslinie** shipping line

der **Schilf, -(e)s, -e** reed

schimpfen scold, grumble

schinden, u, u maltreat, torture

der **Schinkenwürfel, -s, -** cube of ham

schlafen, ie, a sleep

schläfrig sleepy

der **Schlag, -(e)s, ̈e** blow; der **~rahm, -(e)s** whipped cream; das **~zeug, -s, -e** drum; der **~zeuger, -s, -** percussionist

der **Schlager, -s, -** hit song

die **Schlange** snake

schlank slim

schlecht bad

schleichen, i, i crawl, sneak

der **Schlenk, -(e)s, -en** excursion, small detour

schlicht simple

das **Schließfach, -(e)s, ̈er** locker

schließlich after all, at last

schlimm bad

schlingen, a, u :hinunter.~ gobble

schlittern slide

das **Schloß, -sses, ̈sser** castle

der **Schlosser, -s, -** locksmith

schlucken swallow

schlüpfen slip

das **Schlüsselloch, -(e)s, ̈er** keyhole

schmal narrow

schmecken taste

die **Schmierseife** cleaning soap

schmuddelig grubby

schmutzig dirty

die **Schnauze** muzzle

der **Schnee, -s** snow; die **~schmelze** melting snow

schneiden, i, i cut

schneien snow

schnell fast

der **Schnepfenstrich, -(e)s, -e** flight of the snipes

schnitzen whittle

schnoddrig snotty, brash

der **Schnupfen, -s, -** head cold

die **Schnur, ̈e** string

schnurrig scurrilous

schön beautiful

der **Schöpfer, -s, -** creator

der **Schornstein, -(e)s, -e** chimney

der **Schoß, -es, ̈** lap

schräg slanted

der **Schrank, -(e)s, ̈e** cupboard, closet

die **Schranke** crossing barrier

schrecklich fearful

schreiben, ie, ie write

der **Schreibtisch, -(e)s, -e** desk

schreien, ie, ie scream

die **Schrift** writing; der **~steller, -s, -** writer

der **Schritt, -(e)s, -e** step

das **Schritt-Tempo, -s, -s** walking speed

der **Schub, -(e)s, ̈e** thrust; **in einem~** in one roll

schuften work hard, toil

der **Schuh, -(e)s, -e** shoe; der **~macher, -s, -** shoemaker

die **Schulausbildung** education

die **Schuld** guilt

schuld sein an be guilty of, be blamed for

schuldig guilty;
~bleiben, ie, ie owe
die Schule school
die Schulter shoulder; die ~n
zucken shrug one's
shoulders
schummrig dark, dim
die Schürze apron
schütteln shake; sich ~
shake oneself
schütten pour
schützen protect
der Schützenhof, -(e)s, ⸚e
target range
die Schutzhütte shelter
schwach weak
die Schwäche weakness
schwanken sway,
fluctuate
schweigen, ie, ie be
silent
der Schweiß, -es sweat
die Schwelle threshold
schwellen, o, o swell
schwer heavy, severe;
~bewaffnet heavily
armed; ~fällig clumsy;
~hörig hard of hearing;
~mütig melancholic
die Schwermut sadness
das Schwert, -(e)s, -er sword
die Schwester sister
die Schwiegermutter, ⸚
mother-in-law
schwierig difficult
die Schwierigkeit difficulty
das Schwimmbad, -s, ⸚er
swimming pool
schwimmen swim
schwindelig werden get
dizzy
die Schwingung vibration
schwirren soar
schwitzen sweat
schwören swear an
oath;

darauf ~ swear by it
der See, -s, -n lake; der
~adler, -s, - white-
tailed eagle, erne
die See ocean
die Seele soul
segnen bless
sehen, a, e see;
schwarz.~ be
pessimistic
die Sehnsucht longing
die Seife soap
die Seilbahn funicular
das Sein, -s existence, reality
seinetwegen because of
him
seitdem ever since
die Seite side, page
seither since then
der Selbkostenpreis, -(e)s,
-e at cost (price)
selbständig independent
selbstbewußt self-assured
der Selbstmord, -(e)s, -e
suicide; ~ begehen
commit suicide
selbstsicher self-assured
selbstyerständlich of
course
selten seldom
seltsam strange
die/der Semmel, -s, - breakfast
roll; der ~knödel, -s, -
bread dumpling
senden, a, a send
senkrecht vertical
sensibel sensitive
die Serviererin waitress
der Sessel, -s, - easy chair
setzen set, put; aufs Spiel
~ risk, jeopardize
seufzen sigh
sicher secure, sure
die Sicherheit security; das
~sorgan, -(e)s, -e
security people, agency

sichern safeguard
die Sicht sight; in ~ in sight
das Sieb, -(e)s, -e sieve
die Siedlung settlement; das
~shaus, -es, ⸚er house
in a development
der Sieg, -(e)s, -e victory; der
~er, -s, - victor; der
~esschmaus, -es, ⸚e
victory dinner
die Silbe syllable
das Silber, -s silver
singen, a, u sing
der Sinn, -(e)s, -e sense; bei
~en sein be in one's
right mind; in den ~
kommen, a, o occur;
die ~eserfahrung
sensory experience
sinnreich meaningful
sinnvoll sensible
der Sitz, -es, e seat: aus dem
~ while seated
die Sitzung meeting
seltsam strange
sofort at once
sogar even
sogleich instantly
der Sohn, -(e)s, ë- son
solang, e meanwhile
der Soldat, -en, -en soldier
der Sommer, -s, - summer
die Sonne sun; der
~naufgang, -(e)s, ⸚e
sunrise
sonst usual, otherwise
sonstig miscellaneous
die Sorge worry; das ~recht,
-(e)s, -e custody
sorgebedürftig needy
sorgen für take care of
sorgfältig careful
sowie as soon as
sowieso anyhow
die Spaltung division
spannend suspenseful

die **Spannung** suspense, dynamics
sparsam frugal
der **Spaß, -es, ⸚e** fun
spaßig funny
spät d(a)ran sein be late
der **Spaziergang, -(e)s, ⸚e** walk, stroll
der **Speichel, -s, -** spittle
die **Sperenzie** fuss
sperren in lock up
die **Spesen** (pl.) expenses
der **Spiegel, -s, -** mirror
spiegelglatt slippery as glass
spiegeln glitter; **sich ~** be reflected
das **Spiel, -(e)s, -e** game, play; die **~regel** rules of game; das **~zeug, -(e)s, -e** toy
spielen play
spießen pick up
der **Spikereifen, -s, -** studded tire
die **Spitzendecke** lace cloth
die **Spitznase** pointed nose
der **Sport, -(e)s** sports; **~ treiben, ie, ie** participate in sports
die **Sportart** type of sport
die **Sprache** language
sprechen, a, o speak
springen, a, u jump
die **Spritze** injection
spröde chapped
die **Spule** spool
spülen rinse, wash
spüren feel, sense
der **Staat, -(e)s, -en** state; **in vollem ~e** in full regalia; die **~sbürgerkunde** civics, political science; der **~sdienst, -(e)s, -e** civil service

der **Stacheldraht, -(e)s, ⸚e** barbed wire
die **Stadt, ⸚e** city, town; **~chronik** town chronicle
der **Stadtkern, -(e)s, -e** city center, core
der **Stall, -(e)s, ⸚e** barn, stable
der **Stamm, -(e)s, ⸚e** trunk; der **~tisch, -(e)s, -e** table for regulars
stammen aus come from
der **Stand, -(e)s, ⸚e** class; der **~punkt, -(e)s, -e** point of view
ständig continual, permanent
die **Stange** pole
stark strong
die **Stärke** strength; **~ geben** strengthen
stärken strengthen, replenish
starren auf stare at
statt.finden, a, u take place
stattlich portly
der **Staub, -(e)s** dust
der **Staubsauger, -s, -** vacuum cleaner
das **Staubwischen, -s** dusting
die **Stecknadel** pin
stehen, a, a stand
stehlen, a, o steal
steigen, ie, ie climb
steigern increase, improve
der **Steigung** incline
der **Stein, -(e)s, -e** stone; der **~bildhauer, -s, -** sculptor; der **~hauer, -s, -** stone-mason
die **Stelle** place, spot
stellen place, put; **gut gestellt sein** be well off; **zur Rede ~**

confront; **sich ~** give oneself up
die **Stellung** position; **~ beziehen, o, o** move into position; **~ nehmen, a, o** take a position
der **Stellvertreter, -s, -** deputy
sterben, a, o die
der **Stern, -(e)s, -e** star
das **Steuer, -s, -** steering wheel
die **Steuer** tax
steuern direct
die **Stiege** staircase
still quiet, silent
die **Stille** quietness, silence; **im [~n]** in silence, silently
die **Stimme** voice
die **Stimmung** mood
das **Stirnband, -(e)s, ⸚er** headband
die **Stirne** forehead
der **Stock, -(e)s, ⸚ e** floor
der **Stoff, -(e)s, -e** material
stolpern stumble
stolz proud
stören disturb
die **Störung** disturbance
störungsfrei uninterrupted
stoßen, ie, o push; **mit dem Fuß ~ auf** stomp
stössig butting
strahlen beam
die **Straße** street; der **~nkehrer, -s, -s** street sweeper; das **~npflaster, -s, -er** pavement
streben strive
die **Strecke** stretch, section
sich strecken stretch
streicheln caress, stroke
streichen, i, i stroke

die **Streife** patrol; der
  ~nwagen, -s, - patrol
  car
streiten, i, i /sich ~
  quarrel
streng strict
der **Streuwagen, -s, -** salt
  spreader
der **Strick, -(e)s, -e** rope; die
  ~wolle knitting wool
stricken knit
das **Stroh, -s /der ~halm,**
  -(e)s, -e straw
der **Strom, -(e)s, ¨e** river; **in**
  ¨en regnen rain in
  torrents
der **Strumpf, -(e)s, ¨e**
  stocking
das **Stück, -(e)s, -e** piece;
  aus freien ~en freely
der **Student, -en, -en** student
der **Stuhl, -(e)s, ¨e** chair
stülpen tuck, put over
stumm silent
der **Stümper, -s, -** bungler
der **Stumpfsinn, -(e)s**
  dullness
die **Stunde** hour; der
  ~nlohn, -(e)s, ¨e
  hourly wage
der **Sturm, -(e)s, ¨e** storm
suchen look for
der **Süden, -s** south
die **Suppe** soup

T

tagsüber during the day
die **Tagung** conference
die **Tante** aunt
tänzeln skip
die **Tanzfläche** dance floor
tapezieren wallpaper
tapfer brave
die **Tasche** pocket, bag; das

~ntuch, -(e)s, ¨er
  handkerchief; der
  ~nspielertrick, -s, -s
  magic trick
die **Tasse** cup
tasten feel, grope for
die **Tat** action, deed; **in der**
  ~ in fact; die **~sache**
  fact
tauschen trade
der **Teil, -(e)s, -e** part; der
  ~nehmer, -s, -
  participant
teilen share, divide
teilnahmslos indifferent
teil·nehmen, a, o
  participate
das **Telefon, -(e)s, -e**
  telephone
der **Teller, -s, -** plate
der **Teppich, -(e)s, -e** carpet
der **Termin, -(e)s, -e**
  appointment
teuer expensive
der **Teufel, -s, -** devil;
  zum ~ ! what the devil
das **Theater, -s, -** theater
tief deep
das **Tier, -(e)s, -e** animal
der **Tisch, -(e)s, -e** table; das
  ~decken, -s setting
  the table; das **~tuch,**
  -(e)s, ¨er table cloth;
  der **~ler, -s, -**
  carpenter
die **Tochter, ¨** daughter
der **Tod, -(e)s** death; die
  ~esstrafe death
  penalty; die
  ~esursache cause of
  death
tödlich fatal
der **Ton, -(e)s, ¨e** sound
torfrot peat-red
tot dead

der **Tote, -n, -n** dead; der
  ~ngräber, -s, - grave
  digger; der **~nschein,**
  -(e)s, -e death
  certificate
töten kill
träg idle
tragen, u, a carry
der **Traktorist, -en, -en**
  tractor driver
die **Träne** tear
der **Trauerschleier, -s, -**
  black veil
der **Traum, -(e)s, ¨e** dream
träumen dream
traurig sad
treffen, a, o hit, meet;
  sich ~ meet; **es trifft**
  sich it happens
trennen von separate
  from; **sich ~** separate
die **Trennung** division
die **Treppe** staircase
treten, a, e step
die **Treue** faithfulness, fidelity,
  loyalty
trinken, a, u drink
der **Trinker, s, -** drinker
trist sad
trocken dry
die **Trommel** drum
der **Trost, -(e)s** comfort
trösten console
trotz in spite of; **~dem**
  nevertheless
trüb dim
die **Trümmer** (pl.) ruins
der **Trumpf, -(e)s, ¨e** trump
  (card)
die **Tuchherstellung**
  manufacture of cloth
tun, a, a do; **so ~ als ob**
  pretend
der **Türhüter, -s, -**
  doorkeeper

der **Turm, -(e)s, ⸚e** tower
sich **türmen** pile up
der **Turner, -s, -** athlete

U

der **Überblick, -(e)s, -e**
overview, control
überdrüssig tired of
die **Übereinstimmung**
harmony
überfahren, u, a run over
der **Überfall, -s, ⸚e** invasion,
attack
überflüssig superfluous
die **Überflüssigkeit**
unnecessary thing
überführen be taken to
die **Übergangsstelle** crossing
point
übergeben, a, e hand
over
überhaupt in general, at
all, entirely
überhöht excessive
sich **überlassen sein** be left to
oneself
überleben survive
das **Überleben, -s** survival
überlegen supercilious;
ponder
die **Überlieferung** tradition
übernachten spend the
night
übernehmen, a, o take
over
überqueren cross over
überraschen surprise
übersät covered with
spots
überschaubar visible at a
glance
über·schwappen spill
übersetzen translate

übertreiben, ie, ie
exaggerate
über·werfen, a, o throw
over, put on
überwiegen, o, o
predominate
überzeugen persuade
überziehen, o, o overrun,
invade, put on, flood
üblich usual
übrig remaining; das ∼e
the rest
übrigens by the way
die **Uhr** clock, watch
um·bringen, a, a murder,
kill
um·drehen turn; den
Hals ∼ strangle
um·fallen, ie, a fall over
umgekehrt vice versa, the
other way around
umher around; ∼·irren
go astray, roll one's eyes
um·kommen, a, o perish
um·krampfen clench
sich **um·schauen** look around
sich **um·sehen, a, e** look
around
der **Umstand, -(e)s, ⸚**
circumstance; **unter
diesen ⸚en** under these
conditions
sich **um·stellen** change,
convert
um·stimmen change
someone's mind
die **Umwelt** environment
unabhängig independent
die **Unabhängigkeit**
independence
unangenehm unpleasant,
embarrassing
unaufgefordert unbidden
unaufhaltsam incessant
unbedingt absolutely

unbeirrt unperturbed
unbekümmert carefree,
playful
unbequem irritating,
uncomfortable
unbestritten undisputed
unbewegt unmoved
unbewußt subconscious
undefinierbar indefinable
unerbittlich unrelenting
unerklärt inexplicable
unermeßlich
immeasurable, untold
unersättlich insatiable
unersetzlich irreplaceable
der **Unfall, -(e)s, ⸚e** accident
der **Ungebildete, -n, -n** the
uneducated
die **Ungeduld** impatience
ungelüftet not aired,
unmade (beds)
ungerecht unfair
ungerührt unmoved
ungeschickt clumsy
die **Ungleichheit** inequality
das **Unglück, -s** accident; die
∼sstelle scene of
accident
ungünstig unfavorable
unheimlich sinister
unmenschlich inhuman
unmißverständlich
unmistakable
unmittelbar direct,
directly
unnachahmlich inimitable
unpäßlich indisposed
das **Unrecht, -(e)s** wrong
die **Unruhe** uneasiness
unruhig nervous
unschuldig innocent
unsicher unsafe, unstable
unsichtbar invisible
der **Unsinn, -s** nonsense
unsterblich immortal

die **Unsumme** enormous sum
unsympatisch unlikeable
unten below
unterbrechen, a, o interrupt
unterdrücken suppress
die **Unterdrückung** oppression, suppression
der **Untergang, -s, ⸚e** destruction, death, decline
unter·gehen, i, a perish
sich **unter·haken** take someone's arm
sich **unterhalten, ie, a** converse
die **Unterhaltung** entertainment
die **Unterhose** underpants
unternehmen, a, o undertake
unternehmungslustig enterprising
der **Unterricht, -(e)s, -e** instruction
unterscheiden, ie, ie distinguish
die **Unterschicht** lower classes
der **Unterschied, -(e)s, -e** difference
unterschiedlich diverse
unterschreiben, ie, ie sign
die **Unterschrift** signature
das **Unterseeboot, -(e)s, -e** submarine
unterstützen support
die **Unterstützung** support
die **Untersuchung** examination
unter·tauchen go underground
unterwegs on the way
unüberlegt thoughtless
unüberwindlich insuperable

ununterbrochen uninterruptedly
unverkennbar obvious, unmistakable
die **Unverletzlichkeit** inviolability
unverlöschlich unextinguishable
unvermeidlich unavoidable
das **Unvermögen, -s** inability
unversehrt intact
unverzüglich immediately
unvorstellbar unimaginable
unweiblich unfeminine
unwillkürlich involuntary
unwirksam ineffective
der **Unwissende, -n, -n** the ignorant
unzählig countless
die **Uraufführung** premiere
die **Urgroßmutter, ⸚** greatgrandmother
die **Urkunde** document
der **Urlaub, -(e)s, -e** leave
die **Ursache** cause
das **Urteil, -s, -e** judgment, verdict
usw· = und so weiter etc. = and so on

V

der **Vater, -s, ⸚** father
sich **verabreden** agree, plan
die **Verabredung** agreement
verabschiedet dismissed
verändern /sich ~ change
die **Veränderung** change
veranlassen cause, prompt
veranstalten perform, organize
die **Veranstaltung** event

verantwortlich responsible
die **Verantwortung** responsibility
verärgert annoyed
sich **verbeißen, i, i** suppress
verbieten, o, o forbid
verbinden, a, u connect
verbindlich courteous
verbleiben, ie, ie remain
verblüffen amaze
verblüfft perplexed, startled
verborgen hidden
verbrauchen consume
sich **verbreiten** spread
verbrennen, a, a burn, scorch
verbringen, a, a spend time
die **Verbundenheit** bond
verdächtig sein be suspected
verdächtigen suspect
verdammt damned
verdattert flabbergasted
verderben, a, o spoil
verdienen earn, deserve
verdutzt perplexed
der **Verehrer, -s, -** fan
der **Verein, -s, -e** club
vereist icy
der **Verfall, -s** decay
die **Verfassung** condition, constitution
verflucht damned
verfolgen keep track of
die **Verfolgung** persecution
verfressen gluttonous
verfügen dispose of
die **Verfügung** disposal; **zur ~ stehen** be at one's disposal
die **Vergangenheit** past
vergeblich in vain
das **Vergehen, -s, -** violation

vergehen, i, a pass, fade

die **Vergesellschaftung** nationalization

vergessen, a, e forget

der **Vergleich, -s, -e** comparison

das **Vergnügen, -s, -** amusement, pleasure

vergöttern adore, idolize

das **Verhalten, -s** behavior

das **Verhältnis, -ses, -se** relationship

verhältnismäßig relatively

verhandeln negotiate

die **Verhandlung** negotiation

verheimlichen keep it secret

verheiratet married

die **Verhinderung** prevention

das **Verhör, -s, -e** interrogation

verkaufen sell

der **Verkehr, -s** traffic

verklebt clotted

verkriechen, o, o hide

verkümmern wither away

verkünden announce

der **Verlag, -(e)s, -e** publishing house, publisher

verlangen demand, desire

verlangsamen slow down

verlassen, ie, a leave

verläßlich reliable

verlegen embarrassed

die **Verlegenheit** embarrassment; in ~ kommen, a, o be put in an embarrassing position

verleihen, ie, ie award

verletzen hurt; ~d offensive

verliebt in love

verlieren, o, o lose

der **Verlierer, -s, -** loser

der **Verlust, -(e)s, -e** loss

vermitteln convey, give

vermögen, vermochte, o succeed

das **Vermögen, -s, -** ability, property

vermuten surmise

vernehmen, a, o interrogate

vernichten annihilate

vernünftig reasonable

die **Verpflegung** food

sich **verpflichten** oblige, enlist

die **Verpflichtung** obligation

der **Verräter, -s, -** traitor

verrichten carry out

verrücken move

verrückt crazy

die **Versammlung** meeting

die **Verschärfung** intensification

verschieden different

verschließen, o, o lock up

verschlingen, a, u devour

verschnüren tie up

verschreiben, ie, ie prescribed

verschwinden, a, u disappear

versehen provided

versetzen reply

versichern assure

versinken, a, u sink into

versöhnlich conciliatory

verspotten ridicule

versprechen, a, o promise

der **Verstand, -(e)s** reason

verständigen notify; sich ~ communicate

verstärken reinforce, strengthen, increase

verstecken hide

verstehen, a, a understand

verstohlen furtive

verstört bewildered, upset

verstoßen, ie, o repudiate

verstummen fall silent

der **Versuch, -(e)s, -e** attempt

versuchen try

vertauschen exchange

verteilen distribute; sich ~ über spread across

vertonen set to music

der **Vertrag, -(e)s, ⁔e** treaty

das **Vertrauen, -s** trust

vertreten, a, e represent

der **Vertreter, -s, -** representative, salesman

die **Vertretung** representation

verunglücken have an accident, crash

verunstaltet deformed

verursachen cause

vervielfältigen multiply

verwalten administer

der **Verwandte, -n, -n** relative

verwechseln mix up

verwegen daring

verwenden use

verwirren confuse

verwitwet widowed

verwöhnen spoil

verwundert astonished

der **Verzicht, -(e)s, -e** renunciation, giving up

verzichten auf renounce

die **Verzögerung** delay

verzweifeln despair

verzweifelt desperate

der **Vetter, -s, -n** cousin

vibrieren vibrate

vielleicht perhaps, possibly, approximately

das **Visum, -s, Visa** or **Visen** visa

der **Vogel, -s, ⁔** bird

das **Volk, -(e)s, ⁼er** people, folk; der **~sgeist, -(e)s** spirit of the people; der **~sschullehrer, -s, -** school teacher

volkstümlich popular

voll sein be full; **zum Brechen ~** overloaded

völlig fully

vollkommen complete

vollständig complete

die **Vorarbeit** preliminary work

voraus ahead; **~·gehen, i, a** go ahead; **~·sagen** predict

vorbei·kommen, a, o pass by

vor·bereiten plan, prepare

das **Vorbild, -(e)s, -er** example, model

vor·bringen, a, a utter

vorerst for the time being

vorgeschrieben prescribed

vor·haben intend

das **Vorhaben, -s, -** intention

vorhanden sein be in existence

der **Vorhang, -(e)s, ⁼e** curtain

vorher before

das **Vorherrschen, -s** predominance

sich **vor·kommen, a, o** consider oneself

das **Vorkommnis, -ses, -se** event

die **Vorladung** summons

vor·legen present, put before; **ein Tempo ~** set a pace

sich **vor·lehnen** bend forward

vorn in front

der **Vorname, -ns, -n** first name

sich **vor·nehmen, a, o** intend

der **Vorort, -(e)s, -e** suburb

der **Vorrat, -(e)s, ⁼e** supply

vorrätig in stock

vor·sagen recite

sich **vor·schieben, o, o** push forward, ahead

der **Vorschlag, -(e)s, ⁼e** proposal

vor·schlagen, u, a suggest

die **Vorschrift** instruction, rule, regulation

vor·sehen, a, e provide for

die **Vorsicht** caution

vorsichtig careful

sich **vor·stellen** introduce oneself, imagine

die **Vorstellung** introduction, idea, impression, performance

vor·täuschen pretend

der **Vorteil, -s, -e** advantage

der **Vortrag, -(e)s, ⁼e** lecture

vor·tragen, u, o give a speech, deliver, lecture, present

vorübergehend passing

das **Vorurteil, -s, -e** prejudice

vor·werfen, a, o reproach

der **Vorwurf, -(e)s, ⁼e** reproach; **sich gegenseitig ⁼e machen** reproach each other

vor·zeigen present

W

wach alert

wachen keep watch

wach·halten, ie, a keep awake, keep alive

der **Wachtmeister, -s, -** sergeant major

wagen dare

der **Wagen, -s, -** car

die **Wahl** choice, election

wählen dial; vote, elect, choose

der **Wahnsinn, -(e)s** madness, insanity; der **-ige, -n, -n** lunatic

wahr true

die **Wahrheit** truth

wahrscheinlich probable

die **Währungsreform** currency reform

der **Wald, -(e)s, ⁼er** wood; der **~teufel, -s, -** wood-nymph

walten reign

die **Wand, ⁼e** wall; die **~zeitung** billboard

der **Wandel, -s** change

die **Wanderschaft** journeying

die **Wanderung** hike

die **Ware** ware, merchandise

die **Wärme** warmth

warten wait

das **Waschbecken, -s, -** sink

die **Wäsche** laundry

waschen, u, a wash

das **Wasser, -s, ⁼** water; die **~fläche** water's expanse

wechseln change

wecken awaken

weg away; **~·blasen, ie, a** blow away

weg·nehmen, a, o take away

wehe woe

sich **wehren** defend oneself

die **Wehrerziehung** military training

wehrlos defenseless

weich soft

weichen, i, i retreat

weiden graze

der **Weideplatz, -es, ⁻e** pasture

sich **weigern** refuse

der **Wein, -(e)s, -e** wine

weinen cry

die **Weise** manner; **auf diese -** in this way

weisen, ie, ie point

weit wide; ~ **und breit** everywhere; ~**sichtig** farsighted

weiter further; ~**·fahren, u, a** drive on; ~**·gehen, i, a** go on; ~**hin** further

welk withered

die **Welt** world; **zur ~ bringen** give birth to

weltfern naïve

die **Wende** turning point

wenden turn

die **Wendung** turning point

wenigstens at least

werfen, a, o throw

das **Werk, -(e)s, -e** work

werktags on working days

wert worth

der **Wert, -(e)s, -e** value

wert·legen auf appreciate

das **Wesen, -s, -** creature, being, nature; **seinem ~ nach** according to his nature

der **Westen, -s** west

die **Wette** bet

wetten bet

das **Wetter, -s, -** weather

der **Wettläufer, -s, -** runner

wichtig important

wickeln wrap

der **Widehopf, -(e)s, e** hoopoe

widerfahren, u, a happen to, suffer

der **Widerspruch, -(e)s, ⁻e** contradiction

der **Widerstand, -(e)s, ⁻e** resistance

widmen dedicate

wieder again

wiedergut·machen make amends for

wiederher·stellen reestablish

wiederholen repeat

wieder·kehren recur

die **Wiedervereinigung** reunification

wiegen, o, o weigh

die **Wiese** meadow

wildern poach, hunt

der **Wille, -ns,** will; **zu ~n sein** be compliant

willig willing

der **Wind, -(e)s, -e** wind; **die ~schutzscheibe** windshield

winken wave

winzig tiny

wirken be effective

wirklich real

die **Wirklichkeit** reality

wirksam effective

die **Wirkung** effect

der **Wirt, -(e)s, -e** innkeeper; **die ~schaft** economy; **die ~schaftlichkeit** thriftiness; **der ~schaftszweig, -(e)s, -e** economic field

wirtschaftlich economic

der **Wissende, -n, -n** the knowledgeable

der **Wissenschaftler, -s, -** scientist

wissen, u, u know

witterungsbeständig weatherproof

der **Witwer, -s, -** widower

der **Witz, -es, -e** joke

witzig witty

woanders elsewhere

die **Woche** week; **das -nende, -s, -n**

wohl probably

wohnen live

das **Wohnheim, -(e)s, e** dormitory

die **Wohnung** apartment

das **Wohnzimmer, -s, -** living room

die **Wolle** wool

womöglich possibly, perhaps

das **Wort, -(e)s, -e; ⁻er** word

das **Wörterbuch, (e)s, ⁻er** dictionary

wörtlich literal; **~ nehmen** take literally

wühlen burrow through, dig up

das **Wunder, -s, -** miracle

der **Wunsch, -(e)s, ⁻e** wish

wünschen wish

würdevoll dignified

die **Wurst** sausage

die **Wut** rage

wütend furious

Z

zäh tough

die **Zahl** number

zahlen pay

zählen count

der **Zahn, -(e)s, ⁻e** tooth

zanken quarrel

zappeln wriggle

zart tender; ⁻**lich** affectionate

die **Zeche** bill

das **Zeichen, -s, -** sign

der **Zeichner, -s, -** designer

die **Zeichnung** drawing

zeigen show

die **Zeile** line

die **Zeit** time; **in letzter ~** lately; **sich die ~ vertreiben** while away the time

zeitgenössisch contemporary

die **Zeitschrift** journal, periodical

die **Zeitung** newspaper

das **Zelt, -(e)s, -e** tent; der **~platz, -es, ⸚e** tent site

die **Zentrale** central office

die **Zentralgewalt** central executive

das **Zentrum, -s, Zentren** center

zerbersten, a, o fracture

zerbrechen, a, o break

zersägen saw

zerstören destroy; **~d** destructive

zerstreut distracted

die **Zerstreutheit** absentmindedness

der **Zettel, -s, -** slip

das **Zeug, -(e)s** material, stuff

der **Zeuge, -n, -n** witness

das **Zeugnis, -ses, -se** report card, testimony

der **Ziegel, -s, -** tile

ziehen, o, o pull, move

das **Ziel, -(e)s, -e** destination

zielen aim

ziemlich rather

zierlich delicate

das **Zimmer, -s, -** room

der **Zink, -(e)s, -e** zinc countertop

zischen hiss

zittern tremble

die **Zivilbevölkerung** civilian population

zögern hesitate

der **Zorn, -(e)s** fury

zornig angry

zu zweit in twos, in pairs

zu·bringen, a, a spend

das **Zuchthaus, -es, ⸚er** penitentiary

zucken twitch; **die Achseln ~** shrug one's shoulders

der **Zucker, -s, -** sugar; der **~kranke, -n, -n** diabetic

zuerst at first

zufällig by chance, incidental

zufrieden content

der **Zug, -(e)s, ⸚e** train, trait; **in vollen ⸚en** to the fullest

der **Zugang, -(e)s, ⸚e** access, approach

zugänglich accessible

zu·geben, a, e add, admit

zugleich at the same time

zugute kommen, a, o benefit

zu·hören listen to

der **Zuhörer, -s, -** listener

zu·kommen, a, o auf come up to

die **Zukunft** future

zu·lassen, ie, a permit, license

zuletzt at last

zumal all the more

zu·nehmen, a, o grow, increase; **in ~dem Maße** to a growing degree

die **Zunge** tongue; **böse ~n** evil tongues

zurück back; **~·geben, a, e** return, give back; **~·kehren** return;

~·kommen, a, o come back; **~·reichen** hand back, return; **~·sinken, a, u** relapse into; **~·ziehen, o, o** withdraw

zusammen together; **~·brechen, a, o** collapse; **~·bringen, a, a** solve, get together; **~·fassen** summarize; **~gehörig** belonging together; **~·hängen, i, a** be connected together; **sich ~·nehmen, a, o** pull oneself together; **~·schließen, o, o** fuse; **~·stoßen, ie, o** clash, push together; **~zählen** add up

die **Zusammenarbeit** cooperation

der **Zusammenbruch, -(e)s, ⸚e** collapse

der **Zusammenhang, -(e)s, ⸚e** connection; **im ~ mit** in connection with

der **Zusammenstoß, -es, ⸚e** clash

zu·schauen watch

der **Zuschauer, -s, -** spectator

zu·schließen, o, o lock

zu·schnüren lace up; **die Kehle ~** choke

die **Zuschrift** reply

der **Zustand, -(e)s, ⸚e** condition

zuständig appropriate; **~ sein** be authorized, responsible

zu·stoßen, ie, o happen to

zutage treten, a, e come to light

die **Zuteilung** allocation
zuungunsten to the
  disadvantage of
zuverlässig reliable
die **Zuverlässigkeit**
  trustworthiness
zu.weisen, ie, ie assign

die **Zwangsarbeit** forced
  labor
zwar indeed, to be sure
der **Zweck, -(e)s, -e** purpose
zweifeln doubt
der **Zweifelsfall, -(e)s, ̈e**
  :im ~ in case of doubt

der **Zweig, -(e)s, -e** branch;
  die ~**stelle** branch
  office
die **Zwiebel** onion
zwingen, a, u force
der **Zwirn, -s, -e** thread

Photo Credits

4(left), Austrian Tourist Office.   4(right), Andy Berhaut/Photo Researchers. 5, Beryl Goldberg.   6, Peter Menzel.   7, German Information Center.   28, German Information Center.   32, German Information Center.   37, Kunsthaus Zürich.   47, Beryl Goldberg.   50, German Information Center.   65(all) Agnes D. Langdon.   69, German Information Center.   73, German Information Center.   85(all), German Information Center.   92, Scala.   95, German Information Center.   99, German Information Center.   109, Ralph Kleinhempel/Hamburger Kunsthalle.   110, Yan Lukas/Photo Researchers Inc. 111, Don Morgan/Photo Researchers Inc.   112, German Information Center. 114, Austrian Tourist Office.   123(top left), Christa Armstrong/Photo Researchers Inc.   123(bottom right), Peter Menzel.   129, Eastfoto.   143(top), Eastfoto.   143(bottom), Ulrike Welsch/Photo Researchers.   146, German Information Center.   148, AP/Wide World Photos.   150, Eastfoto. 153(top), AP/Wide World Photos.   153(center), Bettmann Newsphotos. 153(bottom), AP/Wide World Photos.   163(top),   German Information Center.   163(bottom), Beryl Goldberg.   167, Owen Franken.   172, German Information Center.   176(top) Beryl Goldberg.   176(bottom), German Information Center.   186(top), German Information Center.   186(bottom), German Information Center.   191, Verlag Haus am Checkpoint Charlie Berlin 193, German Information Center.   205(all), German Information Center. 207, Fritz Henle/Photo Researchers Inc.   209, Willy Ronis/Photo Researchers Inc.   213, Peter Menzel.   227, Agnes D. Langdon.

Other Credits

15–16, Helga Novak, „Fahrkarte bitte", from *Palisaden,* © 1980 by Hermann Luchterhand Verlag, Darmstadt und Neuwied   19, Helga M. Novak, „Gepäck", from *Palisaden,* © 1980 by Luchterhand Verlag, Darmstadt und Neuwied.   36–37, Peter Bichsel, „Das Kartenspiel", from *Eigentlich möchte Frau Blum den Milchmann kennenlernen,* © 1964 by Walter-Verlag AG, Olten. 39–41, Max Frisch, „Bargeschichten", from *Mein Name sei Gantenbein,* © 1964 by Suhrkamp Verlag, Frankfurt am Main.   46–47, „Abiturienten", from *Tatsachen und Ansichten,* ed. Heinrich Crass et al, © 1983 by Eilers & Schünemann Verlag, Bremen.   58–60, Hermann Kasack, „Mechanischer Doppelgänger", from *Deutsche Erzähler der Gegenwart*, ed. Willy Fehse. Reclam Verlag, Stuttgart, 1959. © by Wolfgang Kasack.   62, Wolfgang Borchert, „Der Schriftsteller", from *Gesammelte Werke.* © 1949 by Rowohlt Verlag GmbH, Hamburg. 63–64, Heinz Kahlau, „Der alte Maurer", from *Ausgewählte Gedichte 1950–1980.* © 1982 by Aufbau-Verlag Berlin und Weimar.   75, e.o. plauen,